John Davies

Nov. 1993

Der Autor

Dr. Wolfgang Benz, geb. 1941 in Ellwangen/Jagst, ist Mitarbeiter des Instituts für Zeitgeschichte in München. Zahlreiche Veröffentlichungen zur Geschichte des 20. Jahrhunderts, u. a.: ›Süddeutschland in der Weimarer Republik‹ (1970); ›Politik in Bayern 1919–1933‹ (1971); ›Einheit der Nation. Diskussion und Konzeptionen zur Deutschlandpolitik der großen Parteien seit 1945‹ (1978, m. G. Plum u. W. Röder); ›Sommer 1939. Die Großmächte und der Europäische Krieg‹ (1979, Hrsg. m. H. Graml); ›Bewegt von der Hoffnung aller Deutschen. Zur Geschichte des Grundgesetzes‹ (1979, Hrsg.); ›Weltprobleme zwischen den Machtblöcken‹ (1981) und ›Europa nach dem Zweiten Weltkrieg‹ (1983, Hrsg., beide zus. mit H. Graml); ›Die Bundesrepublik Deutschland. Politik, Gesellschaft, Kultur‹ (1983, 3 Bde, Hrsg.); ›Von der Besatzungsherrschaft zur Bundesrepublik‹ (1984).

Deutsche Geschichte der neuesten Zeit
vom 19. Jahrhundert bis zur Gegenwart

Herausgegeben von Martin Broszat,
Wolfgang Benz und Hermann Graml
in Verbindung mit dem Institut für Zeitgeschichte, München

Wolfgang Benz:
Die Gründung der Bundesrepublik
Von der Bizone zum souveränen Staat

Deutscher
Taschenbuch
Verlag

Die Karten zeichnete Karl-Friedrich Schäfer.

Originalausgabe
1. Auflage Oktober 1984
3. Auflage Juli 1989: 17. bis 22. Tausend
© Deutscher Taschenbuch Verlag GmbH & Co. KG,
München
Umschlaggestaltung: Celestino Piatti
Vorlage: Bundeskanzler Adenauer mit (von links) Fritz Schä-
fer, Ludwig Erhard, Herbert Blankenhorn, Wilhelm Vocke, ei-
nem Unbekannten und Franz Blücher im September 1949 auf
dem Petersberg; im Hintergrund Besatzungsoffiziere (Bilder-
dienst Süddeutscher Verlag)
Gesamtherstellung: C. H. Beck'sche Buchdruckerei,
Nördlingen
Printed in Germany · ISBN 3-423-04523-X

Inhalt

30

Das Thema

Die Geschichte der Bundesrepublik beginnt weder im Frühjahr 1949 mit der Verkündung des Grundgesetzes noch im Herbst 1949 mit der Vereidigung des ersten Adenauer-Kabinetts; die Anfänge der Bundesrepublik reichen vielmehr – auch institutionell – zurück in die Bizone, die 1946 durch einen amerikanisch-britischen Vertrag und deutsche Verwaltungsabkommen vorbereitet und am 1. Januar 1947 ins Leben gerufen wurde. Die »Verschmelzung« der britischen und der amerikanischen Zone war ein Versuch, die auf der Potsdamer Konferenz beschlossene wirtschaftliche Einheit Deutschlands in kleinerem Rahmen zu realisieren. Außerdem sollten Frankreich und die UdSSR auf diesem Weg zur Kooperation in der Deutschlandpolitik gezwungen werden. In ihrer ersten Phase (bis Mitte 1947) war die Bizone ein Fehlschlag: einerseits wegen der fortdauernden heterogenen Entwicklung der beiden Besatzungsgebiete, andererseits wegen der dislozierten »Verwaltungen«, die mit ihren schwerfälligen und wenig kompetenten Apparaten die chaotischen Verhältnisse auf den Gebieten Wirtschaft, Ernährung, Verkehr, Post und Finanzen nicht bessern konnten. Ab Juni 1947 hatte das »Vereinigte Wirtschaftsgebiet« (so die offizielle Bezeichnung ab Herbst 1947) mit Frankfurt eine Hauptstadt und dort auch ein Parlament: den aus den acht Landtagen der beiden Zonen beschickten Wirtschaftsrat. Die fünf Ressortchefs, »Direktoren« genannt, bildeten zusammen mit dem Exekutivrat (eine Instanz, die halb Länderkammer, halb Reichskabinett war) eine Art Regierung. Bei der Wahl der Direktoren im Juli 1947 wurde die Regierungskoalition von CDU/CSU und FDP erprobt, die SPD begab sich freiwillig in die langdauernde Opposition. Anfang 1948 wurden die Organe der Bizone ein letztes Mal umgestaltet, und obgleich politische Nomenklaturen weiterhin peinlich vermieden wurden, existierte nun ein perfektes Modell der Bundesrepublik mit Legislative (Wirtschaftsrat und Länderrat), Exekutive (»Oberdirektor« und »Direktoren« an der Spitze der »Verwaltungen«) und einer vielfältig gegliederten Administration einschließlich Rechnungshof, Statistischem Amt, Patentamt. Als Spitze der dritten Gewalt gab es das »Deutsche Obergericht für das Vereinigte Wirtschaftsgebiet«.

7

In der Ära des Frankfurter Interregnums wurden, von den Zeitgenossen meist kaum bemerkt, viele Weichen auf wirtschaftlichem und sozialem Gebiet endgültig gestellt. Vor allem das spätere »Wirtschaftswunder« hatte seinen Ursprung in Frankfurt im Gefolge der Währungsreform vom Juni 1948 und der Einführung der von Ludwig Erhard propagierten »Sozialen Marktwirtschaft«. Die wichtigsten politischen Entscheidungen – die Option für den Weststaat als Voraussetzung der Staatsgründung und die Festlegung der verfassungsrechtlichen Strukturen – erfolgten aber nicht im Rahmen der Bizone, sondern auf der Ebene der Ministerpräsidenten, die im Juli 1948 den alliierten Auftrag zur Staatsgründung akzeptierten, und in der Konstituante, die als trizonales Verfassungsparlament in Bonn das Grundgesetz ausarbeitete. Nach dessen Fertigstellung sorgte aber wiederum die Bizonenadministration als Grundstock der neuen Bundesministerien für Verwaltungskontinuität und für den relativ reibungslosen Anlauf des neuen Staatswesens in Bonn.

Dieser Staat, der im Herbst 1949 ins Leben trat, stand weiterhin unter alliierter Kuratel. Seine Souveränität lag bei den drei Hohen Kommissaren, und das Besatzungsstatut war in den Jahren 1949 bis 1955 gegenüber dem Grundgesetz das wichtigere Verfassungsdokument. Im Zuge der Westintegration, die den Gründungsprozeß der Bundesrepublik abschloß, gewann Bonn die Souveränitätsrechte jedoch schneller, als zu erwarten war. Den Anfang bildete das Petersberger Abkommen (1949), dann folgten der Beitritt zum Europarat (1950) und die Ablösung des Ruhrstatuts durch die Montanunion (1951). Das EVG-Vertragswerk von 1952, das die Wiederbewaffnung im Rahmen einer europäischen Armee und die Ablösung des Besatzungsstatuts vorsah, war dann, wenngleich nicht vollzogen, die letzte Etappe vor den Pariser Verträgen, mit denen die Alliierten die Bundesrepublik im Mai 1955 aus der Vormundschaft entließen.

I. Berlin-Blockade und Luftbrücke 1948/49

Berlin 1948: Vier Großmächte regieren eine Stadt

Berlin gehörte bis zum Zweiten Weltkrieg zu den wichtigsten Industrie- und Handelsstädten Europas. Die Hauptstadt Preußens und des Deutschen Reiches war im vorigen Jahrhundert sogar eine der ersten Industriestädte auf dem Kontinent. Berlin war Zentrum des mitteleuropäischen Eisenbahnnetzes, hatte den zweitgrößten Binnenhafen Deutschlands, es spielte auf kulturellem Gebiet eine überragende Rolle. Durch die Eingemeindung von sieben Nachbarstädten und 59 Landgemeinden war 1920 »Groß-Berlin« entstanden, eine kommunale Einheit von größerer Ausdehnung als New York oder London und größer als das Ruhrgebiet. Durch amerikanische und britische Bombenangriffe und bei der Eroberung durch die Rote Armee in den letzten Tagen des Zweiten Weltkriegs war die Stadt in Trümmer gesunken, war nahezu vernichtet und gelähmt worden. 1939 hatten 4,3 Millionen Menschen dort gelebt, zu Beginn des Jahres 1948 waren es noch rund 3,2 Millionen.

Der Wiederaufbau der ehemaligen Reichshauptstadt hatte erste Erfolge gezeitigt: Ende 1947 funktionierte die Gas-, Wasser- und Elektrizitätsversorgung wieder einigermaßen reibungslos, die öffentlichen Verkehrsmittel waren zur Hälfte wiederhergestellt (im Mai 1945 waren nur noch 10 Prozent des Straßenbahnnetzes, 20 Prozent der U-Bahn und 8 Prozent der Omnibuslinien betriebsfähig gewesen). Wohnungen, in denen laut Statistik 1,6 Personen in einem Raum zusammenlebten, wurden allmählich wiederhergerichtet. Ein Viertel der noch reparierbaren Häuser war wieder bewohnt. Die Berliner Industrie, zu 23 Prozent im Krieg zerstört, zu weiteren 43 Prozent nach Kriegsende durch Demontagen vernichtet, regte sich wieder, und im ersten Halbjahr 1948 nahm der Handel mit den westlichen Besatzungszonen laufend zu, obwohl die kürzeste Entfernung zwischen Berlin und dem Wirtschaftsgebiet der amerikanischen und der britischen Zone, der Bizone, wie das Gebiet seit Anfang 1947 hieß, 175 Kilometer betrug.

Trotz der Anwesenheit der vier Besatzungsmächte, von denen jede in einem »Sektor« die Oberhoheit ausübte, war Berlin zu Beginn des Jahres 1948 noch keine geteilte Stadt: Ein deutscher Magistrat, der aus den ersten (und letzten) freien Wahlen Groß-Berlins nach dem Krieg im Oktober 1946 hervorgegangen war, lenkte die Geschicke ganz Berlins unter der Aufsicht und Kontrolle der »Kommandatura«, in der die vier alliierten Stadtkommandanten gemeinsam entschieden. Auf der unteren Ebene der deutschen Kommunalverwaltung amtierten 20 Bezirksbürgermeister. Der Ostsektor der Stadt hatte die meisten Einwohner, 1170297. Im amerikanischen Sektor lebten 984002, im britischen 605300 und im französischen 422110 Berliner.

Die Garnisonen der drei Westmächte bestanden zusammen aus etwa 6500 Soldaten, denen eine vielfache Übermacht im sowjetischen Sektor der Stadt, etwa 18000 Mann, gegenüberstand. (Weitere 300000 Rotarmisten waren in der Ostzone stationiert.) Es waren natürlich viel mehr Amerikaner, Franzosen und Briten in Berlin als die 6500 Soldaten der Kampftruppe, nämlich das Personal der amerikanischen Militärregierung für Deutschland (OMGUS = Office of Military Government for Germany, U. S.) mit General Lucius D. Clay an der Spitze, die Angehörigen der amerikanischen, britischen und französischen Militärregierungen, die jeweils zuständig waren für ihren Sektor Berlins, ferner die Offiziere und Beamten, die als Vertreter ihrer Nationen im Alliierten Kontrollrat für Deutschland saßen, außerdem Verbindungsstäbe, Techniker, Berater und großenteils deren Familienangehörige. Im Jahre 1948 waren das noch mindestens 25000 Personen.

Das Besatzungssystem für Berlin hatten die Alliierten, zugleich mit der Festlegung der Besatzungszonen für ganz Deutschland, bereits im Herbst 1944 vereinbart. Frankreich war aber erst später in den Kreis der Besatzungsmächte eingetreten. Die französischen Truppen ergriffen erst am 12. August 1945 von ihrem Berliner Sektor Besitz, die Amerikaner und Briten waren seit 4. Juli in der Stadt, die sowjetische Rote Armee hatte Ende April 1945 ganz Berlin erobert und besetzt.

Zur Präsenz der westlichen Alliierten in Berlin gehörten die »Zugangsrechte« zur ehemaligen Reichshauptstadt, die ringsum von der sowjetischen Besatzungszone umgeben war. Die Westmächte hatten während des Krieges und unmittelbar nach Kriegsende keinen Grund gesehen, ihre vertraglich festgelegte Anwesenheit in Berlin durch schriftliche Vereinbarungen über die Zugangswege zu Lande und zu Wasser förmlich abzusichern; vor allem die Amerikaner glaubten noch ziemlich lange an eine freundschaftliche Fortsetzung des Kriegsbündnisses mit der Sowjetunion. Lediglich die Luftverbindungen von Berlin nach Hamburg, Hannover und Frankfurt am Main – die drei Korridore – waren im November 1945 festgelegt worden. Einzelheiten des Luftverkehrs wurden im Oktober 1946 vom Kontrollrat in aller Form geregelt.

»Technische Störungen«: Nadelstiche und Schikanen der Sowjets

Seit Beginn des Jahres 1948 häuften sich die »technischen Störungen« auf den Verbindungswegen zwischen Berlin und den Westzonen, die durch das von der sowjetischen Besatzungsmacht kontrollierte Gebiet der späteren DDR führten. Seit Ende 1947 hatten sich die Anzeichen verstärkt, daß die Sowjetunion, die gemeinsam mit Amerika, Großbritannien und Frankreich die Hoheit über Berlin ausübte, den Zustand vom Frühjahr 1945 wiederherstellen wollte, als sie zehn Wochen lang, vom Mai bis Juli, die Stadt allein beherrscht hatte.

Die technischen »Störungen« und »Schwierigkeiten« auf den Zufahrtswegen nach Berlin begannen am 24. Januar 1948. An diesem Tag wurde der Nachtzug Berlin – Bielefeld, in dem Angehörige der britischen Besatzungsmacht und 120 Deutsche saßen, elf Stunden lang in der sowjetischen Zone festgehalten, die Deutschen mußten nach Berlin zurück, weil ihre Ausweise den sowjetischen Kontrolleuren nicht ausreichend erschienen, die Engländer durften schließlich die Fahrt fortsetzen. Im Februar wurde ein amerikanischer Militärzug in Helmstedt angehalten. Am 30. März erklärte General Dratwin, der stellvertretende sowjetische Militärgouverneur, innerhalb von 24 Stunden würden neue Bestimmungen für den Interzonenverkehr in Kraft treten, die namentlich Kontrollen durch die sowjetische Besatzungsmacht auf den Wegen nach Berlin ermöglichen sollten. Am 1. April wurden zwei britische Personenzüge an der sowjetischen Zonengrenze angehalten und zurückgeschickt, als die Engländer sich weigerten, sich kontrollieren zu lassen. Ein amerikanischer Zug kam etwas weiter, bis er auf ein Nebengleis geleitet wurde, wo er ein paar Tage lang stehenblieb, ehe er wieder in die US-Zone zurückfuhr.

Ebenfalls in den ersten Apriltagen 1948 sperrten die sowjetischen Behörden die Eisenbahnlinien von Hamburg und von

Bayern nach Berlin; der gesamte Frachtverkehr sollte nur noch über Helmstedt abgewickelt werden. Posteisenbahnwagen von Berlin nach dem Westen wurden ab 1. April nicht mehr abgefertigt, weil gewisse Formulare (über die aber keine genauen Auskünfte zu erlangen waren) hinterlegt werden sollten. Am folgenden Tag wurden die Frachtschiffe, die von Hamburg aus über die Elbe, die Havel und den havelländischen Hauptkanal nach Berlin fuhren, aufgehalten, weil die Frachtbriefe angeblich nicht gültig waren. Diese und ähnliche Dokumente wurden überhaupt in den folgenden Wochen zu einer rätselhaften Sache. Wie sorgfältig sie auch ausgestellt und wie oft sie auch (von sowjetischen und anderen Behörden) gestempelt und signiert waren, unweigerlich tauchten Soldaten der Roten Armee auf, die Binnenschiffern, LKW-Fahrern, Zugschaffnern und wer sonst auf den Transitstrecken nach Berlin unterwegs war, ihr stereotypes »propusk nix gut« entgegenhielten und die Weiterfahrt verhinderten. Am 2. April mußten die amerikanischen und britischen Reparaturstationen an der Autobahn zwischen Helmstedt und Berlin geschlossen werden, kurz darauf verlangten die Sowjets auch den Abzug des militärischen Nachrichtenpersonals, das Amerikaner und Engländer zur Betreuung der amtlichen Fernsprechlinien zwischen ihren Hauptquartieren in Berlin und Westdeutschland in der sowjetischen Zone stationiert hatten.

Im Mai und Juni erwiesen sich die Sowjets genauso erfinderisch wie im April, alle nur denkbaren Formalitäten für den Berlinverkehr wurden ersonnen, um »Plünderern«, »Spekulanten«, »Schwarzmarkthändlern«, »Banditen und Spionen« oder gar »terroristischen Elementen« die Reise zu erschweren. Gemeint waren freilich in erster Linie die Militärtransporte der Alliierten, und erschwert werden sollte vor allem die Versorgung der amerikanischen, britischen und französischen Garnisonen in Berlin.

Der ernsteste Zwischenfall ereignete sich am 5. April. Ein russisches Jagdflugzeug raste in eine britische Transportmaschine, die zur Landung auf dem Flugplatz Gatow im britischen Sektor angesetzt hatte. Beim Absturz kamen vierzehn Engländer und der Pilot des sowjetischen Flugzeugs ums Leben. Die Schuld schien zunächst eindeutig beim sowjetischen Jäger zu liegen, nach Zeugenaussagen hatte er durch Akrobatenstücke die britische Maschine gefährdet; Marschall Sokolowskij, der sowjetische Militärgouverneur, sah das zunächst auch so, er bedauerte unmittelbar nach dem Unglück das Verhalten des sowjetischen Piloten. Daraufhin nahmen Amerikaner und Engländer ihre Entscheidung, künftig mit Jagdschutz nach Berlin zu fliegen, wieder zurück. Dann änderte Sokolowskij aber seine Haltung und beschuldigte die Briten, Flugsicherheitsvorschriften mißachtet zu haben. Die britische Untersuchungskommission kam zu dem Ergebnis, daß das sowjetische Jagdflugzeug das Unglück verursacht hatte, für die Annahme einer provokativen Gefährdung des britischen Flugzeugs reichten die Beweise aber nicht aus. Jedenfalls drehten die Sowjets den Spieß um, beschuldigten die Engländer, das Flugzeugwrack in ihrem Sinn präpariert zu haben und benutzten den Zwischenfall, für den sie sich erst entschuldigt hatten, vom nächsten Tag an für ihre Forderung, den Flugverkehr zwischen Westdeutschland und Berlin einzuschränken und alle Flüge von einer 24 Stunden vorher bei ihnen einzuholenden Genehmigung abhängig zu machen. Unterstützt wurde diese Forderung durch Presseberichte in den Zeitungen der Sowjetzone, nach denen die amerikanischen und britischen Piloten »höchst unerfahren« seien, ständig Luftverkehrsvorschriften verletzten und daher »dringend strenger Kontrolle« bedürften. Die Piloten der Royal Air Force und der US Air Force sollten freilich bald reichlich Gelegenheit erhalten, ihre Fähigkeiten zu beweisen.

Die erste Kraftprobe im April: General Clay wird nicht nervös

General Lucius D. Clay, der amerikanische Militärgouverneur für Deutschland, hatte am 2. April kurzerhand angeordnet, die steckengebliebenen oder zurückgewiesenen Transportzüge durch Flugzeuge zu ersetzen. Von der Öffentlichkeit noch wenig beachtet, wurden die Güter, die die Truppen der westlichen Alliierten brauchten, vom Frankfurter Rhein-Main-Flughafen aus nach Berlin geflogen. Angesichts der 36 Transportflugzeuge, die zur Verfügung standen – 24 davon waren tatsächlich einsatzbereit –, waren die 200 Tonnen Lebensmittel und Material, die vom 2. bis 4. April 1948 nach Berlin geflogen wurden, eine ganz gute Leistung, spektakulär war sie freilich nicht. Man muß bedenken, daß die amerikanischen Streitkräfte demobilisierten: Mannschaft und Gerät standen 1948 keineswegs mehr im Überfluß zur Verfügung, und der Chef der Frankfurter

Transportgruppe war ziemlich erschrocken, als er Clays Befehl mit seinen wenigen, überdies vom Krieg her ziemlich mitgenommenen Maschinen ausführen mußte. Das Unternehmen, später »Baby-Luftbrücke« genannt, das nach der Normalisierung des Landverkehrs schnell wieder überflüssig wurde, demonstrierte allenfalls die Entschlossenheit des amerikanischen Militärgouverneurs, in Berlin nicht vor technischen Schwierigkeiten zu kapitulieren.

Der Ruhm General Clays in der amerikanischen Armee gründete sich gerade auf die Bewältigung von scheinbar unlösbaren technischen Schwierigkeiten. Clay war damals 51 Jahre alt, seit 30 Jahren Berufssoldat (die ersten 17 Jahre seiner Karriere hatte er als Leutnant verbracht, was aber nicht seine militärische Unfähigkeit beweist, sondern die Sparsamkeit der US Army nach dem Ersten Weltkrieg). Als Armeeingenieur hatte er zwischen 1918 und Amerikas Eintritt in den Zweiten Weltkrieg Dämme, Schleusen und Flugplätze gebaut, im Zweiten Weltkrieg war er zu einem der wichtigsten Rüstungsmanager aufgestiegen, der vom Schreibtisch in Washington aus Nachschubprobleme löste. Seine Glanzleistung vollbrachte er 1944 in der Normandie, als er den hoffnungslos demolierten und verstopften Hafen Cherbourg, der für den Nachschub der amerikanischen Armee lebenswichtig war, innerhalb von zwanzig Tagen zum Funktionieren brachte. Auf Schlachtenruhm hatte der brillante Logistiker und Organisator verzichten müssen, aber als Stellvertreter und späterer Nachfolger Eisenhowers im Amt des amerikanischen Militärgouverneurs für Deutschland wurde er legendär: Ein auch in Washington wegen seiner schnellen und manchmal eigenwilligen Entschlüsse mit Skepsis beobachteter Soldat mit politischem Auftrag, ein autokratischer Vorgesetzter mit schier unmenschlicher Arbeitskraft, glänzendem Gedächtnis und kühler Selbstbeherrschung in kritischen Situationen. Ein Angehöriger der britischen Militärregierung in Deutschland von hohem Rang sagte nach einer anstrengenden Konferenz mit ihm: »Er sieht aus wie ein römischer Kaiser – und so beträgt er sich auch.«

Angesichts der Blockade der Zufahrtswege im April 1948, durch die die Sowjets die Westalliierten in Berlin aushungern und zum Abzug bewegen wollten, wurde das alliierte Personal doch ein bißchen nervös. Der Wunsch verbreitete sich, wenigstens die Familienangehörigen der westlichen Besatzungsmächte aus Berlin zu evakuieren. Während Franzosen und Engländer, nicht zuletzt um die Versorgungsschwierigkeiten möglichst gering zu halten, entsprechend verfuhren, lehnte Clay dies kategorisch ab. Er erklärte, daß jeder Evakuierungsantrag eines Amerikaners für seine Familie automatisch auch für den Antragsteller selbst gelte, das sei keine Diskreditierung, aber er wünsche keine Mitarbeiter um sich, die sich in Berlin ungemütlich fühlten. Daraufhin wurden die meisten Anträge zurückgezogen, und Clay meldete selbstbewußt nach Washington: »Eine Evakuierung kommt angesichts der bevorstehenden italienischen Wahlen und der europäischen Lage meiner Ansicht nach nicht in Betracht. Unsere Frauen und Kinder können es aushalten und wissen, worauf es ankommt. Hier denken wenige an die Abreise, wenn sie nicht dazu aufgefordert werden.«

Der Militärgouverneur sah also seine Aufgabe auch darin, in ganz Europa amerikanische Stärke und Unerschrockenheit zu demonstrieren. Von den italienischen Parlamentswahlen, auf die Clay hinwies, wurde am 18./19. April 1948 die Entscheidung darüber erwartet, ob die Italiener sich beim ersten allgemeinen und freien Urnengang nach dem Zweiten Weltkrieg für die parlamentarische Demokratie oder für eine kommunistische Mehrheit entscheiden würden, die auch dieses Land hinter den »Eisernen Vorhang« gebracht hätte. Ein Abzug namentlich der Amerikaner aus Berlin hätte die Situation in ganz Europa ohne Zweifel erheblich verändert, er wäre von vielen als erster Schritt verstanden worden, dem vielleicht die Aufgabe ganz Westdeutschlands hätte folgen müssen. Das geglückte Experiment der »Baby-Luftbrücke« bestärkte Clay in der Zuversicht, in Berlin bleiben zu können, solange die westlichen Truppen nicht mit Gewalt vertrieben würden. Militärische Risiken wollte Washington nämlich nicht eingehen, und an eine Abdrosselung der Lebensmitteltransporte für die deutsche Bevölkerung in Berlin dachte man im April 1948 noch nicht ernsthaft. Aus politischen Gründen wollte General Clay unbedingt in Berlin bleiben, solange es irgend ging, dafür war er schlimmstenfalls auch bereit, Schikanen und Demütigungen durch die ehemals verbündeten Sowjets hinzunehmen.

Weitere Nadelstiche folgten, auch als sich die Lage auf den Zufahrtswegen nach Berlin wieder normalisiert hatte. Es gab ständig irgendwelchen Ärger mit Bestimmungen über Frachtbriefe: Am 30. April wurde ein LKW-Transport mit britischer Militärfracht aus Berlin von den Sowjets zurückgeschickt, weil die Begleitpapiere angeblich unzulänglich waren, eine Woche später traf zwei deutsche Güterzüge aus westlicher Richtung das gleiche Schicksal, am 20. Mai wurden die Vorschriften für Schiffspapiere noch komplizierter gestaltet, als sie schon waren. Postzüge wurden wiederholt angehalten. Am 9. Juni griffen sowjetische Behörden sogar in den Eisenbahnverkehr im amerikanischen Sektor ein, bis US-Militär sie daran hinderte. Wenig später wurden Züge aus dem Westen mit der Begründung an der Weiterfahrt gehindert, die Waggons seien »schadhaft«, wieder einige Tage später, am 19. Juni, schickten die Sowjets Lastkraftwagen mit Lebensmitteln an der Zonengrenze in den Westen zurück mit der Begründung, die Fahrzeuge seien zu alt und nicht verkehrssicher.

Ab Mitte Juni traten auch überall wieder »technische Störungen« auf. Die Elbbrücke der Autobahn bei Magdeburg wurde am 15. Juni wegen Reparaturarbeiten gesperrt. Der Verkehr wurde tagsüber durch eine primitive Fähre mit geringer Kapazität, aber überhöhten Preisen mehr schlecht als recht aufrechterhalten. Am 19. Juni 1948 unterbanden die sowjetischen Behörden den gesamten Personenverkehr sowie den ganzen übrigen Straßenverkehr zwischen den Westzonen und der Ostzone.

Der Grund für diese Maßnahmen war die bevorstehende Währungsreform in den drei Westzonen, die am 20. Juni in Kraft trat. Lediglich in Berlin würde vorläufig alles beim alten bleiben, wegen des Viermächte-Status der ehemaligen Reichshauptstadt sollte dort die alte Reichsmark bis zu einer Viermächte-Vereinbarung alleiniges Zahlungsmittel sein.

Macht die Währungsreform die Lage unhaltbar?

Auf der Bühne der Kommandatura, der Viermächteregierung für Berlin, inszenierten die sowjetischen Vertreter am 16. Juni ihre letzte Komödie. Nachdem der amerikanische Stadtkommandant, Oberst Howley, sich nach einem dreizehnstündigen Streit um 11 Uhr nachts aus der Sitzung entfernt hatte – sein Stellvertreter hatte in aller Form seinen Platz eingenommen –, protestierte die sowjetische Delegation gegen dieses »unwürdige Verhalten« und verließ den Saal auf Nimmerwiedersehen. Die Kommandatura als interalliiertes Gremium gemeinsamer Verantwortung für Berlin war damit praktisch beseitigt. Nachdem die Sowjets schon am 20. März 1948 den Alliierten Kontrollrat für Deutschland verlassen hatten, war die Inszenierung in der Kommandatura keine allzugroße Überraschung mehr. Hinter den Kulissen geschahen zur gleichen Zeit andere Dinge, deren Sinn noch nicht gleich erkennbar war: Am 12. Juni hatte der russische Bezirkskommandant das Kraftwerk Klingenberg im Ostsektor Berlins, eines der wichtigsten Elektrizitätswerke, von dem die Versorgung des westlichen Berlin abhing, in unmittelbare sowjetische Regie genommen, und bereits am 3. Juni war für den Ostsektor entgegen den Viermächtevereinbarungen ein Befehl zur Regelung der Löhne und Arbeitszeiten erlassen worden, ein Befehl, der für den Ostsektor andere Bedingungen setzte als für die Westsektoren der Stadt. Dieser Befehl war freilich nur einer in einer ganzen Serie.

Die von der sowjetischen Besatzungsmacht beeinflußte deutsche Presse hatte seit Monaten schon psychologische Kriegführung betrieben, um die Einwohner der Berliner Westsektoren auf eine russische Machtergreifung in der ganzen Stadt vorzubereiten. Mindestens sollten die Artikel den Eindruck erwecken, die Westmächte würden Berlin aufgeben. Von mangelnden Lebensmitteln war die Rede (das stimmte: die Vorräte, die in Westberlin nach den Erfahrungen des Frühjahrs 1948 angelegt worden waren, reichten kaum für ein paar Wochen), und immer wieder wurden angebliche Äußerungen westlicher Politiker oder General Clays kolportiert, daß Berlin nicht zu halten sei. Vorsorglich wurde auch gern betont, daß die Bevölkerung Berlins im Falle von Verkehrsschwierigkeiten nicht aus der Luft versorgt werden könne. An die »Baby-Luftbrücke« vom April erinnerten sich die Sowjets also offenbar ganz gut. Aber es war in der Tat unwahrscheinlich, daß die Westmächte mehr als zwei Millionen Berliner in den Westsektoren durch die Luft versorgen könnten. Aus der Tatsache, daß sie für ihr eigenes Personal und deren Familien, alles in allem etwa 25000 Menschen, drei Tage lang das Lebensnotwendige mit Flugzeugen herbeigeschafft hatten, konnte man unmöglich schließen, daß die Operation im hundertfach vergrößerten Maßstab ebenfalls erfolgreich sein könnte.

Die schleichende Krise um Berlin wurde akut, als am 18. Juni 1948, einem Freitag, verkündet wurde, daß am 20. Juni die Währungsreform für die drei westlichen Besatzungszonen Deutschlands in Kraft treten würde. Die monatelangen Verhandlungen der vier Mächte über eine gemeinsame Reform in allen vier Zonen waren ergebnislos geblieben. Die Reform im

Westen forderte aber zwingend auch entsprechende Maßnahmen in der Ostzone. Hätten die Verantwortlichen in der sowjetischen Besatzungszone nicht reagiert, so wäre ihr Gebiet mit der wertlosen Reichsmark aus dem Westen überschwemmt worden; die Beseitigung der Inflation im Westen hätte die Inflation im Osten ins Ungeheuere gesteigert. Während aber die Westmächte Groß-Berlin von der Währungsreform bis zu einem Übereinkommen der vier Mächte ausklammern wollten, bezog Marschall Sokolowskij bei seiner Reform Gesamt-Berlin mit ein, da es in der sowjetischen Besatzungszone liege »und wirtschaftlich ein Teil der sowjetischen Zone« sei. Sokolowskij verbot in seinem Währungsreform-Befehl vom 23. Juni 1948 die Verwendung anderen Geldes in Berlin »außer der Währung der Sowjetischen Besatzungszone«.

Für den Spätnachmittag des 23. Juni war eine Sondersitzung der Berliner Stadtverordneten einberufen worden. Schon Stunden zuvor drängten sich Menschenmengen vor dem Stadthaus in der Parochialstraße, Demonstranten hatten sich auch gewaltsam Einlaß in den Stadtverordnetensaal verschafft und verhinderten die Eröffnung der Sitzung. Es waren Sympathisanten der SED, die zum Stadthaus befohlen waren, um die Beschlüsse des Magistrats und der Stadtverordneten zur Währungsreform zu verhindern. Seit den Wahlen vom Oktober 1946 hatte die Sozialistische Einheitspartei Deutschlands in der Stadtverordnetenversammlung von Groß-Berlin nur noch 26 von 130 Sitzen (SPD: 63, CDU: 29, LDP: 12). Die Mobilisierung der Straße sollte die Unterlegenheit im Stadtparlament ausgleichen. Mit reichlicher Verspätung wurde, trotz der Störversuche, gegen Abend verkündet, der Befehl Sokolowskijs sei nur im Ostsektor gültig. In den Westsektoren kämen die Befehle der westlichen Militärgouverneure zur Anwendung. Einige Stadtverordnete mußten ihre Haltung büßen, sie wurden von den bestellten Demonstranten nach der Sitzung mißhandelt. Die Polizei sah zu oder ermunterte gar die Schläger, denn das Stadthaus lag im Ostsektor. Die Zeitung ›Neues Deutschland‹, das Organ der SED, versuchte am übernächsten Tag ihren Lesern einzureden: »Das war Demokratie, Berliner!« (So lautete die Schlagzeile zum Bericht über die Tumulte.) Die »Abgesandten der Werktätigen«, wie die SED die brutalen Demonstranten für die Einführung der Ostmark in ganz Berlin titulierte, wurden in dem Artikel aufgefordert, »diese Form eures demokratischen Willensausdrucks« so oft zu wiederholen, wie »die Wahrnehmung eurer Lebensinteressen es erfordert«.

Am 24. Juni wurde in den drei Westsektoren die westliche DM eingeführt, allerdings nicht als alleiniges Zahlungsmittel. Bewirtschaftete Lebensmittel, Mieten, Postgebühren, Strom, Gas und die Fahrt in den öffentlichen Verkehrsmitteln konnten in Ost- oder in Westmark bezahlt werden. Ein Teil der Löhne und Gehälter wurde in Ostmark ausbezahlt. In den Westsektoren waren also zwei Währungen nebeneinander gültig, im Osten der Stadt war die Westmark hingegen verboten.

Die Schlinge wird zugezogen

Die Reaktion der Sowjetischen Militärverwaltung auf die Währungsreform im Westen Berlins setzte schlagartig ein, sie war trotz des Vorgeschmacks der monatelangen sowjetischen Nadelstiche ein Schock – für die Berliner, für die Westmächte, für die ganze Welt.

Kurz vor Mitternacht am 23. Juni 1948 gingen im westlichen Berlin die Lichter aus. Die Elektrizitätsversorgung aus dem Sowjetsektor und der Sowjetzone war abgestellt worden. Begründung: Kohlenknappheit oder, nach anderer Version, eine Störung im Großkraftwerk Golpa-Zschornewitz im mitteldeutschen Braunkohlenrevier, das seit Jahrzehnten Berlin mit Fernstrom versorgte. Um 6 Uhr morgens am 24. Juni wurde der gesamte Eisenbahnverkehr nach Berlin unterbrochen. Begründung: technische Störungen auf der Strecke Berlin – Helmstedt. Zur Verblüffung der Amerikaner und Engländer erreichten zwei Züge mit Kartoffeln einige Zeit nach der Sperre doch noch Berlin; General Clay meinte in seiner routinemäßigen Stabskonferenz am 26. Juni, bei der das Ereignis bestaunt wurde: »Das kann man wohl als eine Fügung Gottes bezeichnen. Vielleicht ist er auf unserer Seite.« Der Straßenverkehr vom Westen nach Berlin war schon am 19. Juni unterbunden worden. Am 24. Juni wurde auch die Lieferung von Lebensmitteln aus der Ostzone für die Westsektoren Berlins eingestellt. Wenig später blockierten die Sowjets die Binnenschiffahrt. Die Begründung wurde am 10. Juli nachgereicht: Reparaturbedürftigkeit der Rathenower Havelschleuse. Die Blockade Berlins zu Lande und zu Wasser war damit vollständig.

Das Ziel der gründlich vorbereiteten Aktionen schien klar: Berlin vom Westen abzuschnüren, auszuhungern und nach dem irgendwann unvermeidlichen Abzug der Westmächte in Besitz zu nehmen. Die eifrig kolportierten Nachrichten in der ostzonalen Presse über Lebensmittelmangel, fehlende Vorräte und Energieknappheit in den Westsektoren, die gleichzeitig mit der Abdrosselung der Verkehrswege einsetzten, machten die sowjetischen Absichten deutlich. Offiziell beharrte die Sowjetische Militäradministration freilich auf der Lesart »technische Störungen«. Eine vom britischen Außenministerium veröffentlichte Darstellung der Ereignisse nannte die sowjetischen Vorbereitungen zur Blockade Berlins aber beim Namen: »Mit orientalischer Gewundenheit und Tücke wurde die Taktik allmählich entfaltet. Sie bestand aus zahllosen einzelnen Zügen, vergleichbar den winzigen Bewegungen einer Boa constrictor, von denen jede für sich kaum wahrzunehmen und schwer zu bestimmen, trotzdem aber von wesentlicher Bedeutung ist.« Eine führende New Yorker Zeitung hatte schon Mitte April geschrieben: »Die ganze Operation wird in der klassisch Hitlerschen Art durchgeführt, indem man begrenzte Ziele anstrebt, immer nur eines zur gleichen Zeit, bis schließlich eine unangreifbare Position erreicht worden ist.«

Zur Versorgung des vom Westen abgeriegelten Berlin blieb ab 24. Juni 1948 nur noch der Luftweg. Als General Clay am folgenden Tag befahl, daß alle Transportmaschinen der US Air Force ausschließlich auf den Strecken nach Berlin eingesetzt werden sollten, war dies allerdings nicht viel mehr als eine Geste. Die Luftflotte, die Clay zur Verfügung stand, war nämlich alles andere als imponierend. Sie bestand aus 112 zweimotorigen Maschinen vom Typ Douglas C–47 (das war die militärische Version der 1935 erstmals gebauten DC–3; die Amerikaner nannten das Flugzeug ursprünglich Skytrain, bekannter wurde es unter der britischen Bezeichnung Dakota). Eine C–47 konnte mit drei Mann Besatzung theoretisch 3,1 Tonnen Nutzlast befördern, im Berlinverkehr waren aber nur 2,5 Tonnen möglich.

Daß mit Hilfe einer »Luftbrücke« die sowjetische Blockade gebrochen werden könnte, hielt im Juni 1948 kaum jemand für realistisch. Die Engländer schafften am 25. Juni sechseinhalb Tonnen Lebensmittel (für ihre eigenen Leute) nach Berlin, die Amerikaner flogen am folgenden Tag 80 Tonnen ein. Das waren Mengen, die in keinem Verhältnis zu den aufmunternden

Reden an die Berliner Bevölkerung standen und die, am Bedarf gemessen, überhaupt nicht zählten. Der französischen Besatzungsmacht standen überhaupt keine Flugzeuge zur Verfügung, mit denen sie ihre Berliner Garnison oder gar die mehr als 400000 Einwohner ihres Sektors hätten versorgen können.

Der Berliner Magistrat richtete am 29. Juni 1948 einen Appell an die Vereinten Nationen, der einzigen Instanz, von der nach realistischer Einschätzung der Lage vielleicht noch Hilfe zu erwarten war. Wie dramatisch die städtischen Gremien die Lage beurteilten, geht aus folgender Passage des Schreibens der Berliner Behörden an die UNO hervor: »Die gesamte Berliner Bevölkerung wird nach Erschöpfung der noch in der Stadt vorhandenen Kohlenvorräte, das heißt nach Ablauf einer nur wenige Wochen betragenden Frist, vor dem Erliegen der Gas-, Elektrizitäts- und auch der Wasserversorgung stehen, wobei der der sowjetischen Besatzung unterstehende Ostsektor bei der Fortführung der Elektrizitätslieferung aus der Ostzone und vielleicht auch in anderer Hinsicht weniger betroffen wird. Für die Bewohner der drei anderen Sektoren dagegen muß das vollständige Aufhören aller drei Versorgungsarten etwa ab Anfang August zu noch schwer ausdenkbaren Folgen auf allen Gebieten des öffentlichen, wirtschaftlichen und privaten Lebens, insbesondere auch auf gesundheitlichem Gebiete führen. Etwa um die gleiche Zeit wird auch die Möglichkeit der geordneten Ernährung für die Bevölkerung dieser drei Sektoren aufhören, da die jetzt vorhandenen Vorräte durchschnittlich nur bis zu dieser Zeit reichen und da ins Gewicht fallende andere Zufuhrmöglichkeiten nicht bestehen. Gegenwärtig ist die Stromversorgung für die drei Westsektoren bis auf wenige Stunden eingestellt worden; ebenso hat bereits die Frischmilchversorgung der Säuglinge und Kleinstkinder in den Westsektoren aufgehört. Beide Tatsachen schaffen schon jetzt eine überaus gefahrvolle Lage für die Gesundheit der Bevölkerung. In fortschreitender Entwicklung wäre die gesamte, 2,1 Millionen zählende Bevölkerung der Westsektoren zum regelrechten physischen Untergang verurteilt, wenn nicht mit größter Beschleunigung Abhilfe geschaffen würde.«

Die Bitte an die Vereinten Nationen, die Situation von Groß-Berlin im Sicherheitsrat oder in der UN-Vollversammlung zu erörtern, weil »die Wahrung des internationalen Friedens und der Sicherheit« gefährdet sei, verhallte ungehört. Ein Mitgliedsstaat der UNO hätte den Brief aus Berlin weiterleiten müssen, aber niemand war dazu bereit. Indien und Dänemark, die als neutrale Mächte vom Magistrat gefragt worden waren, lehnten ab, dann wurde Frankreich gebeten, aber Paris schob die Angelegenheit auf die lange Bank. *put it*

Das größte Transportunternehmen in der Geschichte der Luftfahrt

Während die Regierungen in Washington, London und Paris untereinander und mit ihren Militärgouverneuren im besetzten Deutschland konferierten, wie sie politisch auf die sowjetische Blockade reagieren sollten, prüften die Oberkommandos der britischen und der amerikanischen Luftstreitkräfte die Möglichkeiten zur Versorgung Berlins durch Flugzeuge. Treibende Kraft war General Clay. Er ermahnte nicht nur das Heeresministerium und das Außenministerium der Vereinigten Staaten in den regelmäßigen Telekonferenzen über Fernschreiber zu einer festen Haltung, für ihn war ein Abzug aus Berlin nach wie vor nicht denkbar. Er versicherte sich am 25. Juni in einem Gespräch mit Ernst Reuter, dem 1947 gewählten Oberbürgermeister, der von den Sowjets an der Amtsausübung aber gehindert wurde, auch der Standhaftigkeit und Loyalität der Berliner. Clay versprach, das Menschenmögliche an Gütern durch die Luft herbeizuschaffen, wenn die Berliner sich hinter die westlichen Alliierten nach der Devise »Für die Demokratie, gegen den Kommunismus« stellen würden. Beide Gesprächspartner waren sich darüber im klaren, daß schwere Entbehrungen für die Einwohner Berlins bevorstanden. Aber bereits am ersten Tag der Blockade waren mehr als 70000 Berliner zu einer Protestkundgebung geströmt und hatten auf dem Hertha-Sportplatz die Appelle der führenden SPD-Politiker, den kommunistischen Pressionen Widerstand entgegenzusetzen, mit gewaltigem Beifall beantwortet. *undecided*

Trotz der beruhigenden Versicherungen aus Washington und London waren die Westmächte in den ersten Tagen der Blockade jedoch unschlüssig, wie sie reagieren sollten. Als General Clay am 24. Juni erklärt hatte, daß die Amerikaner nur durch einen Krieg aus Berlin vertrieben werden könnten, war dies vor allem seine eigene Meinung gewesen. Der Präsident

22

der Vereinigten Staaten, Harry S. Truman, entschied erst am 28. Juni – gegen die Bedenken vieler seiner Berater –, in Berlin nicht nachzugeben. Truman ordnete über die rein defensiven Maßnahmen wie die Luftbrücke hinaus auch die Verlegung schwerer Bomber nach Europa an, zur Abschreckung und Betonung der amerikanischen Absichten, sich nicht einschüchtern zu lassen. Im britischen Unterhaus erklärte Außenminister Bevin am 30. Juni unter dem Beifall des ganzen Parlaments, daß Großbritannien unter keinen Umständen kapitulieren werde. Paris verhielt sich dagegen abwartend, und die französischen Politiker gaben sich auch den Verbündeten gegenüber eher reserviert.

So dauerte es auch zwei Wochen, bis die drei Westmächte über ihre Protestnoten an die Sowjetunion einig waren. Die Luftbrücke funktionierte inzwischen schon ganz gut. Das Unternehmen mußte bis ins Detail geplant und mit der Präzision eines riesigen Uhrwerks durchgeführt werden, und zwar auf unabsehbare Zeit. Der Berliner Magistrat und amerikanische Militärs errechneten zunächst den Bedarf der Bevölkerung. Als Ernährungsminimum ergaben die Planungen einen täglichen Bedarf von 1400 Tonnen Lebensmitteln, dazu 2650 Tonnen Kohle (für Elektrizitäts- und Gaserzeugung, für die Wasserwerke, die Kanalisation und 400 Tonnen für industrielle und gewerbliche Zwecke), 1250 weitere Tonnen Kohle als Hausbrand sowie 700 Tonnen Rohstoffe, Halbfabrikate und sonstige Güter. Dieser Minimalbedarf ergab eine Tagestransportleistung von 6000 Tonnen. Die Rechnung hatte sich an den Statistiken der mehr als bescheidenen Berliner Versorgung des Vorjahres orientiert und die 9660 Tonnen Güter, die Berlin 1947 täglich gebraucht hatte, auf ein Minimum reduziert. Es war aber klar, daß der zur Verfügung stehende Transportraum auch dafür nicht ausreichte. Clay hatte als Höchstleistung anfangs 500–700 Tonnen Fracht täglich für möglich gehalten, im Rahmen »einer sehr großen Operation«.

Ab 26. Juni transportierten alle verfügbaren Maschinen Hilfsgüter nach Berlin, am 28. Juni wurden 35 viermotorige Flugzeuge vom Typ C–54 Skymaster (mit einer Frachtkapazität von 10 Tonnen) von ihren Stützpunkten in Alaska, Texas und Hawaii nach Deutschland in Marsch gesetzt, am gleichen Tag begannen die vorhandenen C–47 (Dakotas) mit ihren Rund-um-die-Uhr-Flügen nach Berlin, die britische Luftwaffe flog dreizehnmal, erstmals mit Gütern für die Berliner Zivilbevölkerung, am folgenden Tag wurde das Unternehmen Luftbrücke (»Operation Vittles«, wie die Militärs sagten) generalstabsmäßig organisiert. Aus den improvisierten Hilfsflügen der ersten Tage entwickelte sich das größte Transportunternehmen in der Geschichte der Luftfahrt.

Am 7. Juli 1948 wurde erstmals Kohle nach Berlin geflogen, eine Fracht, die sich nicht besonders gut zum Lufttransport eignet. Nicht nur, daß die Säcke mit größter Sorgfalt gegen Verrutschen während des Fluges gesichert werden mußten, eine weitere Gefahr bildete der Kohlenstaub, der sich statisch aufladen und dann von den Instrumenten angezogen werden konnte. Um die Explosionsgefahr des Kohlenstaubs zu verringern, wurden die Kohlen angefeuchtet, wodurch sie aber schwerer wurden. Ganz andere Probleme warf der Transport von Salz auf wegen der erhöhten Korrosionsgefahr für die Flugzeuge. Salz wurde daher von den Sunderland-Flugbooten des britischen Küstenschutzes und den Hythe-Flugbooten der Aquila Airways befördert. Die Wasserflugzeuge, die in Hamburg-Finkenwerder auf der Elbe starteten und in Berlin-Lindwerder auf der Havel wasserten, waren konstruktionsbedingt besser geeignet als die Landflugzeuge. Ihr Leitwerk lag unter dem Schwimmkörper, konnte also durch die aggressive Ladung nicht angegriffen werden. Als Mitte Dezember der Flugboot-Betrieb wegen Vereisungsgefahr eingestellt wurde, brachten Flugzeuge vom Typ Halton die 38 Tonnen Salz, die täglich gebraucht wurden, in »Körben«, die außenbords – unterhalb des Flugzeugrumpfs – befestigt waren, nach Berlin.

Im Laufe des Juli wurden immer mehr Transportmaschinen auf westdeutschen Flugplätzen für die Luftbrücke zusammengezogen. Teilweise kamen sie von amerikanischen Stützpunkten aus dem Pazifischen Ozean, der Karibik oder aus Panama. Im Herbst 1948 hatte die US Air Force 225 Maschinen vom Typ C–54 im Einsatz. Die Engländer verpflichteten zahlreiche zivile Fluggesellschaften, die unter der Regie der Royal Air Force Spezialfrachten transportierten. Namentlich flüssiger Treib- und Brennstoff wurde in Tankern englischer Zivilfluglinien nach Berlin gebracht.

Die Materialmengen, die mit Flugzeugen fast aller damals gängigen Typen über die Luftbrücke transportiert wurden, nahmen ständig zu. Waren am 7. Juli erstmals 1000 Tonnen innerhalb von 24 Stunden nach Berlin geflogen worden, so waren es am 1. August bereits 2000 Tonnen, eine Woche später wurden in 666 Flügen 3880 Tonnen Güter an einem Tag geflogen, und in diesem Tempo ging es weiter: am 12. August 4742 Tonnen bei 707 Flügen, am 18. September 6987,7 Tonnen (896 Flüge), am 13. Januar 1949 brachten allein die Amerikaner 6678,9 Tonnen (755 Flüge) nach Berlin. Inzwischen hatte die US Air Force zusätzlich noch einen größeren Flugzeugtyp, den schweren Langstreckentransporter C–74 Globemaster, eingesetzt, der ca. 31 Tonnen Fracht (oder 200 Personen) befördern konnte. Die Tonnagen übertrafen bald die kühnsten Träume der Anfangszeit. Stolz wurden daher auch täglich die jeweils neuen Höchstleistungen veröffentlicht.

Dies entsprach aber nicht nur dem Sportsgeist, der Amerikaner und Engländer erfaßt hatte, die Transportrekorde waren auch vorzügliche Waffen im Propagandakrieg zwischen der Sowjetunion und den Westmächten, der um die Bevölkerung Berlins ausgetragen wurde. Am 15. April 1949 wurden bei der »Osterparade« demonstrativ 24 Stunden lang 80 Prozent aller an der Luftbrücke beteiligten Maschinen eingesetzt; sie brachen mit 1398 Flügen alle Rekorde: 12940 Tonnen Lebensmittel, Kohlen und andere Güter. Im Frühjahr 1949 überstieg die Transportleistung der alliierten Flugzeuge sogar die Tonnage, die vor der Blockade auf Straße, Schiene und Wasser nach Berlin transportiert worden war. Vergleicht man die Leistung der Luftbrücke mit der Frachtbeförderung, die alle Luftverkehrsgesellschaften der Welt im Jahre 1938 zusammen erreicht hatten, nämlich 60000 Tonnen, so grenzt die Luftbrücke ans Wunderbare.

Die technischen Probleme, die bei dem gigantischen Speditionsunternehmen rund um die Uhr gelöst werden mußten, sind nur noch schwer vorstellbar. Aufgrund der Viermächte-Vereinbarungen vom Herbst 1945 standen drei Luftkorridore zur Verfügung: Berlin – Frankfurt, Berlin – Bückeburg (Hannover), Berlin – Hamburg, jeweils 32 Kilometer breit. Es sind dieselben Luftwege, über die man auch heute noch Berlin erreicht. Durch diese drei Nadelöhre mußten die Flugzeuge der Luftbrücke, die von neun westdeutschen Plätzen kamen, eingefädelt werden. Das Gedränge der ab Herbst 1948 insgesamt 380 Maschinen der britischen und der amerikanischen Luftwaffe sowie der 46 Flugzeuge der Zivilgesellschaften, die außerdem im Auftrag der Royal Air Force flogen, war schon am Boden groß genug. Die Amerikaner, die ihre Flotte konsequent auf die C–54 umstellten, benutzten den Südkorridor nur für den Hin-

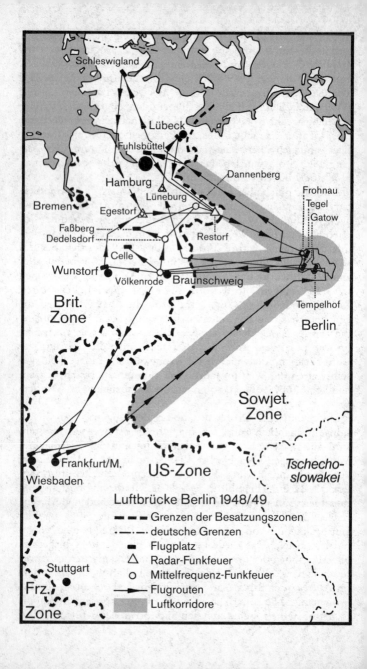

Schleswigland

Lübeck

Fuhlsbüttel

Hamburg

Lüneburg

Dannenberg

Frohnau
Tegel
Gatow

Bremen

Egestorf

Restorf

Faßberg
Dedelsdorf

Celle

Wunstorf

Völkenrode

Braunschweig

Tempelhof

Berlin

Brit.
Zone

Sowjet.
Zone

Frankfurt/M.

Wiesbaden

US-Zone

Tschecho-
slowakei

Stuttgart

Frz.
Zone

Luftbrücke Berlin 1948/49

- - - Grenzen der Besatzungszonen
- · - deutsche Grenzen
■ Flugplatz
△ Radar-Funkfeuer
○ Mittelfrequenz-Funkfeuer
→ Flugrouten
  Luftkorridore

flug von Wiesbaden und Frankfurt aus nach Berlin. Die Maschinen flogen mit gleicher Geschwindigkeit (270 Stundenkilometer) im Abstand von drei Minuten (das bedeutete 13,5 Kilometer Distanz). Von den 225 Maschinen des Typs C–54 waren etwa 150 ständig im Einsatz.

Wie an einer unendlichen Perlenschnur aufgereiht flogen die Maschinen durch den Südkorridor zum Flughafen Tempelhof und kehrten durch den Mittelkorridor (der nur für Rückflüge nach Westdeutschland benutzt wurde) zurück. Wegen der dichten Folge gab es keine Warteräume über Berlin; wenn eine Maschine auch nur eine winzige Verspätung hatte, mußte sie, ohne in Berlin landen zu können, sofort zurück, um sich aufs neue in die Kette einzureihen. Der nördliche Korridor wurde in beiden Richtungen benutzt, für den Anflug der britischen Maschinen aus Hamburg-Fuhlsbüttel, Lübeck, Schleswigland und für die Flugboote aus Hamburg-Finkenwerder sowie für die amerikanischen Flugzeuge, die in Faßberg und Celle stationiert waren. Über die nördliche Luftstraße kehrten aber auch die Maschinen nach Hamburg-Fuhlsbüttel und Schleswigland zurück. Die anderen benutzten für den Rückflug zu den Flugplätzen in der britischen Zone den Mittelkorridor. Wegen der unterschiedlichen Flugzeugtypen, die verschieden schnell flogen, mußten im Nordkorridor Höhenstaffelungen vorgenommen werden. In einer »Etage« flogen die britischen York-Maschinen, in einer anderen die Dakotas, die die Royal Air Force im Unterschied zu den Amerikanern bis zum Ende der Luftbrücke benutzte, wieder in einer anderen Höhe bewegten sich die amerikanischen Skymasters C–54, und säuberlich getrennt von allen anderen zogen auch die Flugboote ihre Bahn.

Die neun Flugplätze in Westdeutschland (zwei in der amerikanischen, die übrigen in der britischen Zone) waren riesige Speditionslager, Umschlagplätze, die Tag und Nacht mit Gütern beliefert wurden, die in höchster Geschwindigkeit verladen werden mußten. Die meisten dieser Flugplätze mußten erst hergerichtet und mit den damals modernsten elektronischen Hilfsmitteln ausgestattet werden, was zum Teil bis zum Jahresende 1948 dauerte. In Berlin selbst standen zunächst nur zwei Landeplätze zur Verfügung: der Zentralflughafen Tempelhof im amerikanischen Sektor und der Flugplatz Gatow im britischen Teil der Stadt, ein ehemaliger Testflugplatz der Deutschen Luftwaffe. Tempelhof galt im Sommer 1948 zwar als der modernste Flughafen Europas, die Landebahn bestand aber ebenso wie die

Runway in Gatow nur aus Lochblechen. In Windeseile wurden daher auf beiden Plätzen die Start- und Landebahnen ausgebaut und befestigt. Im französischen Sektor entstand in einer Bauzeit von nur 85 Tagen, bei der 19000 Berliner unter französischen und amerikanischen Technikern und Ingenieuren Tag und Nacht arbeiteten, auf einem ehemaligen Artillerie-Schießfeld der dritte Flugplatz: Berlin-Tegel. Planierraupen, Walzen und anderes schweres Gerät waren über die Luftbrücke eingeflogen worden; sie mußten erst zerlegt und dann wieder zusammengeschweißt werden. Für die regelmäßige Wartung des Fluggeräts war in Berlin keine Zeit und auf den Absprungplätzen der Luftbrücke in Westdeutschland bald kein Platz mehr. Zu der nach 200 Flugstunden fälligen Inspektion flogen die Maschinen nach Oberpfaffenhofen bei München oder nach Burtonwood in England, nach 1000 Flugstunden wurden sie in den USA überholt. In Amerika, im Bundesstaat Montana, trainierten die Amerikaner auch ihre Piloten in »Luftkorridoren«, in denen die gleichen Bedingungen simuliert waren, wie sie bei den Berlin-Flügen herrschten.

Die Umstände, unter denen die Berliner während der Blockade leben mußten, waren trotz der phantastischen Leistungen der Luftbrücke kläglich. Der Strom, den die acht Elektrizitäts-Werke in den Westsektoren produzieren konnten, reichte bei weitem nicht aus. Die Kraftwerke waren für die Versorgung der 2,1 Millionen Berliner der Westsektoren gar nicht ausgelegt, sie waren überdies höchst unwirtschaftlich, weil sie viel zu viel Kohle brauchten: bei voller Last 35000 Tonnen im Monat. So viel konnte natürlich nicht eingeflogen werden. Das Bravourstück der Luftbrücke, nämlich der Transport der kompletten Einrichtung für das Kraftwerk West – Turbinen, Kesselanlagen usw. – durch die fünf Großraum-Transporter Fairchild C–82 der US-Luftwaffe, brachte während der Blockade noch keine Wirkung, das Kraftwerk wurde erst später fertiggestellt (es trägt heute den Namen Ernst Reuters).

Für die Berliner Haushalte und die gewerblichen Kleinbetriebe gab es höchstens vier Stunden lang Strom am Tag und dies zu oft unmöglichen Zeiten, die man zudem nicht genau vorhersagen konnte. Das Schild »Heute Haarwäsche – Wasserwellen wegen Strommangels nur von 22–24 Uhr« am Friseurgeschäft war kein Kuriosum, solche Hinweise auf die durch die Umstände diktierten Geschäftsbedingungen waren vielmehr die Regel. Der milde Winter 1948/49 war ein Geschenk Gottes, denn die

Kohlerationen für die Heizung der Wohnräume konnte man bequem in der Einkaufstasche nach Hause tragen. Geologen hatten festgestellt, daß unter dem Berliner Boden Kohlevorkommen lagerten, der Magistrat ließ auch Probebohrungen in Reinickendorf, Marienfelde und Spandau vornehmen, die aber ergaben, daß die Schwierigkeiten der Förderung den Abbau nicht lohnten. Als einheimischer Brennstoff stand außer Holz allenfalls etwas Torf aus dem Hermsdorfer Moor zur Verfügung, aber vor allem im Winter mußte für die Gewinnung und Trocknung ebensoviel Energie aufgewendet werden, wie die Torfbriketts dann selbst liefern konnten. Im britischen Sektor wurden Briketts nach folgendem Rezept hergestellt: 60 Prozent Kohlenstaub, 30 Prozent Sägemehl, 10 Prozent Teer. Das Zeug rauchte aber furchtbar und war nur ein kümmerlicher Ersatz für die Braunkohle, die vor der Blockade aus der Ostzone geliefert worden war.

Der Mangel an Energie und Rohstoffen zwang viele Betriebe zur Schließung oder zur Kurzarbeit. Die Industrieproduktion Berlins, infolge der Kriegsschäden und der Nachkriegsdemontagen ohnehin gering, sank während der Blockade noch einmal um 50 Prozent. Der Produktionsindex betrug im Mai 1948 42 Prozent des Standes von 1936, bis Juli 1949 war er auf ganze 17 Prozent zusammengeschmolzen. Während bis zum Beginn der Blockade großer Bedarf an Arbeitskräften bei wenigen freien Stellen geherrscht hatte, stieg die Arbeitslosenzahl zwischen Juni und Dezember 1948 um 140 Prozent, im Zeitraum Juni 1948–Mai 1949 gar um 250 Prozent. In absoluten Zahlen ausgedrückt hieß das, daß Ende 1948 im Westteil der Stadt 113 000 Menschen arbeitslos waren. Die Zahl der Kurzarbeiter ist darin noch nicht enthalten, sie sank während der ganzen Blockadezeit nie unter 50 000 und stieg gelegentlich auf 70 000 an.

Trost und Hoffnung bei den kümmerlichen Verhältnissen spendete das ununterbrochene Dröhnen der Luftbrücke. Immer waren Berliner unterwegs, um in Tempelhof, Gatow und Tegel die »Rosinenbomber« zu beobachten, die ab Herbst 1948 im Minutenabstand landeten und starteten. Die Berliner gewöhnten sich nach anfänglicher Skepsis auch an die ungewohnten Nahrungsmittel, die ihnen geliefert wurden, und fanden es bald selbstverständlich, mit Trockenkartoffeln (»Poms«), Trockengemüse, Trockenobst, Eipulver und Milchpulver umzugehen. Um den kostbaren Frachtraum auszunützen, wurde ja alles, was irgendwie getrocknet werden konnte, vor dem Transport dehydriert, um das Gewicht zu verringern. 67 Prozent aller eingeflogenen Güter waren Kohle, 24 Prozent Lebensmittel, 6 Prozent sonstiges Material, vom VW-Käfer für die Berliner Polizei über Medikamente, Baustoffe, Material für die Berliner Industrie bis zum Papier für die zahlreichen Tages- und Wochenzeitungen, die in Berlin auch während der Blockade erschienen.

Das Ende der Blockade – ein Sieg des Westens?

Ökonomisch gesehen war die Luftbrücke, bei der in 279 114 Einsätzen vom 28. Juni 1948 bis 6. Oktober 1949 über zwei Millionen Tonnen Güter nach Berlin geflogen worden waren, ein Verlustgeschäft von seltenem Ausmaß. Die reinen Transportkosten betrugen 100 US-Dollar pro Tonne (nach damaligem Umrechnungskurs waren das 400 DM). Diese Kosten, rund 200 Millionen Dollar, wurden vom amerikanischen und britischen Steuerzahler beglichen. Die Hilfsgüter selbst wurden zum größten Teil mit Geldern des amerikanischen Hilfsprogramms GARIOA (Government Aid and Relief in Occupied Areas) bezahlt. Auch die Finanzierung des Berliner Haushaltsdefizits, das infolge entgangener Steuern, höherer Soziallasten, Lagerung und Transport der Hilfsgüter usw. und sonstiger Blockadekosten monatlich ca. 53 Millionen DM betrug, erfolgte teilweise mit GARIOA-Geldern. Die Hauptlast der Unterstützung Berlins trug die Bizone, und seit November 1948 gab es in Westdeutschland eine Sondersteuer »Notopfer Berlin«, die teilweise durch einen Zuschlag von 2 Pfennigen auf alle innerdeutschen Postsachen aufgebracht wurde, zum anderen Teil bestand sie aus 1 Prozent aller Lohn- und Gehaltszahlungen in Westdeutschland. Da die Luftbrücke rein politischen Zwecken diente, dem Anspruch auf Präsenz der Westmächte und der Verhinderung einer sowjetischen Machtergreifung in den Westsektoren Berlins, ist die wirtschaftliche Bilanz des Unternehmens nicht wesentlich. Interessant daran ist allenfalls, wer die Rechnung bezahlen mußte.

Die politische Bilanz, die nach der Aufhebung der Blockade zu ziehen war, wurde im Westen als sehr befriedigend empfunden. In den Jubel über die Tapferkeit der Berliner, die elf Monate lang unbeirrt den sowjetischen Drohungen (und Lockungen) widerstanden hatten, mischte sich der Stolz der Amerikaner und Engländer über die einmalige technische Leistung, und die Politiker freuten sich über die Festigkeit und Stärke, die sie gegenüber den sowjetischen Erpressungsversuchen bewiesen hatten.

Durch die ganze Anstrengung war zwar lediglich der Zustand, wie er vor der Blockade bestanden hatte, wiederhergestellt bzw. aufrechterhalten worden. Aber das konnten die Westmächte durchaus als Sieg feiern. Auch Etappensiege sind Siege.

Die Westmächte hatten auf die Abriegelung Berlins nicht nur mit der Luftbrücke reagiert. General Clay allerdings war mit seiner Idee, mit bewaffnetem Konvoi nach Berlin durchzubrechen, und zwar gleich, nachdem die Sowjets die Blockade verhängt hatten, in Washington nicht durchgedrungen. Clay war davon überzeugt, daß die Sowjets eine militärische Auseinandersetzung unter keinen Umständen riskieren wollten, und hatte deswegen für offensives Vorgehen plädiert. Die Sorge vor kriegerischen Verwicklungen war aber in Washington noch größer als in Moskau, die Bereitschaft zum Risiko entsprechend gering. Statt einer militärischen Demonstration verhängten die Westmächte – darunter war zu jener Zeit immer zuerst Amerika zu verstehen, dem sich Großbritannien und Frankreich jeweils anschlossen – eine »Gegenblockade«, die allmählich verschärft wurde. Diese einzige Maßnahme der Westmächte mit Repressaliencharakter war für die Sowjets spürbar und wirksam, namentlich wegen des Ausfalls industrieller Güter für die Wirtschaft der Ostzone. Der Ausdruck »Gegenblockade« umschrieb alle Maßnahmen, mit denen der Zufluß von Waren aller Art aus den Westzonen in die Ostzone unterbunden wurde. Das Verdikt der »Ausfuhr« von Lebensmitteln in Einkaufstaschen aus den Westsektoren Berlins in den Osten der Stadt fiel ebenso darunter wie das im Februar 1949 in der Bizone verhängte Verkehrsverbot für alle Fahrzeuge aus der Sowjetzone und (ohne Rücksicht auf den Standort) für alle Fahrzeuge mit dem Ziel SBZ.

Gleichzeitig bemühten sich die Westmächte, mit diplomatischen Mitteln die Sowjetunion zum Einlenken zu bewegen. Ihre Protestnoten (die erste wurde am 6. August 1948 überreicht), die Antworten des Kremls, die Verhandlungen, Vorschläge und Gegenvorschläge drehten sich aber von Anfang an im Kreis. Während sich die Westmächte auf den Rechtsstandpunkt stellten und den seit Kriegsende herrschenden Zustand, der auf Vereinbarungen aus der Zeit des Krieges gegen Hitlerdeutschland basierte, wiederhergestellt sehen wollten, bestritten die sowjetischen Politiker die Existenz der Viermächte-Verwaltung für Deutschland und Berlin. Daraus folgerten sie, die Anwesenheit der Westmächte in Berlin sei rechtswidrig, und behaupteten ferner, Berlin sei ein Bestandteil der sowjetischen Besatzungszone.

Die Viermächte-Verwaltung durch den Alliierten Kontrollrat, das Kernstück der Besatzungspolitik der Sieger des Zweiten Weltkriegs, bestand spätestens seit dem 20. März 1948 de facto nicht mehr. So weit hatten die Sowjets recht. Allerdings hatten sie selbst am 20. März 1948 den Kontrollrat ohne überzeugende Begründung verlassen, und am 16. Juni 1948 hatten sie das Spiel in der Alliierten Kommandantur für Berlin unter noch fadenscheinigerer Begründung wiederholt. Die Taktik der Sowjets war leicht zu durchschauen, schon weil sie sich bei ihren Begründungen wenig um deren Glaubwürdigkeit scherten. Viel größeres Gewicht legten sie darauf, Tatsachen zu schaffen, mit denen sie dann argumentieren konnten: die Lähmung des Kontrollrats und der Kommandantur. Nach der Zerstörung des Instrumentariums war es nicht mehr schwierig festzustellen, daß die Viermächte-Verwaltung Deutschlands nicht mehr funktionierte oder gar nicht mehr existierte. Über die längerfristige Strategie der Sowjets kann man aber auch heute noch rätseln. Wollten sie »nur« Berlin für ihren Herrschaftsbereich kassieren, oder wollten sie mehr Einfluß in Westdeutschland gewinnen?

Bei den Verhandlungen auf diplomatischer Ebene ab August 1948 ließen die sowjetischen Vertreter höchstens einen Teil ihrer Absichten erkennen. Sie zeigten sich nämlich bereit, die Blockade zum 15. August aufzuheben, wenn die Westmächte auf die westliche Währung in Berlin verzichten würden (unter gewissen Bedingungen wären die Westmächte dazu bereit gewesen). Das war aber nur eine Bedingung. Mit einer anderen Forderung ließ Stalin die Katze aus dem Sack: Er verlangte eine Erklärung der drei Westmächte, daß sie zur Zeit nicht beabsichtigten, die Frage der Bildung einer Regierung in Westdeutschland in Angriff zu nehmen. Die Vorbereitungen zur Errichtung eines westdeutschen Staates – der Bundesrepublik Deutschland – außerhalb des Einflußgebietes der sowjetischen Besatzungsmacht waren aber zu jener Zeit in vollem Gange, und weder die Westmächte noch die überwiegende Mehrheit der Deutschen in den drei westlichen Besatzungszonen wollten sich davon noch abbringen lassen. Die brutale Erpressung der Sowjets gegenüber Berlin lud ja auch keineswegs dazu ein, über Bedingungen Moskaus, die nicht seine Einflußsphäre betrafen, freundlich nachzudenken.

Trotzdem schien Ende August eine Einigung über die Aufhebung der Blockade möglich zu werden, obwohl Stalin den Botschaftern der Westmächte abermals mitgeteilt hatte, daß eine Berlin-Regelung die Verschiebung der Bildung einer westdeutschen Regierung enthalten müsse. Die vier Militärgouverneure wurden beauftragt, anhand einer Direktive, die von den Regierungen der UdSSR, der USA, Großbritanniens und Frankreichs gebilligt war, praktische Vorschläge für eine Berlin-Regelung auszuarbeiten. Kern der Regelung wäre die Einführung der Ostmark in ganz Berlin gewesen, aber die Militärgouverneure (die sich in der Form eines »Sonderausschusses« zusammengesetzt hatten, weil die sowjetische Seite den Alliierten Kontrollrat nicht wiederbeleben wollte) konnten sich nicht einigen. Die drei westlichen Oberbefehlshaber stellten nach mehreren Sitzungen am 7. September fest, Marschall Sokolowskij habe sich nicht bereit gefunden, die in Moskau erzielte Verständigung anzuerkennen; die sowjetische Seite erklärte, die Westmächte hätten das Moskauer Übereinkommen »desavouiert und sabotiert«. Nach weiterem Notenwechsel beschwerten sich die Westmächte bei der UNO, deren Sicherheitsrat im Oktober 1948 siebenmal über das Berlinproblem beriet. Die Resolution vom 25. Oktober 1948, in der die Aufhebung der Blockade verlangt wurde, fiel aber einem sowjetischen Veto zum Opfer.

Im Januar 1949 signalisierte Stalin in einem Interview mit einer amerikanischen Nachrichtenagentur, daß die Hauptbedingung für eine Aufhebung der Blockade, die alleinige Gültigkeit der Ostwährung in Berlin, für die sowjetische Seite nicht mehr interessant sei. Im Frühjahr 1949 verhandelten daraufhin der sowjetische UNO-Delegierte Malik mit seinem amerikanischen Kollegen Jessup wochenlang in aller Stille in einem kanadischen Dorf über die Berlinfrage. Das Ergebnis war ein Viermächte-Abkommen, das am 4. Mai 1949 in New York unterzeichnet wurde. Es sah die Aufhebung der sowjetischen Blockade Berlins und das Ende der Beschränkung der Nachrichtenverbindungen, des Verkehrs und des Handels zwischen Berlin und der Ostzone bzw. zwischen den Westzonen und der Ostzone (»Gegenblockade«) mit Wirkung ab 12. Mai 1949 vor.

Elf Tage danach, am 23. Mai, sollte sich der Rat der Außenminister in Paris versammeln, »um die Deutschland betreffenden Fragen, die sich aus der Lage in Berlin ergebenden Probleme und die Währungsfrage in Berlin zu besprechen«. Der »Rat der Außenminister« der vier Mächte war auf der Potsdamer Konferenz im August 1945 eingerichtet worden, um eine Friedensregelung für Deutschland vorzubereiten. Er hatte seit 1945 mehrmals erfolglos getagt, zuletzt in gespannter Atmosphäre im November und Dezember 1947 in London. Eine neue Viermächte-Konferenz auf der Ebene des Rats der Außenminister unmittelbar nach dem Ende der Blockade Berlins erschien nur noch wenigen als hoffnungsvolles Zeichen für Verhandlungen über die wirtschaftliche und politische Einheit Deutschlands. Am gleichen Tag, an dem die Außenminister im Palais Rose in Paris zusammentraten, am 23. Mai 1949, wurde in Bonn das Grundgesetz für die Bundesrepublik Deutschland verkündet, und die Vorbereitungen zur Gründung der Deutschen Demokratischen Republik auf dem Territorium der Ostzone waren im Gange: Die Teilung Deutschlands war vollzogen.

Die Teilung der Stadt

Wenden wir den Blick aber noch einmal nach Berlin. Der 12. Mai 1949 war für die Stadt ein Tag unbeschreiblichen Jubels. Nach über dreihundert Tagen wurden eine Minute nach Mitternacht die Stromsperren beendet, die Schlagbäume hoben sich, im Morgengrauen des 12. Mai erreichten die ersten Lastwagen aus dem Westen Berlin. Der erste Eisenbahnzug lief überpünktlich – eine Stunde zu früh – auf dem Bahnhof Charlottenburg ein. Einer Festsitzung der Stadtverordnetenversammlung, an der die westlichen Militärgouverneure und Politiker aus Westdeutschland, an ihrer Spitze Konrad Adenauer als Präsident des Parlamentarischen Rats, teilnahmen, folgte eine Kundgebung vor dem Schöneberger Rathaus, bei der sich Hunderttausende zum Zeichen der Freude und Dankbarkeit versammelten. Es war gleichzeitig General Clays offizieller Abschied von Berlin. Ihm galten endlose Ovationen. Auch der Opfer der Luftbrücke wurde gedacht: Sieben britische und siebzehn amerikanische

Maschinen waren abgestürzt, insgesamt waren 76 Todesopfer zu beklagen. Trotz der Aufhebung der Blockade wurde die Luftbrücke aber bis Herbst 1949 fortgesetzt, Clay wollte sicher sein, daß bei einer Wiederholung des sowjetischen Vorgehens genügend Vorräte in der Stadt lagerten.

In der Siegesstimmung des 12. Mai war vielen nicht klar, wie stark sich Berlin seit dem Frühjahr 1948 verändert hatte: Unter der Luftbrücke war Groß-Berlin zu einer gespaltenen Stadt geworden. Die administrative und politische Teilung hatte sich schrittweise vollzogen. Nach den Tumulten bei der Sitzung der Stadtverordneten am 23. Juni 1948, denen die Polizei mit wenigen Ausnahmen tatenlos zugesehen hatte, war Polizeipräsident Markgraf vom Magistrat suspendiert worden. Markgraf genoß aber das Vertrauen der SED und der sowjetischen Behörden, wie sich einige Monate zuvor gezeigt hatte, als seine Absetzung schon einmal am sowjetischen Veto in der Kommandantur gescheitert war. Der sowjetische Stadtkommandant weigerte sich auch im Juli, der Amtsenthebung Markgrafs zuzustimmen. Die Folge war, daß fortan zwei konkurrierende Polizeipräsidien in Berlin existierten, eines unter Markgraf im Ostsektor, das andere in der Prinzenstraße im Westen der Stadt. Beide Behörden erklärten die Handlungen der jeweils anderen Seite für rechtsungültig; der von den westlichen Stadtkommandanten bestätigte Polizeipräsident galt im Ostsektor der Stadt als illegal, Markgraf hatte in den Westsektoren nichts zu sagen.

Im Herbst 1948 sah sich die Stadtverordnetenversammlung gezwungen, ihren Wirkungsort in den Westteil der Stadt zu verlegen, da die SED ihre parlamentarische Unterlegenheit wieder durch Demonstrationen und Störungen der Sitzungen – in Zusammenarbeit mit der »Markgrafpolizei« – auszugleichen suchte. Am 6. September hatten die Stadtverordneten versucht, die Sitzung durch freiwillige Ordner schützen zu lassen, damit sie nicht wieder in eine »öffentliche Versammlung der Arbeiterklasse« unter Leitung der SED umfunktioniert werden konnte. Als die Polizei des Ostsektors die Ordner sowie Magistratsangestellte und Journalisten verhaftete, wich die Stadtverordnetenversammlung in den britischen Sektor aus. Auf dem Platz der Republik protestierten am übernächsten Tag 300 000 Berliner, die freiwillig gekommen waren – im Gegensatz zu den Demonstrationen im Ostsektor, deren Teilnehmer auf Befehl der Sowjets und der SED erscheinen mußten –, gegen die Vertreibung des städtischen Parlaments aus dem Stadthaus.

Die Spaltung des Magistrats hatte ebenfalls schon begonnen, leitende Beamte wurden von der sowjetischen Stadtkommandantur wegen »Sabotage« oder wegen »provokatorischer Agitation« oder wegen »Unfähigkeit« entlassen. Als Folge solcher widerrechtlicher Eingriffe mußten einige Abteilungen in den Westen verlegt werden, um sie dem Zugriff der Sowjets zu entziehen. Die Magistratsabteilungen für Arbeit und für Wirtschaft wurden nach derselben Methode wie das Polizeipräsidium gespalten. Ab 20. November durften die im Ostsektor stationierten Feuerwehren nicht mehr in die Westsektoren ausrücken, am folgenden Tag erließen die westlichen Besatzungsmächte ein entsprechendes Verbot, nachdem die »Markgrafpolizei« zwei Fahrzeuge aus den Westsektoren beschlagnahmt hatte.

Ab November verstärkte sich die SED-Propaganda gegenüber dem Magistrat von Groß-Berlin, und der sowjetische Oberbefehlshaber, Marschall Sokolowskij, warf seinen drei westlichen Kollegen vor, sie betrieben systematisch die Desorganisation und Spaltung der Berliner Verwaltung. Tatsächlich war die Propaganda aber die Begleitmusik zu den Ereignissen des 30. November 1948, als unter dem Vorsitz des zweiten stellvertretenden Stadtverordnetenvorstehers Geschke (SED) in der Staatsoper im Admiralspalast im Ostsektor eine »außerordentliche Stadtverordnetenversammlung« abgehalten wurde. Unter den 1616 Teilnehmern befanden sich ganze 23 durch Wahl legitimierte, nämlich die SED-Fraktion, die ihr Mandat von den Wahlen 1946 herleiten konnte. Diese Versammlung erklärte den Magistrat wegen »Mißachtung elementarster Lebensinteressen Berlins und seiner Bevölkerung und ständiger Verletzung der Verfassung« für abgesetzt und wählte einen »provisorischen demokratischen Magistrat« mit Fritz Ebert, dem Sohn des ersten Reichspräsidenten der Weimarer Republik, als Oberbürgermeister an der Spitze.

Das verfassungsmäßig illegitime Gebilde des Ost-Magistrats wurde am 2. Dezember 1948 von den sowjetischen Behörden als einzig rechtmäßige Verwaltung Groß-Berlins anerkannt. Das Ereignis fand fünf Tage vor den Berliner Wahlen statt, die im Juni 1948 turnusgemäß (und mit Zustimmung der SED-Fraktion der Stadtverordneten) angesetzt worden waren. Im Ostsektor waren sämtliche Wahlvorbereitungen schon am 3. November eingestellt worden, als alle Versuche, die Wahl zu verschieben, am westlichen Widerstand gescheitert waren.

Die Wahl fand am 5. Dezember 1948 statt, aber nur in den drei Westsektoren. Trotz der Drohungen der Sowjetischen Militärverwaltung, die Wahllisten würden nach dem Abzug der Westmächte aus Berlin gegen die Wähler ausgewertet, und trotz des Boykotts durch die SED beteiligten sich 86,3 Prozent aller Wahlberechtigten. Die Errichtung des »Opernmagistrats« und das Wahlverbot im Ostsektor hatten die Teilung Berlins praktisch besiegelt. Der legale Magistrat mußte seine Amtsräume ins Schöneberger Rathaus in den US-Sektor verlegen. Ernst Reuter wurde am 7. Dezember 1948 zum Oberbürgermeister, nunmehr von Westberlin, gewählt. Er konnte jetzt das Amt antreten, das er de jure bereits seit Juni 1947 innehatte, wegen des sowjetischen Einspruchs aber nicht hatte ausüben können.

Im Laufe des Jahres 1948 hatten sich auch andere Institutionen und Organisationen Berlins geteilt. Die Gründung der Freien Universität durch Studenten und Professoren der Humboldt-Universität, die nach Westberlin übergesiedelt waren, und die Spaltung der Berliner Gewerkschaften in den von der SED beherrschten FDGB und die Westberliner UGO (Unabhängige Gewerkschaftsorganisation) waren nur zwei Stationen auf dem Weg zur Teilung der Stadt.

Am 21. Dezember 1948 nahm die Alliierte Kommandantur ihre Tätigkeit wieder auf, jetzt aber als Dreimächte-Gremium. Die Weigerung des sowjetischen Stadtkommandanten, der am 16. Juni die Kommandatura verlassen hatte (wenig später war die Zusammenarbeit auch offiziell aufgekündigt worden), dürfe die »ordentliche gesetzmäßige Verwaltung« nicht länger behindern, konstatierten die Vertreter der drei Westmächte, die im übrigen am Viermächte-Status für die ganze Stadt festhielten, auch wenn sie diesen Standpunkt nur in den drei Westsektoren geltend machen konnten. Als am 20. März 1949 die Westmark zum alleinigen gesetzlichen Zahlungsmittel in Westberlin erklärt wurde – anstelle des Nebeneinanders von Ost- und Westwährung, das seit Juni 1948 bestanden hatte –, war die Spaltung der Stadt in einen östlichen und einen westlichen Teil so ziemlich abgeschlossen.

Die Teilung Berlins im Laufe des Jahrs 1948 hatte auch symbolischen Charakter: Dem gleichen Prozeß unterlagen die in vier Besatzungszonen aufgeteilten, von den Siegern des Zweiten Weltkriegs verwalteten Reste des Deutschen Reiches, dessen Hauptstadt Berlin gewesen war. Die Blockade der Stadt durch die östliche Besatzungsmacht war in erster Linie der Versuch, die Errichtung eines Staates auf dem Territorium der drei westlichen Besatzungszonen zu verhindern. Berlin-Blockade und Luftbrücke bildeten den düsteren Hintergrund der Entstehung der Bundesrepublik, die Wechselwirkung der Ereignisse – Drohgebärde und demonstrative Gewährung von Schutz – wirkte aber auf die Gründer des Weststaats darüber hinaus auch bestätigend und stimulierend.

II. Von der Besatzungsherrschaft zum souveränen Staat

1. Die Beschlüsse von Potsdam und die Einheit Deutschlands

Die Teilung Deutschlands war im Frühjahr 1949 längst besiegelt. Begonnen hatte sie mit der Kapitulation der Wehrmacht des Deutschen Reiches im Mai 1945, dem Ende der nationalsozialistischen Herrschaft in Deutschland, das zugleich das völkerrechtlich verbindliche Ende des Deutschen Reiches selbst war. Die Deutschen hatten nach dem 8. Mai 1945 keinen Staat mehr. Die staatliche Gewalt in Deutschland übernahmen die Siegermächte des Zweiten Weltkriegs durch ihre Militärregierungen, die sich auf Besatzungstruppen stützten. Die Fremdherrschaft wurde von vier Militärgouverneuren im Namen der Vereinigten Staaten, Großbritanniens, der Sowjetunion und Frankreichs ausgeübt. Jeder dieser Prokonsuln war in seiner Besatzungszone die höchste Autorität; gemeinsam bildeten sie eine Art Regierung, den Alliierten Kontrollrat in Berlin, der wenigstens die wirtschaftliche Einheit Deutschlands bis zur irgendwann erfolgenden staatlichen Neuorganisation aufrechterhalten sollte. So war es auf der Potsdamer Konferenz beschlossen worden.

Bei diesem Treffen der Regierungschefs der drei Großmächte im Sommer 1945 hatte Stalin seinen Verbündeten auch die Absicht der Sowjetunion klargemacht, die deutschen Ostgebiete, nämlich Pommern, Schlesien, Ost- und Westpreußen, definitiv von Deutschland abzutrennen und Polen und der UdSSR zuzuschlagen. Polen erhielt die deutschen Ostgebiete als Äquivalent für seine eigenen Ostgebiete, die von der Sowjetunion annektiert worden waren: Stalin verschob das ganze Land nach Westen. Der amerikanische Präsident und der britische Premier hatten dieser Amputation Deutschlands nicht förmlich zugestimmt, sie aber auch nicht ausdrücklich abgelehnt. Die Gebiete östlich der Oder-Neiße-Linie sollten bis auf weiteres – also zunächst bis zu einer endgültigen Vereinbarung im Rahmen eines Friedensvertrags – unter polnischer bzw. sowjetischer »Verwaltung« bleiben, wie sie es seit Kriegsende bereits waren. Allerdings hatten die Westmächte die Annexionen der Sowjetunion sanktioniert und grundsätzlich auch die Westverschiebung Polens (unter Kompensation auf deutsche Kosten) gebilligt.

Unabhängig vom rechtlichen Status, den die für Deutschland verlorenen Ostgebiete hatten, ergoß sich schon seit Ende 1944 ein riesiger Menschenstrom nach Restdeutschland. Den Trecks der Flüchtlinge vor der Roten Armee folgten die Heimatvertriebenen aus den Gebieten östlich von Oder und Neiße (über 7 Millionen Menschen) zugleich mit den aus der Tschechoslowakei verjagten Sudetendeutschen (etwa 3 Millionen) und den aus Ungarn, Rumänien, Jugoslawien und anderen ehemaligen Siedlungsgebieten vertriebenen deutschen Volksgruppen (knapp 2 Millionen). Auf dem Gebiet der drei westlichen Besatzungszonen lebten 1949 über 6 Millionen Menschen mehr als zehn Jahre zuvor. Von den mehr als 12 Millionen Deutschen, die ihre Heimat verloren hatten, lebten 1950 über 7,5 Millionen in der Bundesrepublik. Durch die Zuwanderung war trotz der zahlreichen Kriegsopfer die Bevölkerung in den Westzonen von 43 Millionen (1938) auf 49,2 Millionen (1949) angewachsen[1].

In der sowjetischen Besatzungszone lebten 18,5 Millionen Menschen, davon waren 4,5 Millionen Vertriebene oder Flüchtlinge. Der Weltkrieg, den Hitlers Deutschland unter der Ideologie »Volk ohne Raum« entfacht hatte, um Land zu erobern und Nachbarnationen zu versklaven, hatte damit geendet, daß auf vielfach verkleinertem deutschem Territorium erheblich mehr Menschen ihr Leben fristen mußten als je zuvor.

Die existentiellen Probleme dieser Menschen im Nachkriegsdeutschland bestanden für fast alle im Hunger, für sehr viele im Verlust von Habe und Obdach und für eine beträchtliche Zahl von ihnen im drohenden Verlust der bürgerlichen Reputation im Zuge der Entnazifizierung, einem der Programmpunkte, die sich die Sieger als Vorbedingung für alles weitere in Deutschland vorgenommen hatten. Es waren die vier großen D, die Leben und Gefühle der Deutschen bestimmten: Demilitarisierung, Denazifizierung, Demontage, Demokratisierung. Viele von denen, die nichts gegen eine Demokratisierung hatten, fanden doch die Methoden, die angewendet wurden, oder auch nur die damit verbundenen Begriffe »Re-education« oder »Umerziehung« verabscheuenswert, weil kränkend und beschämend für das Nationalgefühl.

Die Entnazifizierung, als bürokratische Prozedur zur Ausrottung des Nationalsozialismus und zur Säuberung der Gesell-

[1] Vgl. Hermann Korte, Bevölkerungsstruktur und -entwicklung. In: Wolfgang Benz (Hrsg.), Die Bundesrepublik Deutschland. Frankfurt a. M. 1983, Bd. 2, S. 14.

schaft von Funktionären und Nutznießern der NSDAP in Gang gesetzt, erwies sich bald als höchst problematisches Unternehmen. Von den Alliierten in den einzelnen Besatzungszonen mit unterschiedlichen Methoden eingeleitet und schließlich weitgehend den Deutschen zur Ausführung überlassen, erfüllte sie keineswegs die Funktion einer Selbstreinigung der deutschen Nachkriegsgesellschaft; sie wurde vielmehr, eher schematisch als gerecht gehandhabt, zur großen Rehabilitierungsaktion. In der amerikanischen Zone wurde die Entnazifizierung anfangs besonders rigoros und intensiv betrieben, u. a. anhand des berüchtigten Fragebogens, auf dem alle über 18 Jahre alten Einwohner ihre Gesinnung lückenlos fast bis zur Geburt zurück in 131 Fragepositionen dokumentieren mußten. In der britischen und französischen Zone wurde behutsamer verfahren, den dortigen Militärregierungen kam es mehr auf die Säuberung der Spitzenstellungen von NS-Funktionären als auf die Gesinnungsprüfung jedes Einzelnen an. Im Frühjahr 1946 gab es in der US-Zone 120000 Menschen, die in Internierungslagern saßen, aus denen dann, ohne Rücksicht auf den Grad ihrer Belastung, Leute mit besonderer beruflicher Qualifikation bei Bedarf entlassen wurden. Wenn ein Spezialist, z. B. für die Abwasserbeseitigung in einer bestimmten Großstadt, benötigt wurde, dann spielte seine nationalsozialistische Vergangenheit für die zuständige Militärregierung keine Rolle, ihr war das Funktionieren der Kläranlage wichtiger. Außer den Internierten gab es 300000 Menschen, die aus ihren früheren Ämtern und Positionen entlassen worden waren und die auf der Straße standen und nicht wußten, wie es weitergehen sollte. Was Wunder, daß in der zweiten Phase der Entnazifizierung, die ab März 1946 teilweise unter deutscher Regie begann, die Intention vorherrschte, möglichst viele zu rehabilitieren.

In den Spruchkammern und Spruchgerichten der amerikanischen Zone amtierten Laienrichter vor allem mit dem Ziel, den Mitläuferstatus der Betroffenen festzustellen und die Bagatellfälle abzuwickeln. Eine Amnestie der amerikanischen Militärregierung tat ein übriges. Verhängnisvoll im öffentlichen Bewußtsein war die Tatsache, daß zunächst die kleineren Pg. abgefertigt wurden. Die stärker belasteten Funktionäre des NS-Regimes hatte man sich zur Aburteilung aufgespart, weil zuerst das Massenproblem gelöst werden sollte. Die großen Nazis kamen dadurch ungerecht glimpflich davon, denn als ab Frühjahr 1948 das Interesse der Amerikaner, nicht zuletzt wegen der Konstel-

lationen des Kalten Krieges, erlahmte, konnten sie ziemlich
leicht durch die Maschen der Befreiungsgesetze schlüpfen. Dafür sorgte auch der Überdruß, den die Praxis der Entnazifizierung bei den Deutschen erzeugt hatte. Immerhin war der Auf-
enthalt in den Internierungslagern für die ehemals ranghöheren
Funktionäre der NSDAP und anderer NS-Organisationen,
über die ab Sommer 1945 der »automatische Arrest« verhängt
war, kein Honiglecken gewesen, auch wenn viele schließlich
ohne weitere empfindliche Strafen davonkamen[2].

Mit Skepsis beobachteten die Deutschen auch die Aburteilung
der Hauptschuldigen des NS-Regimes vor dem Viermächte-
Tribunal des Internationalen Militärgerichtshofs in Nürnberg,
dem Hauptkriegsverbrecherprozeß (Herbst 1945–Herbst 1946)
und den zahlreichen Nachfolgeprozessen vor Gerichten der Besatzungsmächte und anderer Nationen. In den drei Westzonen
wurden in den ersten Nachkriegsjahren etwa 5000 Angeklagte
wegen nationalsozialistischer Verbrechen verurteilt, unter ihnen
Spitzenfunktionäre der NSDAP, Ärzte, Industrielle, Militärs,
Personal der Konzentrationslager. Die bekanntesten Gerichtsor-
te waren Nürnberg und Dachau. Unbehagen erzeugte vor allem
der Gedanke, daß Sieger über Besiegte zu Gericht saßen, daß
Rachejustiz geübt werde, sicherlich ohne Gefühle des Mitleids für
die ehemals Großen des Dritten Reiches, die in Nürnberg und
anderswo zum Tod oder zu Freiheitsstrafen verurteilt wurden.
Angesichts der Todesurteile gegen Göring, Ribbentrop, Keitel,
Kaltenbrunner, Rosenberg, Hans Frank, Frick, Streicher,
Sauckel, Jodl, Seyß-Inquart und Bormann, die als Reichsminister, Generäle oder sonstwie als Statthalter Hitlers Verbrechen
gegen den Frieden und gegen die Menschlichkeit begangen hatten, empfanden viele Deutsche besondere Gefühle der Ohnmacht, weil diese Männer wie zahlreiche andere in den Nachfolgeprozessen, dem Zugriff deutscher Justiz entzogen waren.

Die Demontagen dienten mehreren Zwecken: einmal der Beseitigung der Kriegsindustrie, und damit waren sie ein entschei-
dender Teil des Demilitarisierungsprogramms der Alliierten;
zum anderen wurden mit Hilfe der demontierten Industrieanla-
gen Reparationsansprüche der Nationen befriedigt, denen

[2] Lutz Niethammer, Die Mitläuferfabrik. Die Entnazifizierung am Beispiel
Bayerns. 2. Aufl., Berlin, Bonn 1982; Klaus-Dietmar Henke, Politische Säuberung unter französischer Besatzung. Die Entnazifizierung in Württemberg-Hohenzollern. Stuttgart 1981; Wolfgang Krüger, Entnazifiziert! Zur Praxis der politischen Säuberung in Nordrhein-Westfalen. Wuppertal 1982.

Deutschland Schaden zugefügt hatte; und schließlich sollte durch den Abbau von Fabriken das deutsche Industrieniveau auf etwa die Hälfte des Standes von 1938 gesenkt werden. Das erschien den Alliierten ausreichend, um in Deutschland einen Lebensstandard aufrechtzuerhalten, der nicht höher liegen sollte als der europäische Durchschnitt. So war es im Sommer 1945 in Potsdam vereinbart und im März 1946 vom Alliierten Kontrollrat im »Industrieplan« im einzelnen festgelegt worden. Beschlossen hatten die drei Großmächte auch, daß die Reparationsansprüche der Sieger bzw. der von Deutschland geschädigten Länder jeweils auf Zonenebene befriedigt werden sollten, und zwar sollte die Sowjetunion sich in ihrer Zone bedienen (und von diesen Entnahmen auch Polen entschädigen), außerdem wurden der UdSSR »15 Prozent derjenigen verwendungsfähigen und vollständigen industriellen Ausrüstung, vor allem der metallurgischen, chemischen und Maschinen erzeugenden Industrien, soweit sie für die deutsche Friedenswirtschaft unnötig und aus den westlichen Zonen Deutschlands zu entnehmen sind, im Austausch für einen entsprechenden Wert an Nahrungsmitteln, Kohlen, Kali, Zink, Holz, Tonprodukten, Petroleumprodukten und anderen Waren« zugesprochen, ferner weitere 10 Prozent der in den Westzonen auf Reparationskonto zu demontierenden Industrie, »ohne Bezahlung oder Gegenleistung irgendwelcher Art«. Die Ansprüche der USA, Großbritanniens, Frankreichs und aller anderer Staaten sollten aus den drei Westzonen und den Auslandsguthaben des Deutschen Reiches abgegolten werden[3].

Frankreich, das an der Potsdamer Konferenz der Großen Drei nicht hatte teilnehmen dürfen, also gewissermaßen zu den Siegern zweiter Klasse zählte und diesen Prestigeverlust den Amerikanern und Briten in der Folgezeit durch Obstruktion im Kontrollrat vergalt, fühlte sich an die Vereinbarungen vom Sommer 1945 nicht gebunden. In der französischen Besatzungszone versuchte sich Frankreich für die ungeheuren Schäden, die es während des Krieges erlitten hatte, schadlos zu halten durch rücksichtslose Ausbeutung der Ressourcen, durch Demontagen und, weil es im deutschen Südwesten weniger industrielle Anlagen als in den anderen Zonen gab, durch Kahlschlag der Wälder, durch Konfiszierungen aus der Produktion.

---

[3] Zitat nach Ernst Deuerlein (Hrsg.), Potsdam 1945. Quellen zur Konferenz der »Großen Drei«. München 1963, S. 360.

Überdies verweigerten die Franzosen bis 1949 die Aufnahme von Flüchtlingen und Heimatvertriebenen in ihrer Zone. Die französische Forderung nach Abtrennung des Ruhrgebiets blieb zwar erfolglos, aber das industriell bedeutsame Saargebiet kam im Juli 1945 unter französisches Protektorat; es wurde im Dezember 1946 aus dem Kompetenzbereich des Alliierten Kontrollrats ausgegliedert und 1947 dem französischen Wirtschaftsgebiet einverleibt, de facto also von Deutschland abgetrennt.

Die Sowjetunion hielt sich genauso wenig wie Frankreich an das Potsdamer Protokoll. Beide trachteten lediglich nach höchstmöglicher Ausbeutung ihrer Einflußgebiete, zu Lasten der amerikanischen und der britischen Zone, denn die gedachte und in Potsdam protokollierte wirtschaftliche Einheit Deutschlands (als Grundlage der Reparationsleistungen) hätte nur funktioniert, wenn die unterschiedlich strukturierten Wirtschaftsräume durch den Austausch von Gütern, Rohstoffen und Lebensmitteln zu einem Ganzen ausbalanciert worden wären. Statt dessen führten die übermäßigen Entnahmen in einer Zone zum Mangel auch in den anderen. Nach Mahnungen und Warnungen an die Adresse der Vertreter Frankreichs und der Sowjetunion verfügte General Clay (damals noch als Stellvertreter des US-Militärgouverneurs) Anfang Mai 1946 einen als sensationell empfundenen Demontagestopp in der amerikanischen Zone. Das war kein Gnadenakt gegenüber den Deutschen, sondern ein Wink mit dem Zaunpfahl an die Alliierten: Solange in der sowjetischen und in der französischen Zone das Potsdamer Protokoll mißachtet wurde, solange sollten keine Güter aus der amerikanischen Zone dorthin fließen. Clays Anordnung vom Mai 1946 machte auch den Industrieplan des Alliierten Kontrollrats vom März 1946 endgültig zu Makulatur. Auf jeden Fall demonstrierte Clay, daß der entscheidende Punkt der Potsdamer Vereinbarungen hinsichtlich der wirtschaftlichen Einheit Deutschlands im Frühjahr 1946 nicht mehr der Realität entsprach, ja schlimmer noch, niemals Realität gewesen war[4].

Der Ost-West-Konflikt, der auf deutschem Boden zwei Jahre später seinen Höhepunkt in der Blockade Berlins finden sollte, warf seine Schatten voraus: Die wirtschaftlichen Probleme verschärften den wachsenden Antagonismus der beiden Großmächte USA und UdSSR und führten über das amerikanische

[4] John Gimbel, Amerikanische Besatzungspolitik in Deutschland 1945–1949. Frankfurt a. M. 1968, S. 87f.

European Recovery Program 1947/1948 zur Konfrontation im. Kalten Krieg. Ergebnis war schließlich die Teilung Deutschlands durch die Gründung zweier deutscher Staaten im Jahr 1949. Die einzelnen Stadien des Zerfalls der alliierten Kriegskoalition, die Etappen der Konfrontation der beiden Weltmächte im Kalten Krieg, sind zugleich die Wegzeichen im vierjährigen Entstehungs- und Gründungsprozeß der beiden deutschen Nachkriegsstaaten. Auf der Potsdamer Konferenz im Juli/August 1945 waren die Grenzen abgesteckt worden, innerhalb derer die vier Siegermächte in Deutschland agieren und die Deutschen reagieren sollten. Die endgültige Festlegung der Zonengrenzen, die Errichtung des Alliierten Kontrollrats für Deutschland in Berlin – also die Schaffung von Einflußsphären und eines gemeinsamen Lenkungsinstruments – sollten Mittel zum Zweck der Entmilitarisierung, der Entnazifizierung, der Demokratisierung und der Wiedergutmachung sein und zwar auf Zeit. Eine definitive Teilung Deutschlands gehörte nicht zum Programm der Sieger, die in Potsdam am Konferenztisch saßen. Am ehesten war Frankreich daran interessiert, das besiegte Deutsche Reich in ein Bündel weitgehend selbständiger Staaten zu zergliedern. Die Sowjets griffen ihrerseits durch Reformen umwälzenden Charakters frühzeitig in Wirtschafts- und Sozialstrukturen ein, durch die die Ostzone von den Westzonen abdriftete. In der britischen und der amerikanischen Zone hielten sich die Besatzungsmächte am stärksten an die Potsdamer Vereinbarungen, sahen sich aber angesichts zerstörter Infrastrukturen, der Flüchtlingsströme, der kritischen Ernährungslage, aber auch infolge französischer Obstruktion und sowjetischer Intransigenz im Kontrollrat ziemlich bald mit den Grenzen des provisorischen Wirtschaftens konfrontiert.

Die Gründung zweier deutscher Staaten im Herbst 1949 stellt sich im Rückblick als Ergebnis außenpolitischer Konstellationen dar, an denen die Deutschen auf den ersten Blick nur passiv beteiligt waren. Allerdings trugen sie durch ihre Anpassungsfähigkeit an das jeweilige System der Besatzungsmacht zur Stabilisierung der Verhältnisse nicht wenig bei. Die Kriegskoalition der beiden Großmächte USA und Sowjetunion wurde sehr bald nach dem gemeinsamen Sieg über Hitler-Deutschland durch Interessenkonflikte auf vielen Gebieten abgelöst. Die Einstellung der amerikanischen Hilfeleistungen an die UdSSR im Herbst 1945 war für die an den Kriegsfolgen mehr als andere Nationen leidende Sowjetunion ein harter Schlag, der um so schmerzlicher empfunden wurde, als die sowjetischen Reparationsforderungen in Höhe von 10 Milliarden Dollar auf den Außenministerkonferenzen der ersten Nachkriegsjahre nicht anerkannt wurden. Die sowjetischen Forderungen nach einer Sicherheitszone in Osteuropa, die die Bedrohung durch die traditionell antisowjetischen Nachbarnationen Ostmitteleuropas beenden sollte, waren von den Amerikanern zunächst mit hinhaltender Skepsis und dann mit einer Politik der »Eindämmung« beantwortet worden, als sich in Washington die Überzeugung immer mehr durchsetzte, das Sowjetsystem sei expansiv und in seinen imperialen Ansprüchen dem Nationalsozialismus vergleichbar.

Die militärische und ökonomische Überlegenheit der USA, die sich namentlich im Besitz der Atombombe dokumentierte, verstärkte die Furcht und das Mißtrauen der sowjetischen Führung. Über allem stand der Systemkonflikt: Die Vereinigten Staaten mit ihrem liberalistisch-kapitalistischen Wertsystem konnten an einem planwirtschaftlich organisierten Europa nicht interessiert sein; die USA hatten vielmehr an offenen Märkten ein vitales Interesse. Vor dem Hintergrund dieser Gegensätze spielte sich der Kalte Krieg, die Spaltung in Ost und West, die Teilung der Welt in Einflußsphären innerhalb weniger Jahre nach dem Zweiten Weltkrieg ab. Im Kreislauf von Mißtrauen und Furcht, bei dem jeder Schachzug der einen Seite eine entsprechende Reaktion der Gegenseite bedingte, war das deutsche Problem nur eines unter vielen, und keineswegs das wichtigste[5].

Der Teilung Deutschlands lag kein Konzept zugrunde, das die eine oder die andere Seite planmäßig entwickelt und durchgeführt hätte. Die sowjetische Politik, der im Westen die Hauptschuld an der Spaltung in Ost und West zugemessen wurde und wird, operierte mit zwei Konzeptionen, die sich zunächst nicht gegenseitig ausschlossen. Die erste bestand im Wunsch nach einer langfristigen Zusammenarbeit mit den Westmächten, sie datierte von den alliierten Kriegskonferenzen her; die andere zielte auf die Festigung und Sicherung des Besitzstandes der sowjetischen Einflußsphäre in Ostmitteleuropa. Die zweite Konzeption, die sich ab Frühjahr 1947 durchsetzte, war gewissermaßen die kleinere Alternative, die zweitbeste Lö-

---

[5] Wilfried Loth, Die Teilung der Welt. Geschichte des Kalten Krieges 1941–1955. München 1980; Ernst Nolte, Deutschland und der Kalte Krieg. München 1974; Daniel Yergin, Der zerbrochene Frieden. Der Ursprung des Kalten Krieges und die Teilung Europas. Frankfurt a. M. 1977.

sung. Obwohl als Rückzugslinie gedacht, mußte sie doch parallel zum Kooperationskonzept, zur Sicherung von Faustpfändern, *gleich* angewendet werden und zwar für den Fall des Nichtzustandekommens einer Kooperation mit dem Westen[6]. Dies wurde in Amerika aber wiederum als offensives Maximalprogramm, als imperiale Expansion interpretiert und mit entsprechenden Maßnahmen beantwortet. Als Indizien für die Kooperationsbereitschaft der Sowjetunion in den ersten beiden Nachkriegsjahren konnten ihre antifaschistisch-demokratische Blockpolitik, die Zusammenarbeit mit sozialdemokratischen und bürgerlich-demokratischen Parteien in ganz Westeuropa, die Regierungsbeteiligung von Kommunisten in Frankreich, Italien, Belgien, Luxemburg, Dänemark, Norwegen, Island und in fast allen Ländern der drei westlichen Besatzungszonen Deutschlands gelten. Die vernichtenden Wahlniederlagen der Kommunisten in Österreich und Ungarn im Oktober und November 1945 wurden als Rückschläge empfunden und mit der Einheitskampagne in der Sowjetischen Besatzungszone Deutschlands, der Vereinigung von KPD und SPD zur SED im April 1946 beantwortet. Dieser zwangsweise Zusammenschluß hatte aber für die Stimmung der Sozialdemokraten in den Westzonen geradezu traumatische Folgen, die jahrelang die Politik der SPD nachhaltig beeinflußten und zwar im Sinne eines kompromißlosen Antikommunismus, wie man ihn vom national denkenden Bürgertum schon lange kannte.

Die Rede Churchills im März 1946 in Fulton, bei der der konservative britische Politiker das Schlagwort vom »Eisernen Vorhang« erstmals öffentlich verwendet hatte, um die Machtsicherungstechniken der Sowjetunion zu charakterisieren, wurde im Kreml als offensiver Akt gewertet, im Westen aber wiederum als Hoffnungsschimmer für ein geeintes Westeuropa verstanden. Enttäuschungen verschiedener Art, die schwindende Hoffnung auf Erfüllung ihrer Reparationsansprüche und auf Beteiligung an der Ruhrkontrolle und wirtschaftliche Katastrophen wie die russische Mißernte von 1946 führten zu einer zweiten Demontagewelle in der SBZ mit entsprechenden Reaktionen der Amerikaner.

1947 waren die ökonomischen und politischen Gegensätze zwischen den Führungsmächten des Ostens und des Westens in

[6] Vgl. die Ausführungen Wolfgang Leonhards in: Der Weg nach Pankow. Zur Gründungsgeschichte der DDR. (Kolloquium im Institut für Zeitgeschichte) München 1980, S. 32 f.

aller Deutlichkeit sichtbar. Die Truman-Doktrin vom März 1947, deren äußerer Anlaß die Bitte des US-Präsidenten an den widerstrebenden amerikanischen Kongreß um Hilfsgelder für Griechenland und die Türkei bildete, beschwor die Gefährlichkeit des Sowjet-Kommunismus und leitete die Containment-Politik der USA ein: Gegenüber kommunistischen Umsturzversuchen sollte die *Freiheit* weltweit mit wirtschaftlichen und militärischen Mitteln verteidigt werden. Der Marshall-Plan, im Juni 1947 kurz nach der Truman-Doktrin kreiert, wurde im Osten als Instrument der Eindämmungspolitik Washingtons empfunden. Die Sowjetunion wertete das Angebot der Vereinigten Staaten, vor dem Hintergrund der Truman-Rede im März 1947 ganz zwangsläufig als Versuch, die osteuropäischen Länder aus dem sowjetischen Einflußbereich herauszulösen und verbot den Staaten in ihrem Vorfeld die Beteiligung an diesem ökonomischen Wiederaufbauprogramm.

Die endgültige Ablehnung der sowjetischen Reparationsforderungen auf der Londoner Außenministerkonferenz im Dezember 1947, der gleichzeitig wachsende Widerstand gegen die Dominanz der kommunistischen Parteien in Polen, der Tschechoslowakei und Ungarn, die Popularität Titos in den Nachbarländern und die Gefährdung der sowjetischen Führungsrolle in den Staaten Ost- und Südosteuropas durch multilaterale Bündnis- und Föderationspläne, der gleichzeitige Verlust des Einflusses in Westeuropa durch die Ausbootung der Kommunisten aus den Regierungen in Paris und Rom im Mai 1947, wenig später in Österreich und im gleichen Jahr auch in Luxemburg und Belgien, dies alles führte im Kreml zu einem verstärkten Gefühl der Bedrohung. Die Reaktion bestand in der Konsolidierung der eigenen Einflußsphäre. Im September 1947 wurden die Führer der wichtigsten kommunistischen Parteien nach Szklarska Poręba (dem früheren Schreiberhau in Schlesien) gerufen und auf den Kurswechsel der sowjetischen Außenpolitik eingeschworen. Es war die Gründungskonferenz des Kominform (des Informationsbüros kommunistischer und Arbeiterparteien), das unter Führung der KPdSU als Instrument der Gleichschaltung der kommunistischen Parteien diente. Der sowjetische Delegationsleiter Shdanow, der das Grundsatzreferat hielt und der Konferenz präsidierte, entwickelte im Gegenzug zur Truman-Doktrin die These vom globalen Kampf zwischen »imperialistischem und antidemokratischem Lager« unter Führung der USA einerseits mit den »antiimperialistischen und an-

tifaschistischen Kräften« unter der Fahne der Sowjetunion andererseits. Hand in Hand mit der außenpolitischen Festlegung gingen die »Säuberungen« in der UdSSR. Die Wirkungen des neuen Kurses zeigten sich vom Sommer 1947 an aber auch außerhalb der Sowjetunion:
– im kommunistischen Staatsstreich in der Tschechoslowakei im Februar 1948,
– in der Sprengung des Alliierten Kontrollrats für Deutschland durch die Sowjetunion im März 1948,
– in der Berlin-Blockade ab April bzw. Juni 1948, deren vordergründige Ursachen die Währungsreform in den Westzonen (im Juni 1948) sowie die Vorbereitungen zur Weststaatgründung waren,
– im Ausschluß Jugoslawiens aus dem im Formierungsprozeß begriffenen Ostblock im Juni 1948: der von Tito gesuchte eigene Weg zum Sozialismus wurde von der Sowjetunion mit größter Schärfe bekämpft.

Alle diese Aktionen und Ereignisse konnten im Westen mühelos als Maßnahmen des stalinistischen Unterwerfungs- und Gleichschaltungskurses im Vorfeld der Sowjetunion verstanden werden, was sie in ihrer *Wirkung* ja auch waren. Daß freilich die *Ursachen* zum Teil auch in der Eindämmungspolitik der Westmächte lagen, wurde weniger zur Kenntnis genommen. Die sowjetische Politik richtete sich in der Folgezeit, ab 1948, ganz auf den Ausbau und die Festigung des Besitzstandes.

Eingeleitet wurde dieser Konsolidierungsprozeß durch eine Verschärfung des innenpolitischen Kurses in der Sowjetunion, die stark an die Säuberungswelle der dreißiger Jahre erinnerte. In Osteuropa wurden – zwei Jahre nach der Aktion in der sowjetischen Besatzungszone Deutschlands – die sozialdemokratischen und kommunistischen Parteien zusammengeschlossen (Rumänien: April; Tschechoslowakei: Juni; Ungarn: Juli; Bulgarien: August; Polen: Dezember 1948), die nichtsozialistischen »Blockparteien« wurden unterworfen, die kommunistischen Staatsparteien in Osteuropa wurden mit der KPdSU gleichgeschaltet und von Rechts- und Linksabweichlern rigoros gesäubert. Alle kommunistischen Parteien in West- wie in Osteuropa wurden im Falle eines Krieges zur Hilfe für die UdSSR verpflichtet; im gesamten Machtbereich der Sowjetunion wurden Planwirtschaft und Kollektivierung eingeleitet, sowjetische »Berater« durchdrangen alle Bereiche. In diesem Zusammenhang und zu diesem Zeitpunkt gehörte auch die Gründung eines ostdeutschen Staates zu den Primärzielen der Sowjetunion. Nicht nur chronologisch, sondern auch von der immanenten Logik der sowjetischen West- und Deutschlandpolitik her erfolgte die Errichtung der DDR – im Oktober 1949 – im Gegenzug zur Gründung der Bundesrepublik Deutschland.

Die Ursachen für die Teilung Deutschlands nach dem Zweiten Weltkrieg lagen also zum beträchtlichen Teil in den äußeren Bedingungen der alliierten Besatzung, in den unterschiedlichen Demokratisierungsmechanismen, die von den Okkupationsmächten angewendet wurden, in den divergierenden Ordnungs- und Wertvorstellungen der Alliierten, in der Geschwindigkeit, mit der sich Westzonen und Ostzone auseinanderentwickelten und in der weltpolitischen Konstellation. Bald nach Kriegsende, als diese Bedingungen sichtbar wurden und die Alternativen sich einschränkten auf die Option für den Westen unter Inkaufnahme des Verlusts der Einheit der Nation einerseits oder auf die Fortdauer der bedrückenden Zustände der Besatzungsherrschaft, staatlicher Ohnmacht, Fortdauer von Hunger und Mangel, Wohnungsnot und Existenzangst andererseits, erstrebten die deutschen Politiker in den Westzonen zwar nicht gerade mit Ungeduld und oftmals auch mehr unbewußt als zielstrebig die Lösung der Probleme in Gestalt des geringeren Übels, nämlich der Neu- oder Wiedergründung deutscher Staatlichkeit wenigstens auf einem Teil des ehemaligen Staatsgebiets. Die maßgebenden Politiker in den Westzonen haben dies früh artikuliert. Konrad Adenauer plädierte schon im August 1946 vor CDU-Politikern der britischen Zone für den Zusammenschluß der drei Westzonen und deren Abgrenzung gegenüber der SBZ[7]; Adenauer verstand dies ausdrücklich als zweitbeste Lösung. Ökonomische Motive gab es genug für solche Plädoyers und ideologisch zu unterfüttern waren sie unschwer. Kurt Schumacher, der Führer der SPD in den Westzonen, propagierte Ende Mai 1947 vor dem Parteivorstand die »Magnettheorie«, als er seiner Überzeugung Ausdruck verlieh, daß die Westzonen zum ökonomischen Magneten würden: Es sei »realpolitisch vom deutschen Gesichtspunkt aus kein anderer Weg zur Erringung der deutschen Einheit möglich, als diese ökono-

[7] Protokoll über die Tagung des Zonenausschusses der CDU für die britische Zone in Neuenkirchen/Kr. Wiedenbrück am 1. und 2. August 1946. In: Konrad Adenauer und die CDU der britischen Besatzungszone 1946–1949. Dokumente zur Gründungsgeschichte der CDU Deutschlands. Bonn 1975, S. 164 f., insbes. S. 170 f.

mische Magnetisierung des Westens, die ihre Anziehungskraft auf den Osten so stark ausüben muß, daß auf die Dauer die bloße Innehabung des Machtapparats dagegen kein sicheres Mittel ist«[8].

Der Illusion, die vereinigten Westzonen bzw. die Bundesrepublik würden die Ostzone bzw. die DDR irgendwann mit Urgewalt, magnetisch, an sich ziehen, hingen viele an, die dazu neigten, zweitbeste Lösungen der Fortdauer ungewisser und beängstigender Zustände vorzuziehen. Zum emotionalen Hintergrund gehörten folgende Momente:

Der Wunsch nach materiellem Wiederaufbau hatte nach Kriegsende Priorität. Die Sowjetische Besatzungszone und das dortige Besatzungsregime wurden dabei im Westen bald als Hemmnisse empfunden.

Das politisch-geistige Klima war geprägt durch das Gefühl kultureller Überlegenheit gegenüber den Russen (freilich auch gegenüber den Amerikanern, die aber gleichzeitig als großzügige Spender materieller Reize bewundert wurden). Den Anspruch der Besatzungsmächte, die Deutschen zur Demokratie zu erziehen, empfanden viele als anmaßend.

Die Zukunftsängste summierten sich in einer antikommunistischen Tendenz, die aus vielen Gründen konsensfähiger war als die antifaschistische Haltung, die als Brücke zum östlichen Demokratieverständnis hätte dienen können. Die antikommunistischen Überzeugungen, die im deutschen Nachkriegsalltag durch Erfahrungen mit den Sowjets äußerlich immer wieder bestätigt wurden – die Methoden der sowjetischen Besatzungsmacht glichen vielfach ja tatsächlich denen der Nationalsozialisten –, kulminierte bei vielen in einer Grundstimmung, bei der sich traditioneller Antibolschewismus und bürgerlich-konservative Abneigung gegen das verflossene NS-Regime verbanden. Diese Grundstimmung erleichterte die Option für den Westen und die parlamentarisch-demokratische Staatsform im westlichen Teil des deutschen Territoriums.

Die Option für den Weststaat wurde durch den Wunsch nach Westintegration, das hieß vor allem Anschluß an das Wohlstand und Sicherheit verheißende Amerika, rationalisiert. Die Idee der europäischen Einigung hatte dabei Ersatzfunktionen für das frühzeitige Opfer der nationalen Einheit.

[8] Zitat nach: Vorstand der SPD (Hrsg.), Acht Jahre sozialdemokratischer Kampf um Einheit, Frieden und Freiheit. Bonn 1954, S. 26.

2. Die Errichtung der Bizone

Der spektakuläre Demontagestopp, den General Clay in der US-Zone angeordnet hatte, fiel in die Konferenzpause der Pariser Tagung des Rats der Außenminister. Es war die zweite Sitzung des Viermächte-Gremiums, das auf der Potsdamer Konferenz zur Lösung der Nachkriegsprobleme, der Vorbereitung von Friedensverträgen und der Regelung der Territorialfragen institutionalisiert worden war. Auf der Pariser Außenministerkonferenz (25. April bis 15. Mai und 15. Juni bis 12. Juli 1946) kam die Situation Deutschlands erstmals zur Sprache. Der amerikanische Außenminister Byrnes drängte Ende April mit Entschiedenheit auf die Realisierung der Potsdamer Beschlüsse, also auf die Herstellung der wirtschaftlichen Einheit Deutschlands, und er schlug sogar einen Termin für den Beginn der Friedensverhandlungen mit Deutschland vor, den 12. November 1946. Byrnes hatte im Mai 1946 erklärt, Deutschland müsse in der Lage sein, ohne fremde Hilfe zu leben, und General Draper, einer der ranghöchsten Funktionäre der amerikanischen Militärregierung für Deutschland (Draper, im Zivilberuf Bankier, war Berater Clays in wirtschaftlichen Angelegenheiten) nannte im Juni 1946 drei Voraussetzungen, um Deutschland ökonomisch zu sanieren: Die Zonengrenzen müßten als Barrieren für die Wirtschaft verschwinden, dann müsse eine zentrale Finanzverwaltung für Deutschland errichtet werden, und schließlich müßten Möglichkeiten geschaffen werden, daß Deutschland wieder am Außenhandel teilnehmen könne[9].

In diesem Sinn argumentierte auch General Clay, der in regelmäßigen Berichten und durch gezielte Memoranden seine Regierung in Washington beschwor, Schritte zur wirtschaftlichen Einheit und zugunsten einer provisorischen Regierung Deutschlands zu tun. Clay hatte nicht nur seine unmittelbaren Vorgesetzten im amerikanischen Kriegsministerium zu überzeugen versucht, er hatte am Rand der Pariser Konferenz auch mit Außenminister Byrnes intensive Kontakte gepflegt. Die offizielle Linie Washingtons war etwas zurückhaltender, als Clay wünschte; in politischer Hinsicht (Zentralregierung für Deutschland) wollte sich die US-Regierung (noch) nicht enga-

[9] Ernst Deuerlein, Die Einheit Deutschlands. Ihre Erörterung und Behandlung auf den Kriegs- und Nachkriegskonferenzen 1941–1949. Darstellung und Dokumentation. Frankfurt a. M., Berlin 1957, S. 114.

gieren, aber die Wirtschaftseinheit sollte forciert werden[10]. Am 11. Juli 1946, dem vorletzten Tag der Außenministerkonferenz, nach ebenso ermüdenden wie fruchtlosen Debatten mit Molotow über das Reparationsproblem, lud Byrnes die drei anderen Besatzungsmächte zum ökonomischen Zusammenschluß der Zonen ein. In Berlin wiederholte General McNarney, der US-Militärgouverneur und amerikanische Vertreter im Kontrollrat, am 20. Juli 1946 das Angebot zur Verschmelzung der US-Zone mit einem oder mehreren der übrigen Besatzungsgebiete, um künftig die Behandlung Deutschlands im Sinne der Potsdamer Beschlüsse zu gewährleisten. Zehn Tage später nahm erwartungsgemäß der britische Vertreter, Sir Sholto Douglas, die amerikanische Offerte an. Sein französischer Kollege, General Koenig, erklärte lediglich, er habe keine Weisungen aus Paris, während Sowjetmarshall Sokolowskij das anglo-amerikanische Zusammenrücken kritisierte. Paris und Moskau hatten in den Tagen zuvor indirekt, aber öffentlich, das amerikanische Angebot abgelehnt. Damit blieb als Minimallösung die Verschmelzung des amerikanischen und des britischen Besatzungsgebiets zur »Bizone«.

Das Projekt wurde unverzüglich in Angriff genommen, aus wirtschaftlichen Gründen, weil die beiden angelsächsischen Okkupationsmächte ihre Zonen nicht länger auspowern lassen wollten, und aus politischen Gründen, weil sie den sowjetischen Verhandlungsstil bzw. die französische Obstruktionspolitik im Kontrollrat wie im Rat der Außenminister leid waren. Machten die sowjetischen Vertreter jede Institution der Viermächte-Kontrolle Deutschlands zum Karussell, das sich in ewigen Verhandlungsrunden drehte und immer wieder am Ausgangspunkt (den sowjetischen Reparationsforderungen) zum Stehen kam, so pochten die Franzosen auf ihre Sonderwünsche, die mit dem Potsdamer Konzept einer gemeinsamen Deutschlandpolitik ebenso unvereinbar waren.

Trotzdem bemühten sich die verantwortlichen Briten und Amerikaner sehr, den Zusammenschluß ihrer Zonen als ausschließlich administrativen Akt, den ökonomische Vernunft gebot, zu deklarieren. Immerhin lagen die Ordnungsvorstellungen der Briten und Amerikaner nicht allzu weit auseinander und – was schwerer wog – sie stimmten vielfach mit den Erwar-

[10] Bericht Clays vom Mai 1946. In: Lucius D. Clay, Entscheidung in Deutschland. Frankfurt a. M. 1950, S. 90–96.

tungen und Hoffnungen der deutschen Eliten überein. So hatte
der Zusammenschluß der beiden Zonen zur Bizone Ende 1946
bald mehr als ökonomische Bedeutung. Politische Qualität sollte die Bizone aber, als sie im Sommer 1946 geplant wurde, auf
keinen Fall haben, Intentionen in Richtung Weststaat gab es
noch nicht, obwohl die Konsequenzen der Fusion zu ahnen
waren, zumal man Frankreich ziemlich weit entgegenkommen
wollte, um es als Dritten im Bunde zu gewinnen.

Während die deutschen Verantwortlichen im Länderrat der
US-Zone und im Zonenbeirat der britischen Zone im August
1946 instruiert wurden und bald darauf den Auftrag erhielten,
die notwendigen Vereinbarungen verwaltungsmäßig vorzubereiten, wurde auf höherer Ebene die politische Philosophie des
Zusammenschlusses artikuliert. Am eindrucksvollsten geschah
dies am 6. September 1946 in Stuttgart, als US-Außenminister
Byrnes die Grundzüge der amerikanischen Deutschlandpolitik
darlegte. In der Rede, die bei den deutschen Zuhörern Hoffnungen weckte, weil sie als Abkehr von der bisherigen Besatzungspolitik verstanden wurde, beschwor Byrnes die Prinzi-
pien von Potsdam, denen jetzt wenigstens in zwei Zonen zur
Geltung verholfen werden sollte. Die Byrnes-Rede hatte den
Zweck, mit der sowjetischen und der französischen Deutschlandpolitik abzurechnen, Paris gegenüber enthielt sie außer dem
Tadel aber auch Lockung[11].

Zunächst wurde der rein administrative Charakter der Fusion
auf allen Ebenen akzentuiert. Das britisch-amerikanische
Abkommen, das die Außenminister Bevin und Byrnes am
2. Dezember 1946 in New York unterzeichneten, betonte vor
allem das Provisorische, nämlich die Zusammenfassung der
wirtschaftlichen Möglichkeiten und Ressourcen beider Zonen
mit dem Ziel, bis Ende 1949 die ökonomische Selbständigkeit
des Gebiets zu erreichen. Die Vereinbarung sollte jährlich überprüft werden und so lange gelten, bis eine alliierte Einigung
über die Behandlung ganz Deutschlands als wirtschaftlicher
Einheit zustande käme. Das Abkommen trat am 1. Januar 1947

[11] Zur Byrnes-Rede: John Gimbel, Byrnes' Stuttgarter Rede und die amerikanische Nachkriegspolitik in Deutschland. In: VfZ 20 (1972), S. 39–62; ders.,
Byrnes und die Bizone – Eine amerikanische Entscheidung zur Teilung Deutschlands? In: W. Benz, H. Graml (Hrsg.), Aspekte deutscher Außenpolitik im
20. Jahrhundert. Stuttgart 1976, S. 193–210; Hans-Dieter Kreikamp, Die amerikanische Deutschlandpolitik im Herbst 1946 und die Byrnes-Rede in Stuttgart.
In: VfZ 29 (1981), S. 269–285.

in Kraft. Es bildete den rechtlichen Rahmen des Gebildes Bizone, das gleichzeitig offiziell ins Leben trat[12]. Die administrativen Details waren in fünf Verwaltungsabkommen geregelt, die deutsche Vertreter der beiden Zonen zwischen August und Oktober 1946 ausgehandelt hatten. Die Delegierten der US-Zone waren vom Länderrat in Stuttgart bestimmt worden, sie vertraten die Ressortminister bzw. die Ministerpräsidenten der drei Länder der amerikanischen Besatzungszone. Die Vertreter der britischen Zone waren, ohne Mitwirkung deutscher Instanzen, von der Militärregierung ernannt worden.

Die fünf Behörden, die nach dem weitgehend gleichen Wortlaut der Verwaltungsabkommen errichtet wurden – jeweils »mit Zustimmung der Militärregierungen der amerikanischen und britischen Zone« auf unbestimmte Dauer, nämlich »bis zur Herstellung der deutschen Wirtschaftseinheit« und mit der Maßgabe, daß es den anderen Zonen freistünde, beizutreten[13] –, waren, um jeden Anschein des politischen Zusammenschlusses zu vermeiden, über die ganze Bizone verstreut. In Minden wurde die »Verwaltung für Wirtschaft« errichtet, nach Stuttgart kam das Ressort Ernährung und Landwirtschaft, in Bielefeld wurde die Verkehrsverwaltung etabliert, in Frankfurt war das Post- und Fernmeldewesen beheimatet, und nahebei, in Bad Homburg, wurde der »Deutsche Finanzrat« eingerichtet. Damit existierten fünf »Ministerien«, deren Leistungsfähigkeit freilich vielfach beschränkt war: durch ihre Dezentralisierung, durch die fehlende Koordinierungsinstanz, durch konkurrierende Verwaltungen auf Länderebene (Länderministerien in der US-Zone) bzw. auf zonaler Ebene (in Gestalt der Zentralämter in der britischen Zone) und natürlich durch die Abhängigkeit von den Militärregierungen. Ein weiteres Handikap war die Kompliziertheit dieser Verwaltungsorgane, in denen sich zugleich die strukturellen Unterschiede zwischen den beiden Zonen spiegelten. Die Spitze bildete jeweils ein »Verwaltungsrat«, der sich (mit Ausnahme des Post- und Fernmeldewesens) aus den drei Fachministern der Länder der US-Zone sowie aus drei von der britischen Militärregierung ernannten Vertretern

---

[12] Text des Bevin-Byrnes-Abkommens vom 2. 12. 1946 u. a. bei Tilman Pünder, Das Bizonale Interregnum. Die Geschichte des Vereinigten Wirtschaftsgebiets 1946–1949. Waiblingen 1966, S. 383–387.
[13] Wortlaut der Abkommen u. a. im Archiv IfZ, Nachlaß Hoegner, ED 120/133; vgl. Walter Strauß, Entwicklung und Aufbau des Vereinigten Wirtschaftsgebiets. Heidelberg 1948.

der britischen Zone (später ebenfalls aus den Chefs der Länderressorts) zusammensetzte. Im Frühjahr 1947 kamen zu den sechs Räten zwei weitere hinzu, nämlich je ein Vertreter Bremens und Hamburgs. Der Verwaltungsrat wählte einen Vorsitzenden, der zugleich Chef des jeweiligen Verwaltungsamtes war.

Bedeutung hatten vor allem das Ressort Ernährung in Stuttgart und das Wirtschaftsamt in Minden. Hermann Dietrich, der in den letzten Jahren der Weimarer Republik mehrmals Reichsminister (für Landwirtschaft, Wirtschaft, zuletzt für Finanzen) gewesen war, stand an der Spitze des bizonalen Verwaltungsamtes für Ernährung und Landwirtschaft und war damit verantwortlich für die Produktionsplanung, für die Erfassung und Verteilung der Produktion und der Einfuhren. Zusammengefaßt hieß das: Lenkung der Zwangs- und Mangelwirtschaft auf dem Ernährungssektor, vom Saatgut- und Düngemittelbedarf bis zur Bestimmung der Kartoffelmenge, die dem »Normalverbraucher« zur Verfügung gestellt werden konnte; im einzelnen bedeutete es auch Auseinandersetzungen mit den Landwirtschaftsministern der Länder beider Zonen, mit Besatzungsbehörden und, nicht zuletzt, mit dem Zentralamt für Ernährung und Landwirtschaft der britischen Zone. Beim Wirtschaftsamt in Minden sah es im Grunde ähnlich aus, aber mit dem Unterschied, daß in Minden die bizonale Behörde Wirtschaftsamt mit dem Zentralamt für Wirtschaft der britischen Zone verschmolzen wurde; dies ging nicht ohne personelle Turbulenzen ab. Bei der ersten Sitzung des Verwaltungsrats für Wirtschaft war im September 1946 der hessische Wirtschaftsminister Rudolf Mueller, ein Liberaler, zum Vorsitzenden (und damit zum Chef des Wirtschaftsamts) gewählt worden[14]. Das war ein Sieg der Vertreter der US-Zone, denn der Favorit der Delegierten der britischen Zone, des SPD-Parteivorstands und der britischen Militärregierung war Viktor Agartz, der Leiter des Zentralamts für Wirtschaft der britischen Zone, gewesen.

Schon im Januar 1947 wurde die Entscheidung aber korrigiert. Nachdem aufgrund der Wahlen in der US-Zone im November und Dezember 1946 die Wirtschaftsministerien der dortigen Länder neu besetzt worden waren (in München, Stuttgart und Wiesbaden waren jetzt jeweils Sozialdemokraten Wirt-

---

[14] Vgl. 1. Sitzung des Verwaltungsrats für Wirtschaft, 24. 9. 1946. Archiv IfZ, Nachlaß Walter Strauß, ED 94/49.

breaking up

schaftsminister), wurde Rudolf Mueller abgewählt[15]. An seine Stelle kam Viktor Agartz, dessen Name für Planwirtschaft, Zentralisierung und Sozialisierung stand. Ihm oblagen an der Spitze der größten Bizonenbehörde Aufgaben wie Planung und Produktionslenkung der Gütererzeugung, Preisbildung und Preislenkung, Erzeugung und Verteilung von Energie, Außen- und Interzonenhandel. Manches von diesem Aufgabenkatalog blieb zwangsläufig Theorie, denn gerade die wichtigsten Bereiche blieben deutschem Einfluß entzogen: Im Außenhandel war die »Joint Export-Import Agency (JEIA)« der Besatzungsbürokratie oberste Instanz, die Eisen- und Stahlindustrie in der britischen Zone war beschlagnahmt und unterstand der »North German Iron and Steel Control« in Düsseldorf, die die in Potsdam beschlossene Entflechtung der Kartelle und Konzerne (Dekartellisierung) mit Hilfe britischer Kontrolloffiziere, die in jeder Fabrik saßen, durchführen sollte. Die Kohlengruben waren seit Juli 1945 der »North German Coal Control« unterstellt, ab Herbst 1947 wurde die Kontrollbehörde durch Beitritt der Amerikaner (zur UK/US Coal Control Group) erweitert, die wiederum der Deutschen Kohlenbergbauleitung im November 1947 die Aufgabe übertrug, die Produktion zu lenken und vor allem zu steigern. Die Oberaufsicht über diesen, für den Export wichtigsten deutschen Produktionszweig blieb bei den Besatzungsmächten. Das Mindener Wirtschaftsamt war also, ebenso wie das Stuttgarter Ernährungsamt, in erster Linie eine Instanz zur Mangelverwaltung.

Nach der Wirtschaftsstruktur paßten die amerikanische und die britische Besatzungszone gut zueinander: Die Rohstoffe und die Grundindustrie im britischen Herrschaftsgebiet ergänzten sich mit der verarbeitenden Industrie der amerikanischen Zone, die auch über das größere Potential an Arbeitskräften verfügte. Die wirtschaftliche Stagnation nach dem militärischen Zusammenbruch war bereits überwunden; im Herbst 1946 produzierte die Industrie in der Bizone schon wieder 40 Prozent des Vorkriegsstandes (der Winter 1946/47 brachte dann einen empfindlichen Rückschlag)[16]. Die Landwirtschaft (insgesamt 58,7 Prozent der Nutzfläche Restdeutschlands) war

---

[15] 7. Sitzung des Verwaltungsrats für Wirtschaft, 16./17. 1. 1947. In: AVBRD, Bd. 2, S. 104–107.
[16] Werner Abelshauser, Wirtschaft in Westdeutschland 1945–1948. Rekonstruktion und Wachstumsbedingungen in der amerikanischen und britischen Zone. Stuttgart 1975, S. 35 f.

in beiden Teilen der Bizone etwa gleich stark vertreten. Rund 39 Millionen Menschen (60,4 Prozent der deutschen Gesamtbevölkerung, darunter etwa 6 Millionen Heimatvertriebene) lebten Ende 1946 in der Bizone.

Sosehr sich die britisch besetzte mit der von den Amerikanern beherrschten Hälfte der Bizone ökonomisch zu einem lebensfähigen Gebilde ergänzte, so sehr divergierten nach eineinhalb Jahren der Besatzung bereits die administrativen und politischen Strukturen der beiden Zonen. In der US-Zone hatten die drei Länder Bayern, Hessen und Württemberg-Baden schon im Herbst 1945 legislative, exekutive und jurisdiktive Befugnisse erhalten (Bremen erhielt denselben Status etwas später), die von den Landesregierungen unter Aufsicht der Militärregierung voll ausgeübt werden konnten. Teilweise hatten die Länder der US-Zone sogar Hoheitsrechte übertragen bekommen, die vor dem Zusammenbruch Sache des Reiches gewesen waren. Zur Koordinierung gemeinsamer Probleme war im November 1945 in Stuttgart auf Anregung General Clays der Länderrat, eine Art ständiger Konferenz der vier Ministerpräsidenten der US-Zone, errichtet worden. Mit Hilfe von Fachausschüssen, deren Tätigkeit von einem Generalsekretär dirigiert wurde, regelte der Länderrat Probleme oberhalb der Länderebene und sorgte für eine halbwegs einheitliche Gesetzgebung in den vier Ländern der US-Zone.

In der britischen Zone wurden die Länder erst Ende 1946 von der Besatzungsmacht zusammengesetzt, und zwar aus den Bruchstücken Preußens, das jeweils den Löwenanteil stellte. Die ehemals preußische Provinz Schleswig-Holstein erhielt durch Verordnung der Militärregierung vom 23. August 1946 den Status eines Landes. Aus der preußischen Rheinprovinz, soweit sie britisch besetzt war, und Westfalen bildeten die Briten im August 1946 das Land Nordrhein-Westfalen, dessen erster Landtag (aus ernannten, nicht gewählten Parlamentariern) im Oktober zusammentrat. Die preußische Provinz Hannover fügten die Briten im November mit den kleinen ehemals selbständigen Ländern Braunschweig, Oldenburg, Lippe und Schaumburg-Lippe zum neuen Land Niedersachsen zusammen. (Lippe wurde einige Monate später wieder abgetrennt und kam zu Nordrhein-Westfalen.) Der Stadtstaat Hamburg blieb, ebenso wie Bremen in der US-Zone, selbständig.

In der amerikanischen Zone hatte die von der Besatzungsmacht vollzogene Flurbereinigung viel früher stattgefunden.

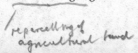

Die Militärregierung hatte im September 1945 gleichzeitig die Entstehung dreier Länder proklamiert: Bayern blieb, wenn man von der Abtrennung der Pfalz absieht, in seinen historischen Umrissen bestehen. Hessen wurde aus ehemals preußischen Teilen (Kurhessen und Nassau) und dem früheren Land Hessen (Darmstadt) zusammengesetzt, und Württemberg-Baden entstand aus den jeweils nördlichen Hälften der alten Länder Württemberg und Baden. Hier, im Südwesten, wurde die Willkür des Auseinanderreißens und Zusammenfügens nach Gutdünken der Besatzungsmacht bzw. nach Räson der Zonengeographie am schmerzlichsten empfunden. (Vor allem im Norden, aber auch in Hessen, hatten im übrigen die Zusammenschlüsse mehr oder minder den Beifall der Betroffenen gefunden, weil sie teilweise längst gehegte Wünsche erfüllten.) Durch die Zerreißung Württembergs und Badens entlang der Autobahnlinie Karlsruhe-Ulm durch die amerikanisch-französische Zonengrenze waren die künstlichen Ländergebilde (Süd)Württemberg-Hohenzollern und (Süd)Baden unter französischer Hoheit entstanden, die im Gegensatz zum dritten Land der französischen Zone, Rheinland-Pfalz, das aus bayerischen, hessischen und preußischen Bestandteilen gebildet war, nicht lebensfähig waren. In der französischen Zone waren und blieben die Länder bis zum Ende der Besatzungszeit unkoordiniert die obersten Instanzen, das machte das Zusammenspiel mit der Bizone in deren letzter Phase 1948/49 besonders schwierig. Der Vorsprung in der politischen Selbständigkeit – auf föderalistischer Basis – in der US-Zone war beträchtlich: Ungefähr zu der Zeit, als die ernannten Landtage der neugebildeten Länder in der britischen Zone erstmals zusammentraten, verabschiedeten in der US-Zone (Ende 1946) die gewählten Länderparlamente bereits die Verfassungen. *reluctant(ly)*

Die Anlaufschwierigkeiten innerhalb der Bizone ergaben sich aber nur zum Teil aus dem unterschiedlichen Entwicklungsstand der politischen Geographie. Problematisch für die Zusammenarbeit war die Tatsache, daß die Amerikaner grundsätzlich von unten nach oben aufbauten, Befugnisse frühzeitig in deutsche Hände gaben und das Aufgehen der demokratischen Saat in Gemeinden, Kreisen, Ländern zwar sehr aufmerksam beobachteten, aber eher ungern selbst das Szepter schwangen. Die Briten hingegen regierten in ihrer Zone direkt, von oben nach unten und zögerten lange, ehe sie Befugnisse in deutsche Hände gaben. Waren die Länder in der britischen Zone eher

Verwaltungseinheiten als selbständige staatliche Organismen (wie in der US-Zone und im französischen Besatzungsgebiet), so war auch die quasi-parlamentarische deutsche Instanz der britischen Zone, der Zonenbeirat in Hamburg, lediglich ein Organ, das die Militärregierung beraten durfte. Die Vertreter von Parteien, Ländern und Gewerkschaften, die seit März 1946 im Zonenbeirat saßen, hatten keinen weiteren Auftrag und keine weitere Befugnis. Mit dem föderalistischen Sendungseifer der Amerikaner (der in ihrer Zone schon aus Tradition auf keinerlei Widerstand stieß) kontrastierte der Zentralismus der Briten, die ihre Zone möglichst ohne Umwege und unnötige Instanzenzüge zu verwalten trachteten. So entsprachen den Fachabteilungen der Control Commission for Germany/British Element, wie die Spitze der britischen Besatzungsverwaltung offiziell hieß, auf deutscher Seite Zentralämter (für Wirtschaft, für Ernährung, für Arbeit usw.), mit beratender und (weisungsgebunden) ausführender Funktion.

Solange mit der Fusion des britischen und des amerikanischen Besatzungsgebiets kein politischer Zusammenschluß verfolgt wurde, waren die Strukturunterschiede allenfalls lästig und störend, die eigentlichen Hindernisse für das Funktionieren des bizonalen Wirtschaftsraums bildeten aber die Konstruktionsfehler der Organisation, nämlich die Dezentralisierung, die angesichts der heute unvorstellbaren Verkehrsverhältnisse einer Isolierung der einzelnen Ämter gleichkam, und das Fehlen koordinierender Organe auf deutscher Seite. Anglo-amerikanische Stäbe, die die Tätigkeit der deutschen Verwaltungsräte überwachten, gab es genug. Jedem Verwaltungsrat stand eine paritätisch besetzte britisch-amerikanische Bipartite Group gegenüber, denen auf höherer Ebene in Berlin Bipartite Panels vorgesetzt waren, die aus den Abteilungsleitern der zentralen britischen und amerikanischen Militärregierungen bestanden, und die Spitze der Pyramide bildeten die beiden Militärgouverneure, der amerikanische General Clay, der am 15. März 1947 in dieses Amt, vom Stellvertreter General McNarneys zu dessen Nachfolger, aufgerückt war und der britische General Sir Sholto Douglas, dem im November 1947 sein Stellvertreter Sir Brian Robertson als britischer Oberbefehlshaber und Chef der Militärregierung der britischen Zone folgte. Alles, was die deutschen Verwaltungsräte beschlossen, ging an die zuständigen amerikanisch-britischen Instanzen zur Entscheidung; diese Entscheidung wiederum wurde von den Deutschen, und zwar auf Länderebene, ausgeführt bzw., wirklichkeitsnäher ausgedrückt, die Empfehlungen der Bizonen-Verwaltungsräte hätten von den Parlamenten und Regierungen der acht Länder jeweils in Gesetzesform gegossen und vollzogen werden müssen. Tatsächlich trat dieser Fall überhaupt nie ein.

Zu den Konstruktionsfehlern und fehlenden Kompetenzen kamen Naturkatastrophen in Gestalt eines Jahrhundertwinters, der bis zum März 1947 dauerte und die industrielle Produktion der Bizone nahezu zum Erliegen brachte. Die drei Kältewellen verursachten in erster Linie eine Transportkrise (die Binnenwasserstraßen waren vereist, die Eisenbahn, ohnehin in kläglichem Zustand, war überfordert), die wiederum die Energiekrise verschärfte, weil die lebenswichtige Kohle auf Halde lag, während Fabriken aus Kohlenmangel schließen mußten und Krankenhäuser und Schulen ungeheizt blieben. Transport- und Energiekrise beschleunigten die Katastrophe auf dem Ernährungssektor. Das Jahr 1947 wurde zum Hungerjahr und, ökonomisch gesehen, zum schlimmsten Nachkriegsjahr überhaupt.

In einem Brief, geschrieben im Februar 1947 in Hamburg an einen sozialistischen deutschen Emigranten in New York, der als Organisator eines Solidaritätsfonds für Deutsche mit Paketaktionen die Not zu lindern suchte, findet sich eine symptomatische Situationsbeschreibung: »In Hamburg starben im Monat Januar 1947 224 Personen an Lungenentzündung. . . . Die Säuglingssterblichkeit ist im Januar 1947 auf 15 Prozent gestiegen. Am 15. Februar gab es in Hamburg allein 5200 arbeitsunfähige Grippekranke. 5° Minus ist die normale Temperatur in den Wohnungen . . . Und keine Kohlen! Und zwei Stunden am Tag elektrischer Strom! Und die Menschen halb verhungert und ausgemergelt! Niemand darf vergessen, daß wir hier die Entfettungskur nicht erst seit 1945 machen. Das entspräche nicht den Tatsachen, wäre außerdem ungerecht den Besatzungsmächten gegenüber. Auch unter Hitler war die Fettration die geringste im Ernährungsprogramm. . . . So ist es denn also kein Wunder, daß das ›Kohlenklauen‹ zu einer Massenbewegung geworden ist, von der man sich in anderen Ländern kein Bild machen kann. Ein Kohlenzug, der gezwungen ist, im Stadtgebiet oder am Rande der Stadt zu halten, wird in wenigen Minuten um einen riesigen Teil seiner kostbaren Ladung leichter gemacht, ohne daß das irgend eine Macht verhindern könnte. Plötzlich sind Kinder und Erwachsene in der Masse eines Heuschreckenschwarmes aus der Erde gewachsen und holen sich, worauf sie in der unerbittlichen Kälte stundenlang gewartet haben. Viele von ihnen arbeiten am Tage und gehen in der Nacht oder schon am Abend los, um sich an bereits bekannten Stellen auf die Lauer zu legen. Es ist für sie die einzige Möglichkeit, ihrer Familie eine warme Stube, eine warme Suppe oder das Waschen der Wäsche zu ermöglichen. Der An- und Abmarsch ist eine ständige Demonstration des Elends. Der ohnehin eingeschränkte Straßenbahnbetrieb wird davon streckenweise derartig mit Beschlag belegt, daß von anderen Fahrgästen als ›Kohlenklauern‹ nicht mehr die Rede ist.«[17]

Um die Produktion von Kohle zu steigern, bemühten sich die britische Militärregierung und der Verwaltungsrat für Wirtschaft, den Bergleuten durch ein Punktesystem Anreize für (noch) größere Leistungen zu schaffen. Die Zuweisung von Extrarationen an Lebensmitteln und Verbrauchsgütern an die Bergarbeiter im Ruhrgebiet funktionierte aber mehr schlecht als recht, und sie schuf an anderer Stelle neue Engpässe, wurde zur neuen Quelle der Unzufriedenheit. Das Punktsystem war eine der für das Wirtschaften im Nachkriegsdeutschland typischen Maßnahmen, die aus der Not geboren, mit unzulänglichen Mitteln durchgeführt, schließlich wenig halfen, aber auf allen Seiten Verdruß und Resignation zur Folge hatten. Namens des Zonensekretariats der Gewerkschaften der britischen Zone faßte Ludwig Rosenberg im Februar 1947 in einem Brief an einen ranghohen Mitarbeiter der britischen Militärregierung die Hoffnungen und Enttäuschungen zusammen. Die Einführung des Punktsystems, schrieb Rosenberg an Sir Cecil Weir, sei die letzte Hoffnung gewesen, den verhängnisvollen Kreislauf zu durchbrechen, der die Erholung der deutschen Industrie unmöglich mache. Wenige Wochen nach seiner Einführung sei das Punktsystem aber schon am Zusammenbrechen, es bestünde die Gefahr, daß die Bergleute sich getäuscht fühlten und ihre Mitarbeit verweigerten. Es war nämlich zugesichert worden, daß 50 Prozent der vermehrten Kohleproduktion für Lieferungen zur Deckung des Punktsystems verwendet würden; die dazu notwendigen Importe sollten außerhalb der normalen, von der alliierten JEIA kontrollierten Kanäle erfolgen. Die erhoffte Verfügung über diesen Teil der geförderten Kohle durch deutsche Stellen war aber doch nicht zugestanden worden. Neben diesem politi-

---

[17] Zitat nach: Helga Grebing u. a. (Hrsg.), Lehrstücke in Solidarität. Briefe und Biographien deutscher Sozialisten 1945–1949. Stuttgart 1983, S. 135f.

schen Motiv der Beschwerde gab es aber auch handfeste Probleme, die der deutsche Gewerkschaftsführer Rosenberg, der nicht lange zuvor aus dem Exil in England zurückgekehrt war, dem Vertreter der britischen Militärregierung vorhielt: »Es war ferner zugesagt worden, daß *fetter* Speck als ein sehr wesentlicher Teil des Punktsystems geliefert werden sollte. Jetzt ist bekannt geworden, daß statt dessen durchwachsener Speck ausgegeben wird. Wer die Bergleute kennt, weiß, daß dieser Unterschied in der Qualität (der tatsächliche Fettgehalt ist ja von ausschlaggebender Bedeutung) wiederum Veranlassung zu unliebsamen Bemerkungen über nicht gehaltene Versprechungen geben wird. ... Die ganze unglückliche und, wenn wir uns so ausdrücken dürfen, schwerfällige Art und Weise, mit der die ganze Angelegenheit behandelt wurde, bietet zahllose Möglichkeiten zu Beschwerden und Gerüchten, die nicht durch Tatsachen widerlegt werden können. Versprechungen wurden gemacht, aber nicht gehalten, Beamte verpfändeten ihr Wort, daß dies oder jenes rechtzeitig zur Verfügung stehen würde, wenn sie aber gebeten wurden, diese Zusagen schriftlich zu geben oder die Güter vorzuweisen, versagten sie. ... Niemand kann sich dem Eindruck entziehen, daß alles improvisiert, nichts richtig vorbereitet ist, alles dem Zufall im letzten Augenblick überlassen bleibt; und unter solchen Umständen ergibt es sich, daß auch in den Fällen, wo tatkräftig Hilfe gewährt wird, dies in einer Weise geschieht, die den guten Eindruck, den sie haben könnte, durch die vorangehenden Wochen von Gerüchten, Unsicherheit und Besorgnis zerstört ...«[18]

Das gleiche Schicksal wie dem Punktsystem für die Ruhrbergleute, nämlich das Scheitern schon im Anfangsstadium, schien dem ganzen Experiment Bizone im Frühjahr 1947 beschieden. Über die Mängel der Organisation waren sich auch die Verantwortlichen auf der alliierten Seite frühzeitig im klaren. Schon im Februar hatte General Clay den vier Länderchefs seiner Zone zu verstehen gegeben, daß es so nicht weitergehe. Clay hatte die Ministerpräsidenten von Bayern, Württemberg-Baden, Hessen und den Senatspräsidenten von Bremen in die Zentrale des Office of Military Government U.S. (OMGUS) nach Berlin bestellt, um sie wissen zu lassen, daß die Bizone kein Mißerfolg werden dürfe. Clay teilte den Herren mit, daß er

[18] Rosenberg an Weir, 10. 2. 1947, Anlage zum Bericht über die 9. Sitzung des Verwaltungsrats für Wirtschaft, 19./20. 2. 1947. Archiv IfZ, ED 94/49.

40 Millionen Dollar für den Aufbau der Industrie geborgt und weitere 300 Millionen Dollar zur Beschaffung von Lebensmitteln für die Bizone beim Congress in Washington beantragt habe. Vor der Außenministerkonferenz in Moskau (10. März bis 24. April 1947) sollte aber nichts geschehen. Angesichts der Schwierigkeiten der Zusammenarbeit zwischen den bizonalen Ämtern und den Ländern und der Unmöglichkeit, Entscheidungen auf Bizonenebene auch gesetzlich gültig werden zu lassen, waren sich Clay und sein Stab mit den deutschen Besuchern einig, daß ein Koordinierungsausschuß, eine Art »Zweizonenregierung« auf deutscher Seite dringend wünschbar sei. Clay versicherte den Deutschen wörtlich, »daß sowohl General Robertson wie auch ich selbst die Zweckmäßigkeit eines Koordinierungsausschusses oder eines politischen Organs, das die Verantwortung für alle diese Behörden übernimmt, voll anerkennen. Wir wollen jedoch niemandem gestatten, der britischen und der amerikanischen Zone den Vorwurf zu machen, daß sie mit der Errichtung einer politischen Organisation in den zwei Zonen eine vollendete Tatsache geschaffen haben.«[19]

Auf dem Rückflug von der Moskauer Außenministerkonferenz war US-Außenminister Marshall (er hatte im Januar 1947 James Byrnes abgelöst) in Berlin mit General Clay zusammengetroffen und hatte ihn gebeten, zusammen mit dem britischen Militärgouverneur den Ausbau der Bizone zu einem funktionierenden Körper, der lebensfähig sein würde und – vor allem – sich selbst versorgen könne, zu betreiben. Vier Wochen später, Ende Mai 1947, war das anglo-amerikanische »Abkommen über Neugestaltung der zweizonalen Wirtschaftsstellen« unterschriftsreif. Deutsche Stellen hatten an der Reform nicht mitgewirkt; die Bevölkerung erfuhr aus der Zeitung, daß die Militärregierungen beschlossen hatten, eine Art Parlament, den »Wirtschaftsrat«, einen »Exekutivausschuß« und ministerähnliche »Direktoren« einzusetzen, »um die Lösung dringender wirtschaftlicher Probleme und den Aufbau des Wirtschaftslebens durch dem Volke verantwortliche deutsche Stellen zu fördern«[20].

Das Abkommen erhielt am 10. Juni Gesetzeskraft, wenige

[19] Besprechung General Clay mit Ministerpräsidenten der US-Zone, 23. 2. 1947. In: AVBRD 2, S. 227.
[20] Proklamation Nr. 5 der US-Militärregierung bzw. Verordnung Nr. 88 der britischen Militärregierung. Abgedruckt u. a. bei Pünder, Das Bizonale Interregnum, S. 371–372.

Tage nach der legendären Münchner Ministerpräsidentenkonferenz, die wegen der abrupten Abreise der Länderchefs aus der Ostzone zum Symbol der Spaltung Deutschlands wurde. Der bayerische Ministerpräsident Hans Ehard, der seine Kollegen aus allen Besatzungszonen nach München geladen hatte zur gemeinsamen Erörterung der drei Problemkreise Ernährungsnot, Wirtschaftsnot, Flüchtlingsnot, kommentierte den Aufbruch der Sowjetzonendelegation am Vorabend der eigentlichen Konferenz, als man über die Tagesordnung debattierte, »daß dieser Vorfall die Spaltung Deutschlands bedeute«[21].

Die Ministerpräsidentenkonferenz sollte nach den Vorstellungen ihrer Erfinder, des Ministerpräsidenten Ehard und seiner Mitarbeiter in der Bayerischen Staatskanzlei, demonstrativen Charakter haben: Der Bevölkerung sollte nach dem Fehlschlagen der Moskauer Außenministerkonferenz Mut gemacht werden, und die Konferenz war als Initiative zur Bewahrung der Einheit der Nation gedacht; den Besatzungsmächten gegenüber sollte der Wunsch der deutschen Ministerpräsidenten, die sich als höchste Repräsentanten deutscher Politik auch als Statthalter einer Reichsregierung fühlten, wenigstens zur Wirtschaftseinheit demonstriert werden. Nach den Erfahrungen der Bremer Interzonenkonferenz vom 4./5. Oktober 1946, die mit ähnlichem Ziel veranstaltet worden war, wegen des Fernbleibens der Ministerpräsidenten der Ostzone (und minimaler Beteiligung aus der französischen Besatzungszone) aber im Grund nur zu einem Treffen der Länderchefs der Bizone geworden war, blieben die Hoffnungen in München gedämpft. Immerhin war die französische Zone beteiligt, unter der Voraussetzung freilich, daß nicht über politische Probleme gesprochen werden würde, was der überraschenderweise angereisten Ostzonendelegation den Grund zum Rückzug noch vor dem Beginn der eigentlichen Konferenz am 6. Juni 1947 lieferte. Die Länderchefs aus der Ostzone hatten am Vorabend hartnäckig darauf bestanden, zuerst und vor allem über die »Bildung einer deutschen Zentralverwaltung durch Verständigung der demokratischen Parteien und Gewerkschaften zur Schaffung eines deutschen Einheitsstaates« zu debattieren[22]. Die Unmöglichkeit, diesem Begehren zu entsprechen, lieferte ihnen den Grund zum Abbruch des wenige Stunden währenden Gastspiels. Die Über-

[21] Vorbesprechung der Ministerpräsidenten über die Tagesordnung der Münchener Ministerpräsidentenkonferenz 5./6. Juni 1947. In: AVBRD 2, S. 504.
[22] Ebd., S. 490.

raschung darüber, daß sie überhaupt in München erschienen, war bei den Politikern der Westzonen mit Skepsis gemischt, weil die vier Ministerpräsidenten aus der Ostzone (Karl Steinhoff aus Brandenburg, Wilhelm Höcker aus Mecklenburg, Erhard Hübener aus Sachsen-Anhalt und Rudolf Paul aus Thüringen) ohne den üblichen Mitarbeiterstab angereist waren. Obwohl sie mit gutem Grund vermuteten, daß den Kollegen aus dem sowjetischen Machtbereich die Hände gebunden waren, herrschte bei den Konferenzteilnehmern einige Bestürzung über ihren Aufbruch, die sie in einem Pressekommuniqué (»Versuch der Sprengung der Ministerpräsidentenkonferenz durch die Länderchefs der Sowjetzone«) artikulierten. ⁴²

Auf die Bizone, zumal in ihrer reformierten Gestalt, setzten die Politiker der Westzonen, gerade unter dem Eindruck des Scheiterns der vierzonalen Einheit, besondere Hoffnungen. Der hessische Ministerpräsident Stock brachte das am Ende des ersten Konferenztags deutlich zum Ausdruck: »Inmitten des Dramas unserer Ernährungs- und Wirtschaftslage und auf der Suche nach Wegen, um aus diesem Engpaß herauszukommen, möchte ich auf ein Gesetz hinweisen, das dieser Tage durch Proklamation der amerikanischen und englischen Regierung erlassen wurde und das eine Verbesserung der Organisation der wirtschaftlichen Verhältnisse in beiden Zonen herbeiführen soll. ... Die Worte, daß Deutschland wirtschaftlich und politisch zusammengehört und zusammenbleiben soll, sind Worte geblieben, denen die Taten fehlten. Gegenüber diesem Zustand ist es ein Vorteil gewesen, daß die amerikanische und die britische Regierung sich, um den wirtschaftlichen Notstand in ihren Zonen zu beheben, bereitfanden, bizonale Ämter bestimmter Verwaltungen der Wirtschaft zu schaffen. ... Wir beschäftigen uns zur Zeit mit Fragen der täglichen Not, bei denen jetzt ein Gesetz akut wird, das uns die Möglichkeit gibt, von Grund auf die Wirtschaft der beiden Zonen und damit auch Deutschlands aufzubauen. Ich nehme daher von hier aus Veranlassung, den Regierungen der Vereinigten Staaten und Großbritanniens für diese Tat, die erkennen läßt, daß sie mit den Maßnahmen des Kontrollrats auf diesem Gebiet nicht einverstanden sind, unseren Dank auszusprechen.«²³

Der augenfälligste Fortschritt bestand in der Zentralisierung

---

²³ Ministerpräsidentenkonferenz in München, 6./7. Juni 1947. In: AVBRD 2, S. 511 ff., Zitat S. 555.

der Bizonen-Administration in Frankfurt am Main. Dort versammelten sich am 25. Juni 1947 im Großen Börsensaal die 52 Mitglieder des Wirtschaftsrats zur konstituierenden Sitzung des ersten deutschen Nachkriegsparlaments, dessen Beschlüsse für mehr als nur ein Land Geltung haben sollten. Die Abgeordneten zum Wirtschaftsrat waren entsprechend der Bevölkerungszahl (jeweils ein Vertreter für 750 000 Einwohner) von den Landtagen der acht Länder der Bizone gewählt worden. Bei dieser indirekten Wahl wurde auch der Parteienproporz in den Länderparlamenten beachtet: Es saßen zwanzig Abgeordnete der CDU und der CSU – die Fraktionsgemeinschaft der Unionsparteien, die sich später im Bundestag fortsetzte, wurde in Frankfurt begründet – ebensovielen Sozialdemokraten gegenüber. Die CDU/CSU-Fraktion hatte aber durch den Anschluß der beiden Vertreter der »Deutschen Partei« (aus Niedersachsen) ein Übergewicht. Die vier liberalen Abgeordneten firmierten zwar noch nicht unter der gemeinsamen Bezeichnung FDP, agierten aber als geschlossene Gruppe. Daneben saßen drei Kommunisten, zwei Abgeordnete der wiedergegründeten katholischen Zentrumspartei und ein Vertreter der eher chaotischen »Wirtschaftlichen Aufbau-Vereinigung« des Demagogen Alfred Loritz aus Bayern.

Das Wirken des Parlaments war in vielfacher Hinsicht beschränkt, geographisch auf zwei Zonen, materiell auf Probleme der Wirtschaft und der Finanzen, der Ernährung und Landwirtschaft, des Verkehrs und der Post, und alle Beschlüsse und Gesetze bedurften der Genehmigung der »Kleinen Generale«, des Amerikaners Adcock und des Briten McReady, die als stellvertretende Militärgouverneure an der Spitze des Bipartite Control Office (offiziell übersetzt als »Zweizonenkontrollamt«, häufiger abgekürzt als BICO) in Frankfurt residierten, um mit Hilfe eines Stabes von etwa 900 britischen und amerikanischen Experten die legislativen und administrativen Aktivitäten der Bizonenorganisation zu überwachen. Die zweite Phase der Bizone war nur eine Episode, die Anfang 1948 mit einer abermaligen Strukturreform schon wieder beendet wurde. In den zehn Vollversammlungen, die der Wirtschaftsrat zwischen Juni 1947 und Januar 1948 abhielt, wurden 18 Gesetze beschlossen, die entweder organisatorische Details regelten – wie der erste legislative Akt überhaupt, das »Gesetz über den vorläufigen Aufbau der Wirtschaftsverwaltung des Vereinigten Wirtschaftsgebietes« vom 9. August 1947 –, oder mit denen

Versorgungsprobleme bewältigt werden sollten. Typische Beispiele waren die Gesetze »zur Sicherung der Kartoffelversorgung im Wirtschaftsjahr 1947/48« (3. Oktober 1947) oder »zur Sicherung der Erfassung von Milch und Milcherzeugnissen für das Jahr 1948« (18. Dezember 1947)[24]. Die Bedeutung der Periode des ersten Wirtschaftsrats liegt nicht bei den kurzlebigen Gesetzgebungs- und Verwaltungsakten, sondern darin, daß auf dem neuen parlamentarischen Forum politische Strukturen ausgebildet wurden, daß politisches Verhalten geübt werden konnte.

suspicion

Im Frankfurter Wirtschaftsparlament wurden, anläßlich der ersten Direktorenwahl im Juli 1947 Konstellationen festgeschrieben, die auch für die ersten beiden Jahrzehnte der Bundesrepublik bestimmend blieben. Die »Direktoren« – die Umschreibung stand für Minister oder mindestens für Staatssekretär –, die künftig an der Spitze der fünf Ressorts stehen sollten, mußten auf Vorschlag des Exekutivrats vom Wirtschaftsrat gewählt werden. Der Exekutivrat war ein staatsrechtlich schwer zu fassendes Monstrum mit einer Fülle von Kompetenzen, die sich in der Praxis zum Teil im Wege standen. Das Gremium bestand aus je einem Vertreter der acht Länder der Bizone, war also eine Art Bundesrat, das die Länderinteressen in Frankfurt zu vertreten hatte, es war aber auch als Kontrollorgan für die fünf Verwaltungen gedacht und sollte die Direktoren koordinieren, quasi als kollektiver Regierungschef. Sechs der acht Ländervertreter im Exekutivrat waren Sozialdemokraten; das wurde von der christdemokratischen Mehrheit im Wirtschaftsrat mit großem Argwohn beobachtet. Der Exekutivrat hatte einstimmig vorgeschlagen, drei der fünf Verwaltungen mit einem christdemokratischen und zwei mit einem sozialdemokratischen Direktor zu besetzen. Der Proporz war aber nicht ausschlaggebend, gekämpft wurde vielmehr in erster Linie um das Wirtschaftsressort. Die SPD beanspruchte es grundsätzlich, die CDU bestritt diesen Anspruch energisch, nicht zuletzt unter Hinweis darauf, daß die SPD die Wirtschaftsministerien in allen Ländern der Bizone in Händen hatte. Auch wenn die Diskussion über Marktwirtschaft oder Planwirtschaft (an die erste Möglichkeit glaubten Mitte 1947 die wenigsten) noch nicht be-

[24] Wörtliche Berichte und Drucksachen des Wirtschaftsrates des Vereinigten Wirtschaftsgebietes 1947–1949 (Reprint mit Erschließungsband). München 1977; Übersicht über die Gesetzgebung des Wirtschaftsrats bei Pünder, Das Bizonale Interregnum, S. 195–223.

gonnen hatte, so war doch klar, daß die Verwaltung für Wirtschaft eine politische Schlüsselposition sein würde. (Nominiert war der niedersächsische Wirtschaftsminister Alfred Kubel – der umstrittene Viktor Agartz stand gar nicht mehr zur Debatte, er war am 1. Juli 1947 als Leiter des Mindener Verwaltungsamts für Wirtschaft zurückgetreten.)

Die nächtliche Debatte im Wirtschaftsrat am 23. Juli 1947 wurde zur historischen Konfrontation zwischen den beiden großen Fraktionen. Nach Mitternacht wurde die Debatte vertagt. Am Abend des folgenden Tags lagen neue Vorschläge des Exekutivrats vor, die aber der Sache (und der Person des Kandidaten für das Wirtschaftsressort) nach die alten waren. Als die Mehrheit erwartungsgemäß die Vorschläge verworfen hatte, gab der Vorsitzende der SPD-Fraktion, Erwin Schoettle, eine feierliche Erklärung ab, der zu entnehmen war, daß die Sozialdemokraten, weil die Voraussetzungen für eine Zusammenarbeit mit der bürgerlichen Mehrheit des Hauses entfallen seien, sich in die Opposition begeben würden[25]. Der Beifall in der SPD-Fraktion war groß, er wäre wohl dünner gewesen, wenn man die Tragweite dieser Ankündigung vom 24. Juli 1947 erkannt hätte. Nach einer Unterbrechung, in der eine neue Kandidatenliste erstellt wurde, wählte der Wirtschaftsrat ohne weitere Debatte Johannes Semler, einen bekannten Wirtschaftsprüfer, der der CSU angehörte, zum Direktor für Wirtschaft, den früheren Deutschnationalen Hans Schlange-Schöningen (der ehemalige Reichsminister und Reichskommissar für die Osthilfe unter Brüning gehörte nach 1945 in der CDU aber eher zum linken Flügel) zum Direktor für Ernährung und Landwirtschaft sowie Hans Schuberth (CSU), einen engagierten Katholiken und Gegner des Nationalsozialismus, zum Chef der Postverwaltung. Die endgültige Besetzung des Finanzdirektorats mit Alfred Hartmann und der Verkehrsverwaltung mit Edmund Frohne erfolgte erst am 9. August, da die beiden am 24. Juli nominierten Verlegenheitskandidaten die Wahl nicht angenommen hatten. Die SPD hatte weiße Stimmzettel abgegeben und auch später das Angebot der CDU/CSU, die beiden wieder frei gewordenen Ressorts Finanzen und Verkehr zu übernehmen, ausgeschlagen. Sie demonstrierte in der Folgezeit die Überzeugung, die CDU habe in Frankfurt den Versuch unternommen,

[25] Wirtschaftsrat, Wörtl. Bericht über die 2. Vollversammlung, 22.–24. 7. 1947, S. 36.

»die totale Macht für die gesamte Wirtschaft in Westdeutschland an sich zu reißen« (Kurt Schumacher)[26], wogegen CDU-offiziös konstatiert wurde, der Anspruch der SPD, außer den acht Wirtschaftsministern der Ländern auch den bizonalen Wirtschaftsdirektor zu stellen, rühre »an die Grundfesten unserer jungen Demokratie« und komme »dem Versuch eines Staatsstreiches« gleich: »Durch die entschlossene Haltung der CDU und der anderen nichtmarxistischen Parteien wurde die Demokratie in Frankfurt gerettet.[27]« Diese Ansicht wurde von den beiden zuständigen Besatzungsmächten überhaupt nicht geteilt, die Amerikaner sprachen gar von einem »Fiasko der ersten Runde«[28], aber das Unbehagen über die Direktorenwahl und die dadurch heraufbeschworene Konfrontation der beiden großen Parteien war auch in den Reihen der CDU/CSU und bei vielen Sozialdemokraten groß. Die Ereignisse in Frankfurt wurden von manchem auch schon als Stellvertreterkrieg der Parteiführer Adenauer und Schumacher, die beide dem Wirtschaftsrat nicht angehörten, interpretiert oder als Wiederholung Weimarer Zustände, als Neuauflage der unseligen Parteizwistigkeiten vor 1933 empfunden. Der Finanzminister von Württemberg-Baden, Heinrich Köhler (CDU), verzichtete aus Protest auf seinen Sitz im Exekutivrat, und der bayerische Ministerpräsident Hans Ehard kreuzte mit seinem Parteifreund Adenauer die Klingen, weil dieser die Bayern gerügt hatte, daß der bayerische Vertreter Seelos (CSU) die einstimmigen Vorschläge zur Direktorenwahl im Sinne einer großen Koalition unterstützt hatte[29].

In ihrer zweiten Phase hatte die Bizone zwar ein Parlament und eine Hauptstadt erhalten; das war wieder ein Schritt in der Richtung zum Staatswesen, wenn auch weiterhin ängstlich alles vermieden wurde, was den Anschein der Staatlichkeit erwecken konnte. Das Instrumentarium funktionierte aber wegen seiner Konstruktionsmängel, wegen mangelnder Kompetenzen auf deutscher Seite, wegen der Vielfalt der Instanzen (auf bizonaler, auf zonaler und achtfach auf Länderebene, von der amerikanischen, britischen und der BICO-Bürokratie zu schweigen) mehr schlecht als recht. Institutionell bestand eine der Hauptschwierigkeiten im Kampf der Bizonenämter gegen die Länder-

[26] Süddeutsche Zeitung, 29. 7. 1947.
[27] Zonenausschuß der Christlich-Demokratischen Union (brit. Zone), Informationsdienst A, Nr. 16, 7. 8. 1947.
[28] Die Neue Zeitung, 28. 7. 1947.
[29] Süddeutsche Zeitung, 12. 8. 1947.

egoismen; der Höhepunkt wurde im »Kartoffelkrieg« des Herbstes 1947 erreicht. Dem Katastrophenwinter 1946/47 waren Hitze- und Dürrerekorde im Sommer und eine dementsprechende Mißernte im Herbst 1947 gefolgt. Der Direktor für Ernährung und Landwirtschaft hatte, von den Militärregierungen autorisiert und auf das Bewirtschaftungssystem gestützt, das die Nationalsozialisten im August 1939 in Vorbereitung des Kriegs in Kraft gesetzt hatten, Ablieferungsmengen und Ausgleichsquoten zwischen den einzelnen Ländern festgesetzt. Dadurch sollte das geringfügig Vorhandene wenigstens halbwegs gerecht zwischen agrarischen Überschußländern und Industriegebieten verteilt werden. Die Gerechtigkeit blieb, aus vielen Gründen, Theorie. Daß Bayern und Niedersachsen zugunsten der eigenen Bevölkerung zu wenig Kartoffeln in Mangelgebiete wie Nordrhein-Westfalen lieferten, war schlimm, die allgemeine Korruption – von selbstsüchtigen Erzeugern und Schiebern bis hin zu Ämtern und Organisationen, die sich am Schwarzen Markt im großen Stil beteiligten – war ebenfalls schlimm, und die starre Haltung der Besatzungsbürokratie, die an ihren eigenen Ernteschätzungen festhielt und die deutschen Verwaltungsstellen des Unvermögens und der Böswilligkeit zieh, war auch schlimm.

Für die Misere auf dem Gebiet der Wirtschaft und der Ernährung, aber auch für den Stand der Beziehungen zwischen Deutschen und Alliierten und insgesamt für den bisherigen Erfolg des Experiments Bizone gab es um die Jahreswende 1947/48 zwei Symptome, in denen sich die Gesamtsituation deutlich spiegelte: das »Speisekammergesetz« und die »Hühnerfutterrede«. Das Gesetz – offiziell hieß es: »Nothilfegesetz zur Ermittlung, Erfassung und Verteilung von Lebensmitteln« – ging auf die Initiative General Clays zurück, der wegen der Querelen, die über dubiose Ernteschätzungen, überhöhte Ablieferungsquoten, grassierende Hamsterei, geschönte Statistiken und allgemeines Wehklagen aller Betroffenen entstanden waren, kurzerhand verlangte, sämtliche Lebensmittelvorräte bei Erzeugern, Händlern und Verbrauchern zählen und registrieren zu lassen. Der Wirtschaftsrat beschloß das entsprechende Gesetz, die notwendigen Fragebogen wurden gedruckt und ausgegeben – darüber wurde es Februar 1948 –, und manche füllten die Formulare, einige sogar im Einklang mit der Wahrheit, auch aus. An der schlechten Versorgung änderte die Aktion natürlich nichts, und zum Renommee des Frankfurter Wirtschaftsparlaments trug sie auch nicht bei.

Der Direktor für Wirtschaft, Johannes Semler, hatte bei einer internen Veranstaltung der CSU am 4. Januar 1948 in Erlangen ein Referat gehalten, in dem er, in der Annahme, man sei unter sich, den Besatzungsmächten ihre Sünden vorhielt: Die Amerikaner, behauptete Semler, verlangten extra hohe Ablieferungsquoten von der deutschen Landwirtschaft, um eigene Steuergelder zu sparen, Clay wolle sich zu Lasten der Deutschen einen guten Abgang verschaffen; die Briten, sagte Semler, plünderten die deutsche Wirtschaft aus, und – so schimpfte er in Anspielung auf die amerikanischen Hilfslieferungen –, man habe »den Mais geschickt und das Hühnerfutter, und wir zahlen es teuer«; er empfahl, »daß deutsche Politiker darauf verzichten, sich für diese Ernährungszuschüsse zu bedanken«[30]. Semler wurde zu den beiden Militärgouverneuren bestellt, um sich zu rechtfertigen, was ihm aber nicht gelang. Am 24. Januar 1948 wurde er seines Amtes enthoben, wodurch aus dem Helden der ersten Januartage ein Märtyrer wurde. Die Militärgouverneure betonten, er sei wegen der Wahrheitswidrigkeit seiner Behauptungen gefeuert worden, nicht wegen der Kritik selbst, die freilich vom Geist einer böswilligen Opposition gegen die Besatzungsmächte zeuge[31].

Gegen Ende des Jahres 1947 waren sich die Verantwortlichen, Deutsche wie Briten und Amerikaner, ziemlich einig, daß auch der zweite Anlauf beim Experiment Bizone wenig erfolgreich verlaufen war. Der Apparat hatte immer noch zu viele Konstruktionsmängel: Kompetenzstreitigkeiten zwischen Exekutivrat und Wirtschaftsrat führten zu Reibungen und zur Doppelarbeit in der Gesetzgebung; die Direktoren und ihre Verwaltungen – deren Bürokratie mit etwa 4500 Beamten und Angestellten von manchen Landesregierungen nur als lästiger Wasserkopf empfunden wurde – arbeiteten mehr oder minder unkoordiniert. Namentlich die Ernährungsverwaltung unter Direktor Schlange-Schöningen, sah sich vielfältig behindert durch egozentrische Landespolitiker und gegängelt von der angloamerikanischen BICO-Administration. Eine abermalige Reform tat not, wenn die Organisation des Vereinigten Wirtschaftsgebiets auch nur den minimalen Erwartungen entspre-

---

[30] Wortlaut der Semler-Rede im Archiv IfZ, MA 90; Johannes Semler, Kommentar zu meiner Erlanger Rede. Ebd., F 84.
[31] OMGUS, Report of the Military Governor. January 1948, S. 39. Archiv IfZ.

chen sollte, die man auf sie gesetzt hatte, nämlich auf die ökonomische Selbstversorgung der beiden Zonen in absehbarer Zeit, von weitergehenden politischen Sehnsüchten zu schweigen. Washington und London warteten wieder, wie im Frühjahr 1947, die Außenministerkonferenz ab. Es war die fünfte der in Potsdam beschlossenen Veranstaltungen, die am 15. Dezember 1947 in London ergebnislos zu Ende ging: Die deutschen Probleme waren der Lösung nicht näher gekommen, die politische und wirtschaftliche Einheit der vier Zonen war weiter entfernt denn je, die Hoffnungen, die in Deutschland viele im November 1947 noch gehegt hatten, waren gründlich zerstört, und die Anti-Hitler-Koalition der Alliierten hatte sich in die Konfrontation zwischen den Westmächten und der Sowjetunion verwandelt. Unmittelbar nach dem Ende der Konferenz informierte das »Bipartite Control Office« in Frankfurt den Präsidenten des Wirtschaftsrats, daß Änderungen der Bizonen-Organisation bevorstünden[32]. Das hatte Hoffnungen und Wünsche auf die staatsrechtliche Weiterentwicklung der Doppelzone geweckt, die mit der Beteuerung verbrämt wurden, ein westdeutscher Staat (ohne die Ostzone) werde nicht erstrebt[33]. Aber man begann sich auf ihn einzurichten.

Am 7. Januar 1948 verkündeten die beiden Militärgouverneure Clay und Robertson, flankiert von den BICO-Generalen Adcock und McReady und den Länder-Militärgourverneuren, den acht deutschen Länderchefs und einer Delegation des Wirtschaftsrats, was die Westmächte beschlossen hatten, um das bizonale Provisorium zu verbessern und handlungsfähiger zu machen: Der Wirtschaftsrat sollte auf 104 Abgeordnete verdoppelt und, anstelle des Exekutivrats, durch eine zweite Kammer (einem Länderrat aus zwei Vertretern je Land) ergänzt werden. Die Direktoren der Verwaltungen sollten künftig in einem »Verwaltungsrat« genannten Kabinett unter dem Vorsitz eines »Oberdirektors« zusammensitzen, und die deutschen Stellen sollten auch einige neue Kompetenzen (auf dem Gebiet der Steuern und Zölle) erhalten. Außerdem kündigte General Clay die Errichtung eines Obersten Gerichtshofs und einer Zentralbank (diese unter alliierter Hoheit) für die Bizone an. Den Wunsch nach einem sechsten Fachressort, einer Verwaltung für

[32] Wirtschaftsrat, Wörtl. Bericht über die 9. Vollversammlung, 18. 12. 1947, S. 238.

[33] 102. Sitzung des Exekutivrats in Frankfurt, 30. 12. 1947. In: AVBRD 3, S. 1010–1015.

Arbeit und Soziales, schlugen die Alliierten am folgenden Tag (an dem in einer zweiten Konferenz die Deutschen zu den anglo-amerikanischen Plänen Stellung nehmen durften) ab: Die Bizone sollte nicht mehr zentrale Verwaltungseinrichtungen haben, als auf der Potsdamer Konferenz »Staatssekretariate« einer deutschen Administration auf Vierzonen-Ebene vorgesehen waren[34]. Im März 1948 genehmigten die beiden Westmächte die Errichtung der Verwaltung für Arbeit dann doch; sie nahm im August 1948 ihre Tätigkeit auf.

Nach den Konferenzen am 7. und 8. Januar 1948 hatten die deutschen Gremien drei Wochen lang Zeit, Änderungsvorschläge zu den alliierten Plänen zu entwerfen. Die Zeit bis Ende Januar nutzten die Deutschen, um eine Vielfalt divergierender Meinungen zu artikulieren: Die Föderalisten waren gegen die Erweiterung der Frankfurter Kompetenzen und fürchteten, wie Bayerns Ministerpräsident Ehard und dessen Düsseldorfer Kollege Arnold, die Aushöhlung der Länderhoheit; die Sozialdemokraten betrachteten, so hatte es der Parteivorstand beschlossen, die ganze Neuorganisation der Bizone als alliierte Angelegenheit und hielten sich fern; im Norden hatte man andere Vorstellungen als im Süden, die Föderalisten kämpften gegen die Unitarier, kurzum, es gab keine Gegenkonzepte zu den alliierten Plänen, die deshalb, lediglich geringfügig modifiziert, in Gestalt der »Frankfurt Charta« am 5. Februar 1948 von den beiden Militärgouverneuren unterzeichnet wurde und am 9. Februar in Kraft trat[35]. Mitte Februar wählten die Landtage pflichtgemäß die 52 zusätzlichen Abgeordneten des Wirtschaftsrats. Durch die Verdoppelung änderten sich die Mehrheitsverhältnisse nicht. Den 40 Sozialdemokraten standen 40 CDU/CSU-Parlamentarier (und die vier Vertreter der DP) gegenüber. Das Verhältnis zwischen der Unionsfraktion und den acht Liberalen hatte sich so entwickelt, daß man jetzt von einer Koalition sprechen konnte. Außerdem gab es sechs Kommunisten (vier aus Nordrhein-Westfalen, zwei aus Bayern), zwei Abgeordnete der Wirtschaftlichen Aufbau-Vereinigung (WAV) und vier des Zentrums. Die Sozialdemokraten hatten, nach

[34] Konferenz der Militärgouverneure mit den Ministerpräsidenten und Vertretern der bizonalen Verwaltungen in Frankfurt, 7. 1. 1948 und 8. 1. 1948 In: AVBRD 4, S. 126–182; Kurzprotokolle im Archiv IfZ, ED 94/63.
[35] Proklamation Nr. 7 der US-Militärregierung und Verordnung Nr. 126 der brit. Militärregierung. Wortlaut u. a. bei Pünder, Das Bizonale Interregnum, S. 377–383.

grundsätzlicher und gründlicher Diskussion in ihren Gremien und der neuen Fraktion, gegen eine Minderheit beschlossen, in Frankfurt in der Opposition zu bleiben.

Am 24. Februar 1948, in seiner konstituierenden Sitzung, wählte der neue Wirtschaftsrat wiederum den CDU-Politiker Erich Köhler zum Präsidenten. Eine Woche später, am 2. März, stand die Wahl des Vorsitzenden des Verwaltungsrats auf der Tagesordnung des Bizonenparlaments. Nach langem Suchen, das fast bis zum Vorabend der Wahl dauerte, hatten die Christdemokraten den Kölner Oberbürgermeister Hermann Pünder als Kandidaten für das neue Amt des Oberdirektors erkoren. Pünder war von seinem Vorgänger im Kölner Amt (und Nachfolger als Bundeskanzler in Bonn) Konrad Adenauer zur Kandidatur überredet worden[36], weil die Unionsparteien lieber einen schwachen Politiker als einen Mann der ersten Garnitur für den Posten des »Regierungschefs« haben wollten: Er sollte repräsentieren und den Platz im bizonalen Provisorium halten, bis sich die dazu Berufenen, von alliierter Gängelei frei und vom Odium der Politik im Auftrag der Militärregierung unbelastet, würden entfalten können. Pünder, der nach der Meinung der CDU/CSU-Fraktion nicht mehr sein sollte als der Koordinator der Verwaltungen und das Sprachrohr der Administration gegenüber den Besatzungsmächten, war aber in vieler Beziehung der richtige Mann für das Amt, in das er mit der denkbar knappen Zahl von 40 Stimmen (seiner Fraktion, die Liberalen hatten einen eigenen Kandidaten aufgestellt, die SPD gab ungültige Stimmzettel ab) gewählt worden war: Mehr Verwaltungsmann als Politiker blickte der im Frühjahr 1948 Sechzigjährige auf eine Beamtenkarriere zurück, deren Höhepunkt das Staatssekretariat der Reichskanzlei (1926–1932) bildete; nach Brünings Sturz war er preußischer Regierungspräsident in Münster, bis die Nationalsozialisten den konservativen Katholiken 1933 in den Ruhestand schickten; 1944 stand Pünder wegen seiner Verbindungen zu Goerdelers Widerstandskreis vor dem Volksgerichtshof, die Alliierten befreiten ihn im Mai 1945 aus dem Konzentrationslager; im Oktober 1945 machten ihn die Briten, die gerade Adenauer den Stuhl vor die Tür gesetzt hatten, zum Oberbürgermeister von Köln. Pünder hatte eine hohe Auffassung von seinem Amt, war sehr auf Würde und Reputation

---

[36] Hermann Pünder, Von Preußen nach Europa. Lebenserinnerungen. Stuttgart 1968, S. 320f.

bedacht – das war im Verkehr mit den alliierten Stellen gewiß verdienstlich –, wobei er allerdings mit dem Präsidenten des Wirtschaftsrats Köhler in Konkurrenz geriet – beide hielten viel von Repräsentation. Pünder trug dem Wirtschaftsrat am 16. März 1948 eine Art »Regierungserklärung« vor, in der er, ohne irgendwelche anschließende Resonanz, die Probleme der Zeit beschrieb und im übrigen seine Neigung dokumentierte, die politischen Möglichkeiten seines Amtes zu überschätzen[37].

Im Anschluß an die Wahl des Oberdirektors hatte der Wirtschaftsrat die fünf Direktoren der Verwaltungen neu gewählt. Jeweils nur mit den Stimmen der CDU/CSU und der FDP waren Frohne (Verkehr), Schuberth (Post), Schlange-Schöningen (Ernährung) und Hartmann (Finanzen) wiedergewählt worden. Die Verwaltung für Wirtschaft erhielt mit Ludwig Erhard, der sich mit wenig Glück 1945/46 als bayerischer Wirtschaftsminister versucht hatte und seit Herbst 1947 als Leiter der bizonalen »Sonderstelle Geld und Kredit« Pläne für eine Währungsreform schmiedete, einen neuen Chef. (Nach der Entlassung Semlers hatte dessen Stellvertreter Walter Strauß das Wirtschaftsressort kommissarisch geleitet.) Die zweite Frankfurter Direktorenwahl, bei der Sozialdemokraten, Kommunisten, die Zentrums- und die WAV-Abgeordneten zusammen 49 weiße Stimmzettel zum Zeichen des Mißtrauens abgegeben hatten, erregte den Unmut der amerikanischen und britischen Ziehväter. Die BICO-Generale Adcock und McReady redeten einer Delegation des Wirtschaftsrats und des neuen Länderrats ins Gewissen und ermahnten sie, statt parteipolitischen Haders und der ewigen Querelen endlich sachliche Arbeit zu leisten, um das Interesse der Besatzungsmächte am Wiederaufbau, den sie mit Geld und Rohstoffen schließlich kräftig unterstützten, nicht erlahmen zu lassen[38].

Tatsächlich kam die Gesetzgebungs- und Verwaltungsmaschinerie der Bizone ab Frühjahr 1948 allmählich in Schwung und äußerlich erhielt das Vereinigte Wirtschaftsgebiet ständig neue Attribute der Staatlichkeit. Gleichzeitig mit dem neuen Bizonenstatut bekamen die Verfügungen der Militärgouverneure Rechtskraft, durch die ein Obergericht für die Bizone als zentrale Instanz der Rechtspflege errichtet wurde. Das »Deut-

[37] Wirtschaftsrat, Wörtl. Bericht über die 13. Vollversammlung, 16. 3. 1948, S. 361–366.
[38] Die Neue Zeitung, 6. 3. 1948, »Unsachliche« Wahl in Frankfurt. Adcock und McReady üben heftige Kritik.

sche Obergericht« mit Sitz in Köln hatte eine einzigartige Fülle von Aufgaben; als Staatsgerichtshof, als Nachfolger des Reichsgerichts und als Verwaltungsgerichtshof war es letzte Revisionsinstanz in der Bizone und lediglich in der Normenkontrolle beschränkt, weil Gesetze des Wirtschaftsrats, die vom Bipartite Board genehmigt waren, von keinem deutschen Gericht mehr für ungültig erklärt werden konnten. Das Kölner Obergericht hatte nach der Gründung der Bundesrepublik mehrere Nachfolger, seine Kompetenzen gingen allmählich auf den Bundesgerichtshof und das Bundesverfassungsgericht über. Ebenfalls durch alliierten Hoheitsakt (und nicht durch deutsches Gesetz) wurde mit Wirkung vom 1. März 1948 die Bank deutscher Länder ins Leben gerufen. Sie hatte ihren Sitz in Frankfurt und war, völlig unabhängig von der Bizonen-Verwaltung, die erste Institution, deren Geltungsbereich alle drei Westzonen umfaßte. Gegründet wurde die trizonale deutsche Zentralbank im Hinblick auf den Marshall-Plan und die Währungsreform. Im Herbst 1948 wurde ein Rechnungshof für die Bizone errichtet, der am 1. Januar 1949 in Hamburg die Arbeit aufnahm. Ab März 1948 arbeitete in Wiesbaden das Statistische Amt der Bizone, und ein Vorläufer des Deutschen Patentamts in München (das formaljuristisch erst im Oktober 1949 errichtet wurde) nahm seine Tätigkeit auf und zwar unter der Zuständigkeit des Rechtsamtes, das ab Sommer 1948 teilweise Aufgaben eines Justizministeriums der Bizone erfüllte. Es war ebenso wie das Personalamt nicht ganz ranggleich mit den von den Direktoren geleiteten Fachressorts, die Behördenchefs unterstanden aber direkt dem Oberdirektor und hatten Kabinettsrang, das heißt, sie nahmen an den Sitzungen des Verwaltungsrats teil. Das Personalamt war auf deutscher Seite höchst unbeliebt; die Alliierten hatten es im Zuge ihrer Bestrebungen zur Reform des Öffentlichen Dienstes als unabhängige Behörde verlangt, und eigentlich sollte es den Rang einer Verwaltung haben. Es war eine der wenigen Konzessionen, die den deutschen Politikern gemacht wurden, daß das Personalamt unter Ministerialdirektor Oppler, einem Sozialdemokraten, wenigstens nicht den Rang eines Ministeriums hatte. Den hätte man umgekehrt gerne für das Rechtsamt unter Staatssekretär Walter Strauß (CDU) gehabt. Eine ähnliche Position hatte ab Februar 1949 das dem Oberdirektor unterstellte Amt für Fragen der Heimatvertriebenen, ein Vorläufer des Bundesministeriums für Vertriebene. Im August 1948 war als sechstes Fachressort die Verwaltung für

Arbeit errichtet worden, das bedeutete auch sachlich eine beträchtliche Kompetenzerweiterung für das Vereinigte Wirtschaftsgebiet. In den Aufgabenbereich fielen Angelegenheiten der Arbeits- und Stellenvermittlung, der Arbeitslosenversicherung und Arbeitszuweisung, Arbeitsschutz und Arbeitsrecht und die Einheitlichkeit der Sozialversicherung in der Bizone.

Zum Direktor der Arbeitsverwaltung wählte der Wirtschaftsrat am 20. August 1948 Anton Storch (CDU), der eine lange Karriere in der christlichen Gewerkschaftsbewegung hinter sich hatte (1946 war er Leiter der Abteilung Sozialpolitik im DGB der britischen Zone geworden). Storch hatte nur 32 Stimmen erhalten (die FDP hatte einen eigenen Kandidaten nominiert, die SPD hatte wieder Abstinenz geübt) gegen 41 ungültige Stimmzettel, aber das hatte nicht viel zu bedeuten. Storchs Karriere blieb ohne Knick bis weit in die Zeit der Bundesrepublik hinein, er wurde im September 1949 Bundesminister für Arbeit und Sozialordnung und blieb es bis zum Herbst 1957. Übertroffen wurde diese Kontinuität im Amt beim Übergang von der Bizone zur Bundesrepublik nur noch von Ludwig Erhard, der das Wirtschaftsressort nach der Frankfurter Zeit (ab März 1948) bis zum Herbst 1963, als er Adenauers Nachfolger als Bundeskanzler wurde, innehatte. Erich Köhler konnte das Amt des Präsidenten des Frankfurter Wirtschaftsrats an der Spitze des Bonner Bundestags nur wenig mehr als ein Jahr fortsetzen. Viele Spitzenfunktionäre der Bizone mußten in der Bundesrepublik mit rangtieferen Positionen vorliebnehmen, aber immerhin blieb etwa der Leiter des Rechtsamts in Frankfurt, Walter Strauß, bis zum Herbst 1962 Staatssekretär im Bonner Justizministerium, der Chef des Postressorts in Frankfurt, Hans Schuberth, war auch im ersten Kabinett Adenauers Postminister, während sein Kollege Frohne vom Frankfurter Direktor zum Bonner Staatssekretär im Verkehrsministerium abstieg (ab 1952 war er Vorstandsvorsitzender der Deutschen Bundesbahn), und der Direktor der Verwaltung für Finanzen, Alfred Hartmann, war in Bonn von 1949 bis 1959 Staatssekretär im Finanzministerium. Ein Teil der Bizonenprominenz, darunter auch Hermann Pünder, fand sich in Bonn auf der schlichten Abgeordnetenbank wieder, der Auswärtige Dienst öffnete dann der früheren Position adäquate Versorgungsmöglichkeiten, z. B. für den ehemaligen Ernährungsdirektor Schlange-Schöningen, der 1950 Generalkonsul und 1953 Botschafter in London wurde, oder für Kurt Oppler, den Chef des Personalamts (ab 1953

Botschafter der Bundesrepublik in Island), oder für den Fraktionschef der CDU im Wirtschaftsrat, Friedrich Holzapfel, der die Bundesrepublik in der Schweiz vertrat.

In den knapp eineinhalb Jahren bis zum Sommer 1949 entwickelte sich die Frankfurter Administration beinahe zum definitiven Staatswesen, auch wenn wesentliche Insignien der Staatlichkeit noch fehlten. Die Schwerpunkte der bizonalen Politik, die allmähliche Erweiterung ihrer Kompetenzen ab Frühjahr 1948, ließen sich auch an den Haushaltsplänen ablesen (und waren auch den immer professionelleren Etatdebatten zu entnehmen). So waren für 1947 ursprünglich 30,6 Millionen Reichsmark angesetzt, die sich schließlich auf 307,8 Millionen erhöhten. Das Haushaltsvolumen für 1948 betrug (einschließlich des Nachtrags) 680,5 Millionen DM, und der Haushalt 1949 schloß mit der Summe von über 1,34 Milliarden DM. Eingenommen wurde das Geld ursprünglich von den Ländern der beiden Zonen, später auch durch Steuern (ab Juli 1949 kamen Zölle hinzu) und hauptsächlich von der Post und der Bahn, die die Hauptaktiva des Vereinigten Wirtschaftsgebiets waren[39]. Ausgegeben wurde das Geld zum beträchtlichen Teil für Lasten, die einen normalen Staat nicht beschweren: Besatzungskosten, Zahlungen für BICO (1948 30 Millionen DM, 1949 18,5 Millionen), auf die Konten der unter anglo-amerikanischer Regie stehenden Joint Export-Import Agency (JEIA), die den gesamten Außenhandel abwickelte, der britisch-amerikanischen Coal Control Group und der Steel Control Group. Ab Herbst 1948 verschlang die Hilfe für die unter sowjetischer Blockade stehende ehemalige Reichshauptstadt riesige Summen. Zwar bestritten die Amerikaner den größten Teil des Aufwands für die Luftbrücke (allein die unmittelbaren Transportkosten wurden täglich auf 150000 Dollar geschätzt)[40], die lebensnotwendigen Einfuhren nach Berlin wurden aus der JEIA-Kasse bezahlt, aber die Nebenkosten der Luftbrücke und die Bedürfnisse der Stadt Berlin selbst fielen der Bizone zur Last. 1949 wurden in Frankfurt 480 Millionen DM (das war mehr als die Hälfte des ursprünglich auf 950 Millionen veranschlagten Gesamtetats) für die Berlinhilfe ausgegeben. Sie wurden zum Teil durch zusätzliche Steuern auf Kaffee und Tee und ab November 1948 durch

[39] Haushaltspläne der Verwaltung des Vereinigten Wirtschaftsgebiets für die Rechnungsjahre 1948 und 1949 nebst Nachträgen. Archiv IfZ, DK 515.001.
[40] Robert Murphy, Die Konstruktion der Luftbrücke. In: Der Monat 1 (1948/ 49), Heft 4.

das Notopfer Berlin aufgebracht. Diese Sondersteuer zugunsten Berlins wurde durch Lohnsteuerabzug bzw. zusätzlich zur Einkommensteuer und durch einen Zuschlag von 2 Pfennigen auf Postsendungen eingezogen.

Die deutlichsten Indizien für die Standortbestimmung des halbstaatlichen Gebildes Bizone – als Vorläufer und Modell der Bundesrepublik, als Instanz zur Verwaltung des Mangels in alliertem Auftrag in der Zeit des Übergangs von der direkten zur indirekten Besatzungsherrschaft oder auch einfach als deutsches Forum zur Einübung demokratischer und parteipolitischer Verkehrsformen – liefert die Gesetzgebung des Wirtschaftsrats.

Von den 171 Gesetzen, die das Frankfurter Parlament in den zwei Jahren seiner Existenz beschloß, blieb ein beträchtlicher Teil in der Bundesrepublik gültig; auf dem Gebiet der Wirtschafts- und Sozialpolitik waren viele legislative Akte der Bizone für den im September 1949 aus der Taufe gehobenen deutschen Weststaat konstitutiv. Die Tendenz, soziale Errungenschaften der Weimarer Republik wiederherzustellen, war unübersehbar, in mancher Hinsicht auch unumgänglich, wie bei der Aufhebung des Lohnstopps von 1935 oder der Wiederherstellung der Tariffreiheit. Daß sich die Politiker der Bizone auch als Beschäftigte eines sozialpolitischen Reparaturbetriebes verstanden, fand seinen Ausdruck in der Einstimmigkeit, mit der diese beiden Gesetze in Frankfurt verabschiedet wurden – überhaupt wurde die grundsätzliche Opposition seitens der Sozialdemokraten zwar immer lautstark betont, im Detail aber meist nicht praktiziert. Gegen Ende der Bizonen-Ära waren die Frankfurter Parlamentarier so in Schwung gekommen, daß BICO einige Mühe hatte, sie zu bremsen. Die Alliierten, die in der ersten und zweiten Phase der Bizone so ärgerlich über den schleppenden Gang der Geschäfte gewesen waren, fürchteten im Frühjahr und Sommer 1949, daß alle noch anstehenden Gesetzesvorlagen zugunsten der bizonalen Erfolgsbilanz – und möglicherweise zu Lasten der kommenden Bundesrepublik, die die Verpflichtungen tragen müßte – durchgepeitscht werden sollten. Tatsächlich wurden von Juni bis August 1949 noch 49 Gesetze verabschiedet[41].

Das legislative Verfahren zwischen Wirtschaftsrat und Län-

[41] Abschließender Bericht des Präsidenten des Wirtschaftsrats des Vereinigten Wirtschaftsgebiets über die Gesetzgebung des Wirtschaftsrats, Frankfurt 7. 9. 1949. Archiv IfZ.

derrat funktionierte reibungslos (das war an sich auch ein Erfolg, angesichts der Querelen und Zwistigkeiten der Anlauf-
zeit), und die entscheidende Hürde, die Genehmigung durch
BICO, wodurch die deutschen Gesetze erst Rechtskraft erhielten, erwies sich nur in ganz wenigen Fällen als endgültiges Hindernis. Von den insgesamt acht Gesetzen, die die Alliierten zu-
rückwiesen, war lediglich das Gewerbezulassungsgesetz von
grundsätzlicher Bedeutung; BICO hatte die Zustimmung ver-
weigert, weil es gegen die amerikanische Grundsatzforderung
nach Gewerbefreiheit verstieß. Umgekehrt oktroyierten die
Militärregierungen zum großen Ärger der deutschen Politiker
im Februar 1949 ein Beamtengesetz, das verpflichtenden Charakter auch für die Bundesrepublik haben sollte und im wesentlichen Rechtsgleichheit im Öffentlichen Dienst – durch Aufhebung des Unterschieds von Beamten und Angestellten – zum
Gegenstand hatte. Die Reform des Öffentlichen Dienstes war
den Amerikanern und Briten eine Herzensangelegenheit und sie
hatten, nach etlichen Mahnungen und Warnungen, im Frühjahr
1949 einfach die Geduld verloren. Sachlich enthielt das Militär-
regierungsgesetz Nr. 15 nichts anderes als der deutsche Gesetzentwurf, der sich im Geschäftsgang des Wirtschaftsrats befand
(die 2. und 3. Lesung war für den 18. Februar 1949 angesetzt,
der Oktroi der Militärgouverneure fand am 15. Februar statt).
Das Reformgesetz wurde in der Restzeit der Bizone widerwillig
angewendet, und bei erster Gelegenheit durch eine Neuauflage
des Deutschen Beamtengesetzes von 1937 ersetzt[42].

Als größter Erfolg der Bizone blieb die Etablierung der sozialen Marktwirtschaft ab Juni 1948 im Gedächtnis. Sie erfolgte im
Zuge der Währungsreform, an der freilich der deutsche Anteil
äußerst bescheiden war. Die Grundlegung des »Wirtschafts-
wunders« der Bundesrepublik fand in Frankfurt statt.

3. Demontage, Währungsreform, Marshall-Plan

Die Ankündigung des US-Außenministers Marshall in der Rede vor Studenten der Harvard University am 5. Juni 1947, daß
die Vereinigten Staaten ein Programm zum Wiederaufbau der

[42] Vgl. Wolfgang Benz, Versuche zur Reform des öffentlichen Dienstes in
Deutschland 1945–1952. Deutsche Opposition gegen alliierte Initiativen. In: VfZ
29 (1981), S. 216–245.

europäischen Wirtschaft in Gang setzen würden, das als Hilfe zur Selbsthilfe durch die Lieferung von Lebensmitteln, Rohstoffen, durch Kredite und technisches Know-how zu verstehen sei und an dem Deutschland ausdrücklich beteiligt werden solle, löste dort freudige Erwartung aus.

Einen weiteren Hoffnungsschimmer sah man im »Revidierten Industrieplan« für die Bizone, der am 29. August 1947 veröffentlicht wurde. Dieser Plan war als Ersatz für den Vierzonen-Industrieplan des Alliierten Kontrollrats vom März 1946 zwar nur für das britisch-amerikanische Besatzungsgebiet konzipiert, aber die Franzosen hatten sich an den Vorbesprechungen und Verhandlungen in London immerhin beteiligt, und so war der neue Industrieplan auch politisch, im Sinne der Einheitlichkeit wenigstens der drei Westzonen, ein Fortschritt. Gemessen am alten Plan des Kontrollrats, der in der Präambel des neuen Dokuments ausdrücklich als undurchführbar und obsolet bezeichnet wurde, war seine ökonomische Bedeutung groß: Statt 5,8 Millionen Tonnen (in allen vier Zonen) sollten künftig 10,7 Millionen Tonnen Stahl (in der Bizone) jährlich erzeugt werden dürfen, und das generelle Industrieniveau sollte nicht 70 bis 75 Prozent des Standes von 1936, sondern annähernd die Gesamtkapazität dieses Jahres betragen dürfen. Der wirtschaftspolitische Sinn dieser Lockerung der Restriktionen wurde klar bei der Betrachtung der erheblichen Exportverpflichtungen (vor allem von Kohle und Produkten der Schwerindustrie), die der Bizone auferlegt waren, um wenigstens einen Teil der notwendigen Nahrungsmittelimporte bezahlen zu können. Den größeren Teil bezahlten ohnehin die Amerikaner aus GARIOA-Mitteln. Für dieses Hilfsprogramm, »Government Aid and Relief in Occupied Areas«, gab der amerikanische Steuerzahler Millionen Dollar aus. Die Hilfe aus dem GARIOA-Fonds war 1946/47 für die US-Zone bzw. die Bizone lebenswichtig, und auch 1948/49 waren die Leistungen aus dieser Quelle noch größer als die aus Mitteln des Marshall-Plans. Die Reaktion General Clays auf Semlers Hühnerfutter-Rede im Januar 1948 war also keineswegs von gekränkter Eitelkeit diktiert.

In der Euphorie über den Revidierten Industrieplan war im August 1947 aber bei vielen in Vergessenheit geraten, daß er ein Teil der alliierten Entmilitarisierungs- und Reparationspolitik war, daß also ein Katalog der Industriebetriebe, die abgebaut werden sollten – Rüstungsfabriken wie Anlagen der Friedensindustrie, die zur Abgabe für Reparationszwecke bestimmt waren –, die erfreulichen Teile des Industrieplans ergänzen würde. Aus technischen Gründen, weil sich die Verhandlungen mit Frankreich hinzogen und weil die »Inter Allied Reparation Agency« (IARA) in Brüssel, die die Ansprüche von 18 Staaten gegenüber den drei Westzonen vertrat, beteiligt werden mußte, hatte sich die Fertigstellung der Demontageliste verzögert. Ihre Veröffentlichung am 16. Oktober 1947 war, obwohl sämtliche Interessengruppen und Politiker aller Richtungen schon vorsorglich protestiert hatten, ein schwerer Schock. Die Demontageliste machte den Deutschen auch wieder ihre politische Ohnmacht klar, und der Trost, den General Clay zu spenden suchte, als er darauf hinwies, daß es sich lediglich um den Abbau von Überkapazitäten handle, die zur Erreichung des erlaubten und gegenüber 1946 weitaus verbesserten Industrieniveaus gar nicht gebraucht wurden, hatte wenig Wirkung. Auf der Demontageliste der Bizone standen noch 682 Industriebetriebe (496 in der britischen und 186 in der amerikanischen Zone); für die französische Zone wurde im November eine eigene Liste mit 236 Fabriken veröffentlicht. Der Zorn der Deutschen entlud sich in Protesten und schlug in Ratlosigkeit um, wie bei der Konferenz der Ministerpräsidenten, Arbeits- und Wirtschaftsminister der Bizone am 22. Oktober 1947 in Wiesbaden, bei der eine Resolution verabschiedet wurde, die auf den Widersinn hinwies zwischen den Demontagen in Deutschland und den Anstrengungen zur Erholung der europäischen Wirtschaft, zu der deutsche Kohle und deutscher Stahl gebraucht wurden[43]. Tatsächlich war mindestens den Amerikanern, die zur gleichen Zeit den Marshall-Plan vorbereiteten und wenig Lust zur Fortsetzung der Demontagen verspürten, der Widerspruch von Wiederaufbauhilfe und Demontage bewußt. Der Abbau industrieller Anlagen wurde jedoch, da sie als Reparationsgüter für die kleineren von Deutschland im Krieg geschädigten Länder gebraucht wurden, bis 1951 fortgesetzt. Der materielle Schaden hielt sich in Grenzen, ja es kam vor, daß ältere Anlagen abtransportiert wurden, um im Ausland als Schadenersatz wieder aufgestellt zu werden, und wenig später wurden mit Marshall-Plan-Mitteln in Deutschland moderne Aggregate installiert, die erheblich konkurrenzfähiger waren als die alten. Auch war es ab Herbst 1947 nicht mehr möglich, einer Fabrik einzelne Ma-

---

[43] Konferenz der Ministerpräsidenten, Arbeitsminister und Wirtschaftsminister des VWG mit dem Exekutivrat und Vertretern des Wirtschaftsrats in Wiesbaden, 22. Okt. 1947. In: AVBRD 3, S. 690ff., Resolution S. 710f.

schinen zu entnehmen, wie es in den ersten Besatzungsjahren in der britischen Zone vorgekommen war, wo sich gelegentlich britische Unternehmen mit guten Beziehungen zur Besatzungstruppe gezielt bedient hatten. Im Umgang zwischen deutschen Politikern und Vertretern der Alliierten blieben die Demontagen freilich bis in die ersten Jahre der Bundesrepublik ein brisantes Thema.

Ein großes Hindernis für die wirtschaftliche Gesundung war die zerrüttete Währung. Das nationalsozialistische Regime hatte seit 1936 zur Kriegsfinanzierung die Notenpresse benutzt; die Folge der inflationären Geldvermehrung, das empfindlich gestörte Verhältnis von Geldumlauf, Produktion und Warenangebot, wurde aber erst nach 1945 sichtbar: zur Bilanz des NS-Staats gehörte auch die ruinierte deutsche Währung. 300 Milliarden Reichsmark waren nach Kriegsende im Umlauf, aber sie waren von geringem Wert; staatliche Gehälter und Steuern wurden in RM gezahlt, ebenso die Dinge des täglichen Bedarfs, soweit sie im Rahmen des Bewirtschaftungssystems erhältlich waren. Seit August 1946 gab es im Zahlungsverkehr zwischen deutschen und alliierten Stellen eine Spezialwährung, das Besatzungsgeld, das nicht in Reichsmark gewechselt werden konnte. Wichtigstes Zahlungsmittel waren aber Zigaretten und ähnliche, auf dem Schwarzen Markt verwertbare Dinge. Ein beträchtlicher Teil des Handels im Nachkriegsdeutschland spielte sich in der Form der Naturalwirtschaft – Ware gegen Ware – ab.

Eine Währungsreform wurde von allen – mit Ausnahme der hauptberuflichen Schieber und der Schwarzmarkthändler – herbeigesehnt. Die Durchführung der notwendigen Operation war, da sie ein eminent politisches Problem darstellte, Sache der Alliierten, die darüber lange verhandelten: Für die wirtschaftliche und politische Einheit würde eine Währungsreform, die nicht gleichzeitig und in gleicher Form in allen vier Zonen durchgeführt würde, unübersehbare Konsequenzen haben. Auf deutscher Seite war nicht viel mehr zu tun, als immer wieder an die Notwendigkeit der Währungssanierung zu erinnern, und das geschah auch. Im Juli 1947, auf seiner zweiten Plenarsitzung, hatte der Wirtschaftsrat beschlossen, eine Planungsstelle einzurichten, die sich mit den Vorarbeiten beschäftigen sollte. Unter dem Vorsitz von Ludwig Erhard arbeitete seit Oktober 1947 in Bad Homburg eine Sachverständigenkommission unter der Bezeichnung »Sonderstelle Geld und Kredit«. BICO hatte die Errichtung dieser Stelle, die zur Verwaltung für Finanzen gehörte, unter dem Vorbehalt genehmigt, daß ihre Planungen ausschließlich unter vierzonalem Aspekt erfolgen und die Ergebnisse nur dem Bipartite Control Office zur Verfügung stehen dürften. Im März 1948, nach der Wahl Erhards zum Direktor für Wirtschaft, übernahm der Münchner Stadtkämmerer Erwin Hielscher den Vorsitz. Anfang 1948 verlangten die Alliierten die Ergebnisse zu sehen, die im Februar in Gestalt eines Gesetzentwurfs »zur Neuordnung des Geldwesens« vorgelegt wurden. Daß die Alliierten die Methode, den Inhalt und den Zeitpunkt der Währungsreform selbst bestimmen würden, war den Deutschen klargemacht worden, aber im Frühjahr 1948, als in den drei Westzonen die letzten Vorbereitungen für die Umstellung liefen, während das neue Geld (seit Oktober 1947) in den Vereinigten Staaten gedruckt wurde, als zum 1. März die »Bank deutscher Länder« errichtet wurde, erging trotzdem an den deutschen Sachverständigenstab in Bad Homburg noch eine Einladung zur Mitwirkung.

Die Rolle, die die deutschen Währungsexperten spielen sollten, war sehr bescheiden – es ging um technische Details –, und die Umstände, unter denen sie mitwirkten, waren höchst kurios. Die vom Währungsausschuß des Wirtschaftsrats nominierten acht Experten sowie zwei Herren aus der französischen Zone und ihr Troß von Dolmetschern und Sekretärinnen – insgesamt etwa 25 Personen – wurden am 20. April 1948 in einen Omnibus verladen, dessen Fenster undurchsichtig waren, und an einen ihnen unbekannten Ort gebracht, wo sie bis zum 8. Juni in völliger Abgeschiedenheit von der Außenwelt, zwar glänzend verpflegt, aber in trübseliger Umgebung schlecht untergebracht, mit den alliierten Sachverständigen konferierten. Auf deutscher Seite fungierte Erwin Hielscher als Delegationsleiter gegenüber den Alliierten, er verließ aber am 21. Mai die Veranstaltung, weil seine »Vorstellungen über die Härte des Eingriffs und über die Stärke der Durchführungsinstanzen nicht durchgedrungen« waren[44]. Hielscher plädierte nämlich für die »stärkste Anspannung der Staatsautorität« bei der Durchführung der Währungsreform, auf monetäre Maßnahmen allein wollte er sich nicht verlassen. Die Alliierten waren durch drei hochkarätige Fachleute und Funktionäre der Militärregierungen vertreten: Jack Bennet (USA), Sir Eric Coats (Großbritannien) und

[44] Erwin Hielscher, Der Leidensweg der deutschen Währungsreform. München 1948, S. 60f.

Leroy Beaulieu (Frankreich). Den Gang der Dinge bestimmte aber ein junger Amerikaner, Leutnant Edward Tenenbaum, der mit knapp 25 Jahren Assistent des Finanzberaters von General Clay war, und der die amerikanischen Währungspläne zielstrebig und erfolgreich gegen deutsche und alliierte Widerstände durchsetzte. Von den deutschen Sachverständigen war im »Konklave von Rothwesten« – wie die Arbeitstagung nachträglich genannt wurde, als die Teilnehmer erfahren hatten, daß ihre Kasernierung in der Nähe Kassels auf einem Flugplatz der US-Air Force stattgefunden hatte – lediglich verlangt worden, daß sie zur Durchführung der weitgehend festgelegten alliierten Pläne gesetzestechnische Formulierungshilfen leisten sollten[45]. Die deutschen Experten hatten zuerst geglaubt, sie könnten die Grundzüge der Währungsreform mitberaten und mitbestimmen, und sie hatten vom Wirtschaftsrat den Auftrag ins Konklave mitgenommen, den »Homburger Plan«[46] möglichst weitgehend durchzusetzen. Statt dessen mußten sie erst einmal die Texte der geplanten Gesetze und Verordnungen übersetzen, Formulare ausarbeiten und dergleichen Hilfsdienste tun. Den weiteren Sachverstand der Deutschen nahmen die alliierten Fachleute schließlich auch in Anspruch, aber von einer Mitgestaltung der Dinge konnte keine Rede sein.

Am Abend des 18. Juni 1948 erfuhr dann die deutsche Öffentlichkeit die Einzelheiten der zwei Tage später beginnenden Reform: Mit dem Verfall der »Reichsmark« am 20. Juni 1948 galten auch alle Schulden des Reiches als erloschen. Private Verbindlichkeiten und alle Bank- und Sparguthaben wurden im Verhältnis 10 : 1 abgewertet; als »Kopfquote« erhielt jeder Bürger fürs erste 40 »Deutsche Mark« in bar. Nach Abschluß aller Maßnahmen – die zweite Rate der Kopfquote von 20 DM wurde im August/September ausgezahlt – betrug die Umtauschrelation insgesamt 100 Reichsmark zu 6,50 DM[47]. Die größte Leistung bei der technischen Durchführung der Währungsreform

[45] Eckhard Wandel, Die Entstehung der Bank deutscher Länder und die deutsche Währungsreform 1948. Die Rekonstruktion des westdeutschen Geld- und Währungssystems 1945–1949 unter Berücksichtigung der amerikanischen Besatzungspolitik. Frankfurt a. M. 1980, S. 106 ff.
[46] Hans Möller (Hrsg.), Zur Vorgeschichte der Deutschen Mark. Die Währungsreformpläne 1945–1948. Basel, Tübingen 1961, S. 477 ff.
[47] Sparguthaben wurden generell im Verhältnis 10 : 1 umgewandelt, das Kopfgeld wurde aber damit verrechnet, und das Neugeldguthaben war zunächst nur zur Hälfte verfügbar, die andere Hälfte kam auf ein Sperrkonto.

war – neben der Geheimhaltung des genauen Termins, den auch die Spitzen der deutschen Verwaltung erst im letzten Moment erfuhren – der Transport und die Verteilung des neuen Geldes, das seit Frühjahr 1948 in Kisten aus New York über Bremerhaven nach Frankfurt geliefert worden war, wo es im Keller des Gebäudes der ehemaligen Reichsbank lagerte. Zwei Tage vor ihrer Ausgabe wurden die neuen Banknoten von Militäreinheiten per LKW, zum Teil auch per Bahn, zu den Ausgabestellen gebracht. Man hatte die Ernährungsämter in die Verteilung einbezogen, da mit Hilfe der Unterlagen für die Lebensmittelkarten am ehesten zu gewährleisten war, daß jeder in den Besitz seines »Kopfgeldes« kam.

Das Datum des »Tages X« war so lange wie möglich geheimgehalten worden. Trotzdem wurde in den Tagen vor dem 20. Juni in den Läden nichts mehr angeboten. Obgleich die Geschäftsleute ihre Waren horteten, versuchte jeder, für seine wertlosen Reichsmark noch irgend etwas zu erhandeln. Der Schwarze Markt erlebte seinen letzten Höhepunkt. Nach dem 20. Juni 1948 änderte sich die Situation schlagartig, die Lager wurden geöffnet, die Schaufenster waren gefüllt. In der sowjetischen Zone gab es drei Tage später eine eigene Währungsreform: Sie wirkte etwas improvisiert und war, da die dortige Besatzungsmacht schon 1945 Banken und Sparguthaben stillgelegt und damit etwa 70 Milliarden RM aus dem Verkehr gezogen hatte, weniger dringlich gewesen[48]. Sie machte aber die Spaltung Deutschlands um so deutlicher und endgültig sichtbar. Denn gleichzeitig mit der Währungsreform waren in der Bizone (und daß sich die französische Zone dem System der Bizone anpassen würde, war im Sommer 1948 nur noch eine Frage der Zeit) auch die Weichen für eine andere Wirtschaftsordnung gestellt worden. Während in der sowjetischen Zone die Zentralverwaltungswirtschaft mit staatlich gelenkten Produktionsplänen, Preisen und Löhnen beibehalten wurde, kehrte die Bizone zur wettbewerbsorientierten Marktwirtschaft zurück. Das erschien 1948 als atemberaubendes Experiment, von vielen mit

[48] Da neue Banknoten in der SBZ noch nicht zur Verfügung standen, wurden die alten RM-Scheine mit Kupons überklebt (»Tapetenmark«). In der SBZ betrug das Kopfgeld 70 Mark, Sparguthaben bis 100 Mark wurden im Verhältnis 1:1, weitere 900 Mark im Verhältnis 5:1, höhere Beträge im Verhältnis 10:1 umgestellt. Die Währungsreform war nach dem Vorgehen in den Westzonen notwendig geworden, denn das im Westen abgewertete Geld hätte, im Osten weiter gültig, die Inflation in die SBZ importiert.

Argwohn und Skepsis beobachtet. Die Kritiker der kapitalistischen Wirtschaft befanden sich damals keineswegs hoffnungslos in der Minderheit. Auch die CDU hatte ja mehrmals programmatisch gegen das kapitalistische System Stellung genommen. Während sie aber ihre Forderungen wieder begrub, vertraten die SPD und die Gewerkschaften den Gedanken einer staatlich gelenkten Wirtschaft noch lange Zeit. Sie hatten gute Gründe dafür, denn alles deutete darauf hin, daß Preissteigerungen und Arbeitslosigkeit zwangsläufig Folgen der Währungsreform und der gleichzeitigen Liberalisierung der Wirtschaft sein würden.

Die Währungsreform begünstigte einseitig die Besitzer von Sachwerten und kam einer weitgehenden Enteignung der Geldwertbesitzer gleich, weil das Eigentum an Grund und Boden, an Produktionsmitteln und Waren von der Neuordnung unberührt blieb. Trotz der Beteuerungen aller Parteien, ein gerechter Lastenausgleich gehöre zu den dringlichsten Aufgaben des Augenblicks[49], dauerte es noch Jahre, bis die größten Härten durch entsprechende Gesetze gemildert wurden[50]. Wegen der Unsicherheit, wie der Lasten- und Vermögensausgleich schließlich aussehen würde, drohten Erscheinungen wie das Horten von Waren sich zu wiederholen. Zunächst wurden Lohnabhängige ohne Sachbesitz von der Währungsreform benachteiligt und das gleich doppelt: einmal durch die Abwertung und Verknappung des Geldes und zum zweiten durch die Lockerung der Bewirtschaftung und des Preisstopps.

Schneller als die Regelung des Lastenausgleichs kam die Reform der Steuergesetzgebung zustande, die im Zusammenhang mit der Währungsreform ebenfalls zu den Problemen höchster Dringlichkeit gehörte. Der Direktor der bizonalen Finanzver-

[49] SOPADE Informationsdienst Nr. 502 v. 22. 6. 1948, Nr. 503 v. 23. 6. 1948, Nr. 513 v. 5. 7. 1948.
[50] Die Lastenausgleichsgesetze vom 14. August 1952 verfügten Vermögens-, Hypothekengewinn- und Kreditgewinnabgaben, die einen Ausgleichsfonds speisten, aus dem Leistungen wie die Hauptentschädigung, Kriegsschadensrente, Hausratsentschädigungen oder Währungsausgleich für Spargutachen an den Personenkreis gewährt wurden, der durch Vertreibung und Verluste in der Kriegs- und Nachkriegszeit große Schäden erlitten hatte oder durch die Währungsreform besonders hart betroffen war. Als vorläufige Maßnahmen hatte der Wirtschaftsrat am 8. August 1949 ein Soforthilfegesetz, am 10. August 1949 ein Flüchtlingssiedlungsgesetz und bereits am 2. September 1948 ein Hypothekensicherungsgesetz erlassen.

waltung, Alfred Hartmann, hatte schon im April gegenüber den
Militärgouverneuren für die Gleichzeitigkeit von Steuer- und
Währungsreform plädiert, weil die Steuerbelastungen, die aufgrund der Gesetzgebung des Kontrollrats vom Februar 1946
galten, nach Einführung des neuen Geldes für Privathaushalte
untragbar und für Industrie und Gewerbe investitionshemmend
sein würden. Angesichts der Wertlosigkeit der Reichsmark war
die Steuerlast bis zum Sommer 1948 als weniger drückend empfunden worden. Die Militärgouverneure bestanden darauf, daß
die neuen Steuergesetze, die in Frankfurt vorbereitet wurden,
gleichzeitig in allen Westzonen in Kraft traten. Das machte wiederum Verhandlungen der Briten und Amerikaner mit den
Franzosen erforderlich, außerdem mußten die legislativen Akte,
zunächst das »Gesetz zur vorläufigen Neuordnung von Steuern« vom 22. Juni 1948, als Gesetze der Militärregierungen erlassen werden; das war ein Wermutstropfen, aber es gelang
doch, die Steuerreform mit der französischen Zone zu synchro-
nisieren, und im Gegensatz zur Währungsreform war die Sub-
stanz der Steuerneuordnungsgesetze das Ergebnis deutscher Initiative und deutscher Beratungen.

Die bedeutendste Veränderung im Zuge der Währungsreform, der Abbau der Bewirtschaftung, wurde später Ludwig
Erhard, dem Chef der bizonalen Verwaltung für Wirtschaft,
nahezu ausschließlich persönlich gutgeschrieben. Das machte
ihn zur legendären Gestalt, zur Inkarnation des »Wirtschafts-
wunders« und zur Wahllokomotive der CDU/CSU bis in die
sechziger Jahre. Ein Parteipolitiker war er freilich nie so recht;
seine politische Karriere hatte er als Parteiloser begonnen, im
Wirtschaftsrat war er auf Betreiben der FDP, die ihn zu den
ihren rechnete, zum Direktor des Wirtschaftsressorts gewählt
worden, und der CDU trat er förmlich erst in den sechziger
Jahren bei, ehe er Vorsitzender und Bundeskanzler wurde.

Erhard vertrat engagiert das Konzept der neoliberalen Schule
der Nationalökonomie, das im wesentlichen von Alfred Müller-
Armack ausgeformt wurde und, als »Soziale Marktwirtschaft«
propagiert, den Wettbewerbsgedanken an die Stelle des staatlichen Dirigismus setzte. Die nötigen Vollmachten zum Abbau
der Zwangswirtschaft hatte Erhard in Gestalt der »Leitsätze für
die Bewirtschaftung und Preispolitik nach der Geldreform«[51]

---

[51] Gesetz über Leitsätze für die Bewirtschaftung und Preispolitik nach der
Geldreform vom 24. Juni 1948. In: Gesetz- u. VO-Blatt des Wirtschaftsrates

vom Wirtschaftsrat erhalten. In rascher Folge wurden nach dem 20. Juni 1948 die Preis- und Rationierungsvorschriften aufgehoben. Lediglich besonders wichtige Güter wie Kohle, Stahl, Düngemittel und Treibstoffe blieben durch festgesetzte Höchstpreise bewirtschaftet, und für Grundnahrungsmittel und Mieten gab es auch weiterhin Festpreise. Die Rationierung von Kartoffeln wurde schon im Oktober 1948 aufgegeben, die Rationierung des Zuckers dagegen erst im April 1950; Treibstoff blieb bis 1951, Kohle bis 1952 bewirtschaftet.

Die Befürchtungen der Sozialdemokraten und Gewerkschafter erwiesen sich bald als zutreffend. Die Schere zwischen Löhnen und Preisen öffnete sich nach der Währungsreform erst einmal weit, die Leidtragenden waren die Lohnabhängigen. Der Zustand der Marktwirtschaft, bei dem sich Angebot und Nachfrage durch freie Preise gegenseitig regulieren, war mit dem Kaufkraftstoß zu plötzlich über die Bevölkerung hereingebrochen. Weder Käufer noch Verkäufer zeigten sich der Situation gewachsen. In den ersten Tagen waren die Läden leergekauft worden, dann reagierten die ratlosen Konsumenten erbost gegen die Hektik, mit der die Preise in die Höhe kletterten. Mancherorts gab es Käuferstreiks oder gar handgreifliche Auseinandersetzungen wegen überhöhter Lebensmittelpreise. Ein großer Teil der Presse verlangte den Abbruch des marktwirtschaftlichen Experiments und die Entfernung des allem Anschein nach unfähigen Politikers Erhard. Im Wirtschaftsrat stellte die Opposition im Sommer und Herbst 1948 zweimal Mißtrauensanträge gegen ihn[52].

Erhard, dessen Wirtschaftspolitik damals auch in den eigenen Reihen und namentlich bei der CSU umstritten war, rechtfertigte sein Vorgehen am 28. August 1948 auf dem 2. Parteikongreß der CDU der britischen Zone in Recklinghausen: »Die Alternative ist klar gestellt: Entweder Sie behalten die Zwangs-

1947–1949, S. 59–60; vgl. auch Wörtl. Berichte des Wirtschaftsrats 17./18. 6. 1948, S. 623–677. Das Leitsätzegesetz war mit dem Tag der Währungsreform in Kraft getreten, es war bis zum 31. Dezember 1948 befristet, wurde jedoch mehrfach verlängert und geändert. Die Grundtendenz war in den Rahmenbestimmungen deutlich: »Der Freigabe aus der Bewirtschaftung ist vor ihrer Beibehaltung der Vorzug zu geben« bzw. »Der Freigabe der Preise ist vor der behördlichen Festsetzung der Vorzug zu geben.«

[52] Am 17. August 1948 wurde Erhards Entlassung als Direktor der Verwaltung für Wirtschaft mit 47 gegen 35 Stimmen abgelehnt (Wörtl. Berichte, S. 786 ff.), am 10. November 1948 forderte die SPD erneut seine Abberufung, das wurde mit 52 gegen 43 Stimmen abgelehnt (Wörtl. Berichte, S. 1127).

wirtschaft mit all ihren Scheußlichkeiten bei, oder aber Sie nehmen die Pressionen der Marktwirtschaft bewußt in Kauf in der Erwartung, daß die lebendigen Kräfte des Marktes den Ausgleich schaffen.« Bei allem Optimismus war sich Erhard freilich der Übergangsschwierigkeiten bewußt: »Ich bleibe dabei – und die Entwicklung wird mir rechtgeben –, daß, wenn jetzt das Pendel der Preise unter dem psychologischen Druck kostenerhöhender Faktoren und unter dem psychologischen Druck dieses Kopfgeldrausches die Grenzen des Zulässigen und Moralischen allenthalben überschritten hat, wir doch bald in eine Phase eintreten, in der über den Wettbewerb die Preise wieder auf das richtige Maß zurückgeführt werden – und zwar auf das Maß, das ein optimales Verhältnis zwischen Löhnen und Preisen, zwischen nominalem Einkommen und Preisniveau sicherstellt.«[53]

Wenig später setzten sich die Sozialdemokraten auf ihrem Parteitag in Düsseldorf mit der Wirtschaftspolitik Erhards auseinander. Ihr Konzept sah als Alternative zur »sozialen Marktwirtschaft« freilich nicht die unbedingte Aufrechterhaltung der Zwangswirtschaft vor. Die Hauptangriffe gegen Erhard galten dem Zeitpunkt und den unmittelbaren Folgen der Aufhebung der Bewirtschaftung. Neben dem Vorwurf, allzu akademisch und theoriegläubig zu handeln, wurde Erhard vor allem angekreidet, daß der neue Wirtschaftskurs einseitig Industrie und Handel zugute komme, die keine Sachwerte besitzenden Bevölkerungsschichten hingegen schwer benachteilige. Ziel des sozialdemokratischen Wirtschaftsprogramms war die Hebung des allgemeinen Lebensstandards; das schien der SPD damals aber nur möglich unter Verzicht auf das marktwirtschaftliche Modell. Sie forderte daher Planung in großen Zügen bei gleichzeitiger Demokratisierung der Lenkungsmechanismen: »Die Wirtschaft kann sich nicht selbst überlassen bleiben. Der Traum vom ausgleichenden, segensreichen Spiel der freien Kräfte ist ausgeträumt. Der Staat muß zusammen mit paritätisch aus Arbeitgebern und Arbeitnehmern aller Wirtschaftskreise zusammengesetzten Körperschaften der Wirtschaft die Richtung ihrer Tätigkeit durch eine Planung in großen Umrissen weisen.«[54]

Die Gewerkschaften der britischen und amerikanischen Zone

[53] Zitat nach: Ludwig Erhard, Deutsche Wirtschaftspolitik. Der Weg der Sozialen Marktwirtschaft. Düsseldorf 1962, S. 76 f.
[54] Protokoll der Verhandlungen des Parteitages der Sozialdemokratischen Partei Deutschlands vom 11. bis 14. September 1948 in Düsseldorf, S. 137.

– die 4,5 Millionen organisierte Arbeiter repräsentierten – riefen schließlich im November 1948 zum Generalstreik »gegen die Anarchie auf den Warenmärkten und gegen das weitere Auseinanderklaffen von Löhnen und Preisen« auf. In einem Zehn-Punkte-Programm forderten sie unter anderem: die amtliche Verkündung des wirtschaftlichen Notstandes, die Einsetzung eines Preisbeauftragten und den Erlaß eines Preiskontroll- und Preiswuchergesetzes, drakonische Strafen für Steuerbetrüger, die Erfassung von Sachwertbesitz und Sachwertgewinn aus Warenhortung und Preiswucher zur Verwendung im Lastenausgleich, die Wiederherstellung der vollen Bewirtschaftung im Ernährungsbereich, die Planung und Lenkung auf dem Gebiet der gewerblichen Wirtschaft, insbesondere bei Rohstoffen, Energie und Krediten, Außenhandel und Großverkehr, die Überführung der Grundstoffindustrie und der Kreditwirtschaft in Gemeinwirtschaft und die gleichberechtigte Mitwirkung der Gewerkschaften in allen Organen der wirtschaftlichen Selbstverwaltung zur Demokratisierung der Wirtschaft[55].

Etwa 9 Millionen Arbeiter folgten dem Streikaufruf am 12. November 1948 und demonstrierten mit einer 24stündigen Arbeitsruhe gegen die Marktwirtschaft. Damit war der Höhepunkt der Proteste gegen die Marktwirtschaft erreicht, die Auseinandersetzungen um die Wirtschaftsordnung dauerten aber an; sie standen ein halbes Jahr später im Mittelpunkt des Wahlkampfes für den ersten Deutschen Bundestag.

Neben den erwünschten ökonomischen und den in Kauf genommenen sozialen und politischen Folgen der Währungsreform – der endgültigen Abkopplung der Sowjetzone vom Wirtschaftsraum des westlichen Teils Deutschlands und der im Sommer 1948 nicht überschaubaren Entwicklung der Berlin-Blockade – hatte der Geldschnitt im Juni 1948 auch Konsequenzen für das kulturelle Leben. Die Theater und Kinos, die zur Zeit des alten Geldes floriert hatten, blieben erst einmal leer. Die Filmbranche erholte sich bald wieder, aber für das Theaterleben war der Einschnitt von Dauer: Bei den öffentlich subventionierten Bühnen wurden die Gagen gesenkt, um durch billigere Eintrittspreise die Zuschauer wieder anzulocken, die Privattheater kümmerten aber dahin, und vielen ging der Atem

[55] Die Neue Zeitung, 9. 11. 1948; vgl. auch Gerhard Beier, Der Demonstrations- und Generalstreik vom 12. November 1948. Im Zusammenhang der parlamentarischen Entwicklung Westdeutschlands. Frankfurt a. M., Köln 1975.

schließlich ganz aus. Von den 115 Privattheatern, die 1947 in den Westzonen gespielt hatten, waren 1950 noch ganze 31 übriggeblieben. Die Zahl der im Theaterbetrieb insgesamt Beschäftigten ging von rund 28000 im Jahr 1947 auf etwa 17000 im Jahr 1950 zurück[56].

Eher noch drastischer waren die Folgen der Währungsreform auf einem anderen Feld der Kultur: Die schöngeistigen, philosophischen, politisch-kulturellen, christlichen, esoterischen und sonstigen Kulturzeitschriften welkten im zweiten Halbjahr 1948 dahin, bis sie schließlich zu Dutzenden eingingen. Seit 1946, als die meisten dieser Blätter gegründet wurden, hatte sich eine Sturzflut von Aufsätzen, Essays, Gedichten und ähnlicher Literatur über das Publikum ergossen, das die Zeitschriften auch kaufte. Viele hatten programmatische Titel wie ›Horizont‹ oder ›Der Standpunkt‹, ›Begegnung‹ (Zeitschrift für Kultur und Geistesleben), ›Neues Abendland‹ (Zeitschrift für Politik, Kultur und Geschichte) oder ›Die Lücke‹ (Monatsschrift für Bildung, Wissen, Lebensführung); andere hießen ›Die Besinnung‹, ›Die Fähre‹, ›Neubau‹ (Blätter für neues Leben aus Wort und Geist), einige wurden legendär, wie die ›Nordwestdeutschen Hefte‹, die Axel Eggebrecht und Peter von Zahn im Auftrag des Nordwestdeutschen Rundfunks herausgaben, ›Das Goldene Tor‹ Alfred Döblins oder ›Der Ruf‹, der von Alfred Andersch und Hans Werner Richter redigiert wurde, bis aufgrund einer Intervention der amerikanischen Militärregierung im April 1947 ein neuer Herausgeber, Erich Kuby, bestellt wurde. Das führte zu einer eigenen Legende, dem »Verbot des Rufs«, aber auch zur Gründung der »Gruppe 47«, dem zumindest für das Anfangsjahrzehnt der Bundesrepublik bedeutendsten Schriftsteller- und Literatenzirkel. Einige, die wenigsten, der damals wieder- oder neugegründeten Zeitschriften überlebten, wie ›Die Frankfurter Hefte‹ von Eugen Kogon und Walter Dirks oder der ›Merkur‹. Das Sterben der meisten vollzog sich auf ähnliche Weise wie bei der Zeitschrift ›Ende und Anfang‹, die vor der Währungsreform eine Auflage von 15000 bis 20000 Exemplaren gehabt hatte, und damals, wie andere auch, ein Vielfaches davon hätte absetzen können; im September 1948 wurden noch 10000, im Oktober 7000, im Dezember 4000 Exemplare verkauft, und im Februar 1949 teilte die Redaktion mit, daß das

---

[56] Henning Rischbieter, Theater. In: W. Benz (Hrsg.), Die Bundesrepublik Deutschland. Band 3: Kultur. Frankfurt a. M. 1983, S. 78.

nächste Heft erst erscheine, wenn Klarheit über das finanzielle Schicksal der Halbmonatsschrift herrsche. Ein nächstes Heft erschien nie[57]. Daß die Amerikaner ›Ende und Anfang‹ im Sommer 1948 für drei Monate die Lizenz entzogen hatten, war ein Sonderfall, der auf den finanziellen Ruin des Blattes keinen Einfluß hatte.

Die Amerikaner spürten die Folgen der Währungsreform bei ihrer eigenen Gazette besonders drastisch: ›Die Neue Zeitung‹, das Organ der Militärregierung (»eine amerikanische Zeitung für Deutschland« hieß es im Untertitel ganz offiziell, im Gegensatz etwa zur Zeitung ›Die Welt‹, die das offiziöse Sprachrohr der britischen Militärregierung war, was freilich nicht auf der Titelseite kundgemacht war), hatte im April 1948 eine Auflage von 2 Millionen Exemplaren, im Mai 1949 waren es keine 400 000 mehr, im Juli 1949 waren es weniger als 300 000. Die Zeitung selbst, unter amerikanischer Leitung von Deutschen und Amerikanern in München gemacht (hergestellt wurde sie auf den Maschinen, mit denen einst der ›Völkische Beobachter‹ gedruckt worden war), galt als die beste Zeitung der ersten Nachkriegsjahre überhaupt, nicht nur wegen ihrer vorbildlichen Berichterstattung im Nachrichtenteil, sondern mehr noch wegen ihres Feuilletons, das anfangs Erich Kästner leitete und in dem so ziemlich alle schrieben, die in der westlichen Welt Rang und Namen hatten. ›Die Neue Zeitung‹ war für viele, die bis zur Währungsreform das Blatt neben einer lokalen Zeitung abonniert hatten, der Ort, wo sie der Literatur und Kultur des Auslands, natürlich auch handfester Propaganda für den *american way of life,* zum erstenmal begegneten.

Die Sanierung der Währung war aber auch die wichtigste Voraussetzung für die Beteiligung Westdeutschlands am Marshall-Plan. Weil dessen Vorbereitungen seit Herbst 1947 liefen, hatten die Amerikaner zur Eile gedrängt, hatten sie schon die Banknoten in Washington und New York drucken lassen, während sie noch mit der Sowjetunion über eine vierzonale Währungsreform verhandelten. Das European Recovery Program (ERP) war zunächst eine Offerte der Vereinigten Staaten an die europäischen Volkswirtschaften, mit der auch ein multilateraler Ersatz für die 1947 auslaufenden zweiseitigen Hilfsverträge zwischen den USA und Großbritannien sowie Frankreich ge-

[57] Georg Böhringer, Zeitschriften der jungen Generation. In: Gerhard Hay (Hrsg.), Zur literarischen Situation 1945–1949. Kronberg 1977, S. 97.

schaffen werden sollte. Ganz unabhängig von der Truman-Doktrin, mit der der amerikanische Präsident am 12. März 1947 allen Staaten (und speziell Griechenland und der Türkei), deren Freiheit durch den Kommunismus bedroht sei, materielle Hilfe versprochen hatte, beruhte der Marshall-Plan auf ökonomischen Überlegungen, die freilich durch die zeitgleichen Ereignisse der Ost-West-Konfrontation solche politische Qualität erhielten, daß schließlich Ursachen und Wirkungen nur noch schwer auseinanderzuhalten waren. Zwischen der Ankündigung des Programms im Juni 1947, der Bewilligung der notwendigen Gelder durch den Kongreß und schließlich der Unterzeichnung des »Foreign Assistance Act of 1948« am 3. April 1948 hatte sich eine Menge ereignet: Moskau hatte Polen und der Tschechoslowakei die Teilnahme am Marshall-Plan untersagt (die östliche Besatzungszone Deutschlands war durch das sowjetische Nein automatisch vom ERP ausgeschlossen), die fünfte Konferenz des Rats der Außenminister war im Dezember 1947 in London nach endlosem Streit abgebrochen worden. Im Februar 1948 hatten die tschechoslowakischen Kommunisten mit Hilfe der Sowjetunion durch einen Putsch die Macht in Prag ergriffen. Aus Protest gegen den Brüsseler Fünfmächtepakt, der als Militärbündnis Großbritanniens, Frankreichs und der Benelux-Staaten als Keimzelle der NATO am 17. März 1948 unter dem Namen »Westunion« abgeschlossen wurde, sprengte Marschall Sokolowskij am 20. März 1948 durch seinen demonstrativen Auszug den Alliierten Kontrollrat. Das war natürlich auch ein Protest gegen den Marshall-Plan und die Deutschlandpolitik der westlichen Verbündeten, jedenfalls hatte der sowjetische Militärgouverneur damit die Viermächte-Kontrolle Deutschlands aufgekündigt und wenig später demonstrationshalber und probeweise die erste Blockade Berlins verhängt.

In der Situation des Kalten Krieges war es schon gleichgültig, was im einzelnen jeweils Ursache und was Wirkung war, darüber wurde auch später, als man den Marshall-Plan allzu schnell als ökonomisches Instrument der antikommunistischen Truman-Doktrin abtat, vergessen, welche Innovation er bedeutete, daß er die Initialzündung für die europäische Integration gewesen war, daß Westdeutschland im Rahmen der Marshall-Plan-Organisation zum erstenmal nicht nur als ehemaliger Feind und Besiegter, sondern als künftiger Partner gesehen wurde. Die sechzehn Staaten, die der amerikanischen Einladung folgend im

Juli 1947 zur Konferenz für wirtschaftliche Zusammenarbeit Europas zusammengetreten waren, hatten im September dem US-Außenminister einen ausführlichen Bericht vorgelegt, der einen Anhang ›Deutschland betreffende Probleme‹ hatte, in dem die ehemaligen Kriegsgegner eingangs erklärten, bei der Aufstellung einer Bilanz der Hilfsquellen und des europäischen Bedarfs sei es unerläßlich, Deutschland zu berücksichtigen, es dürfe freilich der deutschen Wirtschaft nicht erlaubt sein, sich zum Nachteil der übrigen europäischen Länder zu entwickeln, wie dies in der Vergangenheit geschehen sei: »Wenn aber die europäische Zusammenarbeit Wirklichkeit werden soll, muß sich die deutsche Wirtschaft einfügen, um so zur allgemeinen Verbesserung des Lebensstandards beizutragen« (damit war vor allem die internationale Kontrolle der Ruhrkohlengruben gemeint), und weiter war zu lesen: »Die übrigen westeuropäischen Länder werden so lange nicht gedeihen können, als die Wirtschaft der Westzonen gelähmt sein wird, und es wird eine wesentliche Steigerung des Ertrags dieser Zonen nötig sein, wenn gewünscht wird, daß Europa aufhöre, von äußerer Hilfe abhängig zu sein.«[58]

Im Vordergrund des amerikanischen Interesses zur Stabilisierung der ökonomischen Situation in Europa standen Frankreich, Großbritannien und Italien; Westdeutschland kam, auch im Volumen der Finanzhilfe, an vierter Stelle. Die ›Konvention für europäische wirtschaftliche Zusammenarbeit‹, die als Gründungsakt der OEEC (Organization for European Economic Cooperation) am 16. April 1948 in Paris unterzeichnet wurde, war der erste Schritt Westdeutschlands in die internationale Staatengemeinschaft, auch wenn die drei Militärgouverneure noch stellvertretend für die Bizone und das französische Besatzungsgebiet im Juli 1948 den Vertrag mit Washington unterzeichnet hatten und in der OEEC auch weiterhin als Vormünder Westdeutschlands fungierten. Am 11. September 1948 wurde der Umfang des Kredits bekanntgegeben: Die Bizone erhielt für das Marshall-Plan-Jahr 1948/49 414 Millionen Dollar, die französische Zone 100 Millionen. Bis zum Ende der Marshall-Plan-Ära 1951/52 flossen rund 1,5 Milliarden Dollar nach Westdeutschland[59].

---

[58] Die Wiedergesundung Europas. Schlußbericht der Pariser Wirtschaftskonferenz der sechzehn Nationen. Oberursel 1948, S. 30.
[59] Davon war eine Milliarde innerhalb von 30 Jahren zu tilgen.

Als Institut des öffentlichen Rechts (im Rahmen der Bizone) wurde im November 1948 die »Kreditanstalt für Wiederaufbau« gegründet; sie nahm im Januar 1949 in Frankfurt ihre Tätigkeit auf. Diese Bank hatte die Aufgabe, die Wirtschaft mit mittel- und langfristigen Krediten zu versorgen, die zunächst aus Gegenwertfonds von GARIOA-Importen und dann aus Einfuhren des European Recovery Program (ERP) stammten. Die Gegenwertfonds wurden aus den Erlösen der amerikanischen Warenlieferungen gespeist; sie wuchsen allmählich zu einem beträchtlichen Vermögen an und bildeten eine wichtige Finanzierungsquelle für den Wiederaufbau. Aus dem vom Bundesministerium für Angelegenheiten des Marshall-Plans (später: für wirtschaftlichen Besitz des Bundes) verwalteten ERP-Sondervermögen wurden in den ersten zehn Jahren des Bestehens der Bundesrepublik rund 12 Milliarden DM Kredite und Zuschüsse zur Investitionslenkung an die Wirtschaft der Bundesrepublik und Westberlins verteilt. Schwerpunkte bildeten die Grundstoff-, die Energie- und die Verkehrswirtschaft. Die Wirkungen des Marshall-Plans reichten also weit über den Zeitraum der direkt von Amerika gewährten Hilfe hinaus. Auch die Tatsache, daß das entscheidende Rekonstruktionspotential der westdeutschen Wirtschaft aus der Vorkriegs- und Kriegszeit stammte, und daß der Anteil von Währungsreform und Marshall-Plan am Wirtschaftswachstum der Nachkriegszeit – dem »Wirtschaftswunder« der jungen Bundesrepublik – eher überschätzt wurde[60], schmälert die Leistungen des European Recovery Program nicht. Zunächst war die psychologische Wirkung beträchtlich, und diese wurde unmittelbar verstärkt, z. B. durch ein vorweggenommenes 400-Millionen-Dollar-Importprogramm der Bizone für 1948. Dann stabilisierte das Europäische Wiederaufbauprogramm die westdeutsche Wirtschaft auch durch die Folgeinvestitionen privaten US-Kapitals; dem reichlichen Angebot an Arbeitskräften stand ja ein erheblicher Mangel an Kapital gegenüber, und der lebenswichtige Anstieg der westdeutschen Exporte wäre ohne das ERP-Instrumentarium kaum so schnell möglich gewesen[61]. Die nachhaltigste Folge des Marshall-Plans bestand aber in der Einbindung der west-

---

[60] Werner Abelshauser, Wirtschaft in Westdeutschland 1945–1948. Rekonstruktion und Wachstumsbedingungen in der amerikanischen und britischen Zone. Stuttgart 1975, S. 163 f.
[61] Werner Link, Der Marshall-Plan und Deutschland. In: aus politik und zeitgeschichte B 50/80 (1980), S. 3–18.

deutschen Volkswirtschaft in ein (west)europäisches Wirtschaftssystem, und das war eine wesentliche Vorgabe für die politische Staatsgründung, die sich zeitgleich mit den ökonomischen Weichenstellungen 1948/49 vollzog.

4. Der Auftrag zur Staatsgründung. Die Frankfurter Dokumente und die Reaktion der Ministerpräsidenten

Das Scheitern der Londoner Außenministerkonferenz im Dezember 1947 beschleunigte die Bereitschaft und die Vorbereitungen zur Gründung eines westdeutschen Staates auf seiten der USA und Großbritanniens. Das zeigte sich in Deutschland in der Neuorganisation der Bizonen-Administration im Januar 1948, und auf diplomatischem Parkett bemühten sich die beiden Westmächte im unmittelbaren Anschluß an die Londoner Konferenz um die Zustimmung Frankreichs zu ihren Deutschlandplänen. Die Gespräche auf der Dreimächteebene, bei denen Paris Zusicherungen in der Saarfrage und im Hinblick auf die internationale Kontrolle des Ruhrgebiets gemacht wurden, mündeten in die Verhandlungsrunden einer Sechsmächtekonferenz, die in London vom 23. Februar bis 5. März und vom 20. April bis 2. Juni 1948 stattfanden. Zur Erörterung des Deutschlandproblems hatten die drei Besatzungsmächte auch die westlichen Anrainerstaaten Deutschlands, Belgien, die Niederlande und Luxemburg, eingeladen. Das Hauptproblem der Londoner Sechsmächtekonferenz bestand darin, Frankreich und den Benelux-Ländern das anglo-amerikanische Konzept schmackhaft zu machen, das, als Vorbedingung der Einbindung Westdeutschlands in ein europäisch-atlantisches System, einen staatsrechtlichen Rahmen für die drei Besatzungszonen vorsah. Nach langwierigen Verhandlungen, bei denen auch die französischen Wünsche nach einem möglichst lockeren deutschen Staatenbund eine Rolle spielten, ergab sich ein Minimalkonsens, der in den Londoner Empfehlungen vom Juni 1948 seinen Ausdruck fand. Im Schlußkommuniqué der Sechsmächtekonferenz waren das Programm und die organisatorischen Umrisse einer neuen Konstitution Westdeutschlands wie folgt beschrieben: Diese Verfassung solle so beschaffen sein, daß sie es den Deutschen ermögliche, ihren Teil dazu beizutragen, die augenblickliche Teilung Deutschlands wieder aufzuheben, allerdings nicht

98

durch die Wiedererrichtung eines zentralistischen Reiches, sondern mittels einer föderativen Regierungsform, die die Rechte der einzelnen Staaten angemessen schützt und gleichzeitig eine angemessene zentrale Gewalt vorsieht und die Rechte und Freiheiten des Individuums garantiert[62].

Am 1. Juli 1948 empfingen die deutschen Länderchefs in Frankfurt aus der Hand der drei Militärgouverneure die Quintessenz der Londoner Empfehlungen in Gestalt der drei ›Frankfurter Dokumente‹. Bei der Zeremonie im IG-Farbenhaus verlas General Clay das erste Schriftstück, das die verfassungsrechtlichen Bestimmungen enthielt und dessen wichtigster Satz lautete: »Die verfassunggebende Versammlung wird eine demokratische Verfassung ausarbeiten, die für die beteiligten Länder eine Regierungsform des föderalistischen Typs schafft, die am besten geeignet ist, die gegenwärtig zerrissene deutsche Einheit schließlich wieder herzustellen, und die Rechte der beteiligten Länder schützt, eine angemessene Zentralinstanz schafft und die Garantien der individuellen Rechte und Freiheiten enthält.«[63] General Robertson trug das zweite Dokument vor, in dem die Neugliederung der Länder als wünschenswert bezeichnet und der entsprechende Auftrag dazu erteilt wurde. General Koenig machte, als er das dritte Dokument – Grundzüge eines Besatzungsstatuts – verlas, klar, wie eng der deutsche Spielraum auch im Rahmen der neuen Verfassung, die sich die Deutschen geben sollten, bleiben würde: Die Militärgouverneure stellten zwar einige Befugnisse in der Gesetzgebung, Verwaltung und Rechtsprechung in Aussicht, behielten sich aber u. a. die Wahrnehmung der Außenbeziehungen des zu gründenden Weststaats vor, ebenso die Kontrolle des Außenhandels, der Reparationsleistungen und die Aufsicht über den Stand der Industrie, über Dekartellisierung, Abrüstung, Entmilitarisierung und bestimmte Bereiche der wissenschaftlichen Forschung. Der alliierte Auftrag, wie er in den drei Dokumenten fixiert war, sah eine beschränkte und kontrollierte Selbstverwaltung der Deutschen im Rahmen eines Weststaats vor und zwar auf Probe und unter Kuratel, denn es hieß im dritten Dokument auch unmißverständlich: »Die Militärgouverneure werden die

[62] Schlußkommuniqué der Londoner Sechs-Mächte-Konferenz. In: Der Parlamentarische Rat 1948–1949. Akten und Protokolle. Bd. 1: Vorgeschichte. Bearb. v. Johannes V. Wagner. Boppard 1975, S. 12, künft. zit.: Parl. Rat I.
[63] Dokumente zur künftigen politischen Entwicklung Deutschlands (»Frankfurter Dokumente«), 1. 7. 1948. In: Parl. Rat I, S. 30f.

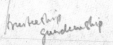

Ausübung ihrer vollen Machtbefugnisse wieder aufnehmen, falls ein Notstand die Sicherheit bedroht und um nötigenfalls die Beachtung der Verfassungen und des Besatzungsstatuts zu sichern.«[64]

Zur Diskussion der drei Dokumente und um die von den Alliierten erwartete Antwort auf ihre Vorschläge zu formulieren, konferierten die Ministerpräsidenten der drei Westzonen vom 8. bis 10. Juli 1948 auf dem Rittersturz bei Koblenz[65]. Zuvor und auch am Rande der Besprechungen der elf Länderchefs wurden die Frankfurter Dokumente auch von den Parteipolitikern diskutiert. Die von Konrad Adenauer, dem Vorsitzenden der CDU der britischen Zone, geleitete Besprechung der CDU-Landesvorsitzenden und der den Unionsparteien angehörenden Teilnehmer der Ministerpräsidentenkonferenz lehnte das Junktim von Besatzungsstatut und Verfassung ab, die Christdemokraten wollten auch, daß den Alliierten Gegenvorschläge zum Inhalt des Besatzungsstatuts gemacht würden. In der einstimmig gefaßten CDU/CSU-Resolution wurde die »Ermächtigung, eine politische und wirtschaftliche Neuordnung des Besatzungsgebiets der Westmächte auf föderativer Grundlage in die Wege zu leiten«[66], begrüßt. Überhaupt bemühte sich die Konferenz der Unionspolitiker, die Offerte der Militärgouverneure so pragmatisch-positiv wie irgend möglich zu bewerten. Die Reaktion der Sozialdemokraten, deren Länderchefs sich mit dem Parteivorstand am 7. Juli im Jagdschloß Niederwald bei Rüdesheim berieten, war viel zurückhaltender. In der SPD standen sich zwei Richtungen gegenüber. Die Bürgermeister von Hamburg, Max Brauer, und Bremen, Wilhelm Kaisen, und der hessische Ministerpräsident Christian Stock betrachteten die Frankfurter Dokumente als eine Grundlage, auf der man arbeiten könne. Die anderen verhielten sich abwartend bis ablehnend. Der hessische Justizminister Georg August Zinn und Erich Ollenhauer, der den kranken Parteichef Kurt Schumacher vertrat, vermittelten zwischen den Fronten mit dem Ergebnis, daß die SPD-Vertreter sich insgesamt, wenn auch zögernd, zur Mitarbeit bereit erklärten. Bei den Alliierten entstand aufgrund dieser Vorbesprechung der SPD-»Fraktion« der

[64] Parl. Rat I, S. 34.
[65] Konferenz der Ministerpräsidenten der westdeutschen Besatzungszonen, Koblenz (Rittersturz), 8.–10. 7. 1948. In: Parl. Rat I, S. 60 ff.
[66] Die CDU/CSU zu den Vorschlägen der Militärgouverneure. Resolution im Nachlaß Walter Strauß. Archiv IfZ, ED 94/139.

Ministerpräsidenten und der vorausgegangenen Beschlüsse des Parteivorstands vom 28./29. Juni der Eindruck, daß die Verhandlungsbereitschaft der Sozialdemokraten gering sei und daß von deren ultimativ klingenden Forderungen und Bedingungen die Hauptschwierigkeiten auf deutscher Seite zu erwarten seien[67]. Tatsächlich unterschied sich die Stimmung aber in beiden Parteien nicht wesentlich, die CDU/CSU argumentierte lediglich elastischer, während die Haltung der SPD wegen der Betonung der prinzipiellen Vorbehalte intransigenter wirkte, als sie es in Wirklichkeit war.

Hinter dem Provisoriumskonzept, dessen Terminologie (»Zweckverband administrativer Qualität« anstelle von »Staat«) wesentlich von Carlo Schmid geprägt wurde – die SPD hatte auch immer wieder die These verfochten, die eigentliche Verfassung werde das Besatzungsstatut sein[68] –, standen aber auch die anderen Parteien, natürlich nicht die KPD. Walter Strauß etwa, einer der wichtigsten Verfassungsväter der CDU, vertrat ebenfalls schon vor der Koblenzer Konferenz die Ansicht, daß einzig ein ›Verwaltungsstatut des westdeutschen Besatzungsgebietes‹ in Frage komme, daß es aber unmöglich auszuarbeiten sei, »wenn nicht vorher durch ein endgültiges Besatzungsstatut, zu dem die deutschen Stellen gehört werden müssen, die Kompetenzen zwischen der Besatzungsmacht und den deutschen Regierungsstellen klar und umfassend abgegrenzt worden sind«[69].

Reinhold Maier, neben fünf sozialdemokratischen und fünf christdemokratischen Kollegen der einzige Ministerpräsident, den die Freien Demokraten stellten, erinnerte sich an die Stimmung der Koblenzer Konferenz, als die deutschen Politiker zwar ein Staatswesen errichten, es aber nicht so nennen wollten. »Wie vom Himmel gefallen« sei da das Wort »Grundgesetz«, das sich »unserer Köpfe und Sinne, gewiß nicht der Herzen« bemächtigt habe. Die bescheidene Nomenklatur schien der Strohhalm, an den man sich klammern konnte, wenn man das

[67] Vgl. Werner Sörgel, Konsensus und Interessen. Eine Studie zur Entstehung des Grundgesetzes für die Bundesrepublik Deutschland. Stuttgart 1969, S. 40.
[68] Carlo Schmid, Gliederung und Einheit. Die verfassungspolitischen Richtlinien der SPD (August 1948). In: W. Benz (Hrsg.), Bewegt von der Hoffnung aller Deutschen. Zur Geschichte des Grundgesetzes. München 1979, S. 383f. und Kurt Schumachers Referat auf dem Düsseldorfer Parteitag der SPD (12. Sept. 1948): Einheit und Freiheit der Nation. Ebd., S. 484f.
[69] Walter Strauß, Verwaltungsstatut vor gesamtdeutscher Verfassung (4. Juli 1948). In: Bewegt von der Hoffnung, S. 446f.

Odium der definitiven Staatsgründung scheute[70]. Das Ergebnis der dreitägigen Konferenz bestand in den »Koblenzer Beschlüssen«, die als deutsche Antwort den Militärgouverneuren in Form einer »Mantelnote« sowie in detaillierten Stellungnahmen zu den drei Frankfurter Dokumenten zugestellt wurde. Das Schwergewicht der Argumentation gegenüber den Alliierten lag in der Betonung des Wunsches zur Einheit der Nation: »In Anbetracht der bisherigen Unmöglichkeit einer Einigung der vier Besatzungsmächte über Deutschland müssen die Ministerpräsidenten besonderen Wert darauf legen, daß bei der bevorstehenden Neuregelung alles vermieden wird, was geeignet sein könnte, die Spaltung zwischen West und Ost weiter zu vertiefen.« Eine deutsche Verfassung könne erst geschaffen werden – hieß es in der Mantelnote vom 10. Juli 1948 weiter –, »wenn das gesamte deutsche Volk die Möglichkeit besitzt, sich in freier Selbstbestimmung zu konstituieren; bis zum Eintritt dieses Zeitpunkts können nur vorläufige organisatorische Maßnahmen getroffen werden.« Die Verantwortung für das zu schaffende Provisorium wollten die Ministerpräsidenten ebenfalls gerne klargestellt haben, sie wünschten, »daß in dem Besatzungsstatut deutlich zum Ausdruck kommen sollte, daß auch die nunmehr geplanten organisatorischen Änderungen letztlich auf den Willen der Besatzungsmächte zurückgehen, woraus sich andere Konsequenzen ergeben müssen, als wenn sie ein Akt freier Selbstbestimmung des deutschen Volkes wären«[71].

Dieses Präludium hatten die alliierten Generale von den deutschen Länderchefs nicht erwartet. Grund der deutlichen Sprache der Ministerpräsidenten war zweifellos auch die Tatsache gewesen, daß der Gegensatz von Landespolitikern und Parteigremien, wie er sich im Streit um die nationale Repräsentation, darum, wer als Sachwalter deutscher Politik auftreten durfte, mindestens zwei Jahre lang manifestiert hatte, kaum mehr existierte. Die Ministerpräsidenten waren ja selbst keineswegs parteilose Länderrepräsentanten, und sie wußten, daß ihre Ära zu Ende ging, während die Parteiführer die parlamentarische Bühne ihres künftigen Wirkens am Horizont erblickten. In Koblenz hatten die Parteispitzen und die Länderchefs jedenfalls zusammengearbeitet. Die Ergebnisse der Tagung auf dem Rit-

[70] Reinhold Maier, Erinnerungen 1948–1953. Tübingen 1966, S. 62.
[71] Antwortnote der Ministerpräsidenten der westdeutschen Besatzungszonen an die Militärgouverneure, 10. 7. 1948. In: Parl. Rat I, S. 144 f.

tersturz beruhten sowohl auf Kompromissen der Ministerpräsidenten untereinander als auch mit den Parteispitzen der CDU/CSU und der SPD. In der Diktion der Koblenzer Beschlüsse war die Handschrift der Sozialdemokraten allerdings etwas deutlicher erkennbar.

Die deutsche Antwort auf den alliierten Vorschlag oder Auftrag, eine Verfassung für einen Weststaat zu schaffen, war etwas widersprüchlich und verzweigt. Die Vollmachten zur Herstellung einer »kraftvollen Organisation« der deutschen Gebietsteile unter westalliierter Jurisdiktion wurden angenommen. Eine deutsche Nationalversammlung und die Ausarbeitung einer Verfassung sollten aber bis zu einer gesamtdeutschen Regelung und bis zur Herstellung ausreichender deutscher Souveränität zurückgestellt werden. Die Landtage sollten eine Vertretung – einen »Parlamentarischen Rat« – nominieren, diese ein provisorisches »Grundgesetz« ausarbeiten; es dürfe aber keinem Volksentscheid unterworfen werden, um den Charakter des Provisoriums zu wahren, und schließlich verlangten die Ministerpräsidenten von den Alliierten, sie müßten vor dem Beginn der Beratungen über dieses Grundgesetz ihr Besatzungsstatut erlassen. In ihrer Stellungnahme zum zweiten Dokument (Neugliederung der Länder) betonten die Ministerpräsidenten, daß eine Überprüfung der Ländergrenzen zwar geboten, in kurzer Frist aber nicht durchführbar sei, und gegenüber dem dritten Dokument (Besatzungsstatut) hatten die Deutschen detaillierte Gegenvorschläge ausgearbeitet und kühn mit der Überschrift ›Leitsätze für ein Besatzungsstatut‹ versehen.

Die Statthalter der Alliierten reagierten unterschiedlich auf die Koblenzer Beschlüsse. General Clay war erzürnt, fühlte sich auch persönlich gekränkt und ließ am 14. Juli 1948 in Frankfurt gegenüber den Länderchefs seiner Zone, den Ministerpräsidenten Ehard, Stock und Maier sowie Bürgermeister Kaisen seinen Gefühlen auch freien Lauf. In London habe er »wochenlang mit den Franzosen und Engländern um die Anerkennung der deutschen Souveränität im Rahmen eines Weststaats gekämpft«, und dort habe er argumentiert, die Deutschen würden die Verantwortung gerne übernehmen. Jetzt habe Frankreich die erhoffte Chance, »die mühsam erkämpfte Position im Westen wieder zu verschleppen«[72], und tatsächlich hatte

[72] Besprechung der Ministerpräsidenten der US-Zone mit General Clay, 14. 7. 1948. In: Parl. Rat I, S. 151 f.; vgl. John Gimbel, Amerikanische Besatzungspolitik in Deutschland 1945–1949. Frankfurt a. M. 1968, S. 282 f.

General Koenig die für den 15. Juli vorgesehene Konferenz der Ministerpräsidenten aller drei Zonen mit den Militärgouverneuren auf unbestimmte Zeit verschoben, und die Länderchefs seiner Zone hatte er wissen lassen, daß ihre Teilnahme an Konferenzen mit den Kollegen aus der Bizone als unfreundlicher Akt interpretiert würde. Koenig hielt eine neue Verhandlungsrunde auf Regierungsebene für notwendig, weil die deutsche Antwort zu weit von den Empfehlungen der Londoner Konferenz entfernt war. Clay erklärte den Ministerpräsidenten der US-Zone, die Londoner Empfehlungen müßten als ganzes akzeptiert werden, Verhandlungen darüber seien abwegig. Dem hielt der Bremer Bürgermeister entgegen, daß Hintergründe und Absichten der Londoner Konferenz den Deutschen nicht bekanntgemacht und deren Ergebnisse, die Frankfurter Dokumente, durch die Militärgouverneure auch nicht interpretiert worden seien. Man könne die Deutschen nun nicht dafür verantwortlich machen, daß sie »ein großes weltpolitisches Ereignis nicht berücksichtigt hätten«. Kaisen fuhr fort: »Nehmen wir an, die Ministerpräsidenten wären in Koblenz anders verfahren, sie hätten einen Weststaat aufgerichtet mit einer Verfassung wie vorgesehen und einer Regierung, und sie hätten dazu das Besatzungsstatut nach der Richtung hin geprüft, was dieser Regierung fehlt, um sie mit allen nötigen Vollmachten auszurüsten, dann wäre die politische Linie dahin verlaufen, diesen Weststaat in einen Westblock einzugliedern und eine politische Linie zu beziehen, die alle, aber auch alle Konsequenzen in sich birgt. Das hieße, die deutsche Position aus dem jetzigen völkerrechtlichen Zustand herauszubringen und in ein politisches Kräftespiel der Weltpolitik einzuschalten. Es ist erklärlich, daß eine solche Konzeption nach Lage der Dinge von den elf Ministerpräsidenten in Koblenz nicht erwogen wurde.«[73]

General Robertson war gelassener als sein amerikanischer Kollege. Er wollte nach einem Kompromiß zwischen den deutschen Gegenvorschlägen und der alliierten Offerte suchen. Die terminologischen Probleme hielt er für diskussionsfähig, nicht aber die inhaltlichen Änderungswünsche, nämlich die Ablehnung eines Plebiszits über die Verfassung und die Leitsätze für ein Besatzungsstatut; diese waren von den Deutschen lediglich zur Kenntnis zu nehmen[74]. General Clays Zorn war aber auch

[73] Besprechung der Ministerpräsidenten der US-Zone mit General Clay, 14. 7. 1948. In: Parl. Rat I, S. 155.
[74] Bericht Murphys über Konferenz der Militärgouverneure am 15. 7. 1948.

nicht identisch mit der offiziellen amerikanischen Haltung. Robert Murphy, der als politischer Berater der amerikanischen Militärregierung für Deutschland (OMGUS) neben General Clay eine einflußreiche Position hatte – im Gegensatz zu Clay und dem ganzen OMGUS-Apparat unterstand er nicht dem Heeresministerium in Washington, sondern fungierte als ranghoher Vertreter des Außenministeriums –, hielt die deutschen Positionen, mit Ausnahme der Ablehnung des Verfassungsplebiszits, für diskussionswürdig. Willy Brandt, damals Vertreter des SPD-Parteivorstands in Berlin, berichtete über Besprechungen mit verschiedenen OMGUS-Mitarbeitern, aus denen hervorging, daß die Reaktion Clays mit der amerikanischen Reaktion insgesamt nicht unbedingt gleichzusetzen war. Clay hatte auch gegenüber seinen Mitarbeitern weidlich geschimpft, die Deutschen der Feigheit geziehen, erklärt, wenn sie die Regierungsverantwortung scheuten, seien sie entweder Kommunisten oder Kommunistenfreunde, er habe das Gefühl, alles, wofür er sich drei Jahre lang eingesetzt habe, sei nun zusammengebrochen. Brandt berichtete auch von diversen Andeutungen über den »serious effect on Berlin« und von möglichen negativen Auswirkungen auf die amerikanische Bereitschaft, das blockierte Berlin zu halten. Trotzdem hatte er nach den Gesprächen den Eindruck, ein Kompromiß über die Koblenzer Beschlüsse mit den Amerikanern sei möglich[75].

Das war auch das Fazit der Besprechung, die die Ministerpräsidenten in der Nacht vom 15. zum 16. Juli im Jagdschloß Niederwald bei Rüdesheim abhielten[76]. Die Stimmung war im ganzen schon so optimistisch, daß ein Verfassungsausschuß aus elf Mitgliedern – ein Vertreter für jedes Land – ins Auge gefaßt wurde, und Ministerpräsident Ehard lud die Kommission nach einem ruhigen Ort in Bayern ein. Das war die Geburtsstunde des Verfassungskonvents, der vom 10. bis 23. August 1948 auf der Insel Herrenchiemsee tagte.

Die Militärgouverneure trafen am 20. Juli wieder mit den Länderchefs zusammen. Robertson, als Vorsitzender der Konferenz, teilte den deutschen Vertretern mit, daß die Militärgouverneure nicht in der Lage seien, von den Instruktionen ihrer

---

In: Foreign Relations of the United States (FRUS). Vol. 1948 II, Washington 1973, S. 393 ff., 402 f.

[75] Auszug aus Brandts Bericht abgedruckt in: Parl. Rat. I, S. 153 f.

[76] Konferenz der Ministerpräsidenten der westdeutschen Besatzungszonen, Jagdschloß Niederwald, 15.–16. 7. 1948. In: Parl. Rat I, S. 157–162.

Regierungen abzuweichen; den Ministerpräsidenten wurde dann angedeutet, worin die Generale die wesentlichen Unterschiede zwischen ihrer Position und den deutschen Vorstellungen sahen. Das Besatzungsstatut – soviel wurde klargestellt – könne schon aus technischen Gründen, aber auch, weil das ein Abweichen von den Londoner Vereinbarungen wäre, nicht *vor* den Beratungen über die deutsche Verfassung verkündet werden. Die Konferenz endete mit der Verabredung, am 26. Juli wieder zusammenzukommen. Bis dahin hatten die Deutschen Zeit, zwischen dem Frankfurter Auftrag der Alliierten und ihren Koblenzer Beschlüssen einen Kompromiß zu suchen, der sich im Rahmen der Londoner Empfehlungen halten mußte[77].

Am 21. und 22. Juli 1948 versammelten sich die Länderchefs wieder im Jagdschloß Niederwald. In der Sache sollten die Ministerpräsidenten nun den Londoner Empfehlungen folgen, in der Terminologie aber so weit als irgend möglich auf der Koblenzer Linie bleiben, das »Grundgesetz« sollte von einem »Parlamentarischen Rat«, nicht von einer »verfassunggebenden Versammlung« ausgearbeitet werden. Der einzige substantielle Änderungswunsch gegenüber dem Frankfurter Dokument I bestand am Ende der Debatte im Verlangen, das Grundgesetz nicht durch das Volk, sondern durch die Landtage ratifizieren zu lassen. Als Entscheidungshilfe gegen ein Plebiszit stellten die Ministerpräsidenten für die Militärgouverneure eine Liste von Gesichtspunkten auf, die sich von der Koblenzer Argumentation (Aufwertung des Provisoriums) wesentlich unterschieden: Ein Referendum könne nicht ohne Abstimmungskampf durchgeführt werden, dabei bestehe die Gefahr, daß oppositionelle (d. h. kommunistische) und destruktive (d. h. nationalistische) Elemente sich zur Ablehnung zusammenfänden. Ferner würde die Abstimmung durch das Volk einen unerträglichen Zeitverlust bedeuten, schließlich bringe es das Risiko einer politischen und wirtschaftlichen Katastrophe mit sich. Demgegenüber sei bei der Ratifizierung durch die Landtage mit einer überwältigenden Mehrheit zu rechnen.

Gegen die Rüdesheimer Kompromisse hatte Carlo Schmid als einziger Bedenken. Er vertrat die Meinung, man verschütte endgültig die kleine Chance, die es für eine Viermächte-Einigung über ein einheitliches Deutschland noch gebe. Zur Option

---

[77] Konferenz der Militärgouverneure mit den Ministerpräsidenten der westdeutschen Besatzungszonen, Frankfurt 20. 7. 1948. In: Parl. Rat I, S. 163–171.

für den Weststaat hatte dagegen ein anderer Sozialdemokrat, der als Gast anwesende Vertreter Berlins, wesentlich beigetragen. Anstelle der amtierenden Oberbürgermeisterin Louise Schroeder, die in Koblenz gegen den Weststaat plädiert hatte, war Ernst Reuter an den Rhein gefahren, um den Berliner Standpunkt zu vertreten. Reuters Eintreten für eine westdeutsche Lösung im Sinne der Kernstaatsidee war durch eine Mehrheit von Politikern aller demokratischen Parteien Berlins gedeckt. Die sowjetische Blockade der Stadt und die Luftbrücke der Westmächte – die zum Zeitpunkt der Konferenz in Schloß Niederwald schon vier Wochen dauerte – hatten zum Stimmungswandel wohl erheblich beigetragen; und der Mehrheit der westdeutschen Länderchefs kam das Plädoyer aus Berlin für die Gründung des Weststaats sehr gelegen[78].

In ihrem Aide-mémoire für die Militärgouverneure, das die Besprechungsergebnisse zusammenfaßte, hatten die Ministerpräsidenten viel Mühe auf die positive Formulierung ihres Standpunkts verwandt. So betonten sie die Übereinstimmung mit den alliierten Generalen darin, daß die erstrebte Neuregelung so schnell wie möglich zu schaffen sei, sie zeigten sich auch entschlossen, die »im Rahmen der Londoner Empfehlungen« zu erreichende vorläufige Regelung »so kraftvoll und wirksam wie möglich zu gestalten«, und sie stellten ausdrücklich fest, daß die terminologischen Unterschiede zwischen den Frankfurter Dokumenten und den deutschen Vorschlägen keine inhaltlich verschiedenen Ziele bedeuteten[79].

Die abschließende Konferenz der Militärgouverneure mit den Ministerpräsidenten der Westzonen am 26. Juli 1948 in Frankfurt verlief trotzdem hochdramatisch. Der nordrhein-westfälische Ministerpräsident Arnold referierte als erster über die deutsche Stellungnahme zum Dokument I, dann trug der Regierungschef von Schleswig-Holstein, Lüdemann, die Auffassung zum zweiten Frankfurter Dokument vor (das Besatzungsstatut stand nicht zur Debatte). Um den befürchteten negativen Eindruck der Berichte seiner Kollegen auf die alliierten Genera-

---

[78] Konferenz der Ministerpräsidenten der westdeutschen Besatzungszonen, Jagdschloß Niederwald, 21.–22. 7. 1948, in: Parl. Rat I, S. 172–270; vgl. Thilo Vogelsang, Koblenz, Berlin und Rüdesheim. Die Option für den westdeutschen Staat im Juli 1948. In: Festschrift für Hermann Heimpel. Göttingen 1971, Bd. 1, S. 161–179; Carlo Schmid, Erinnerungen, S. 331 f.
[79] Aide-mémoire der Ministerpräsidenten, 22. 7. 1948. In: Parl. Rat I, S. 270–272.

le zu relativieren, erklärte dann der Hamburger Bürgermeister Brauer spontan, die deutsche Seite wolle sich nicht an Worte klammern, sondern sich durch die Verwendung des Begriffs Grundgesetz statt Verfassung den politischen Kampf mit der SED nicht schwermachen, ebenso sei die Abneigung gegen das Referendum eine Frage der psychologischen Taktik; man wolle möglichst schnell zum Schluß kommen und nichts mehr in der Schwebe lassen. Nach einer Pause von 45 Minuten, in der sich die Militärgouverneure untereinander berieten, antwortete General Koenig als Vorsitzender der Konferenz, daß die ganze Angelegenheit den alliierten Regierungen zur Beratung überwiesen werden müsse, da die deutschen Vorschläge von den Londoner Beschlüssen abwichen. Dem folgte Ratlosigkeit und eine Beratung der drei Gewaltigen im Flüsterton. Schließlich teilte Koenig immerhin mit, welche Punkte erneute Beratungen auf Regierungsebene erforderlich machten, nämlich das Referendum, die Bezeichnung der Verfassung, der Zeitpunkt der Reform der Ländergrenzen. Die Konferenz schien damit ergebnislos beendet. Jetzt riskierte der bayerische Ministerpräsident Ehard einen Rettungsversuch. Er bat um eine Unterbrechung der Sitzung für eine interne Beratung der deutschen Seite, zuvor hielt er den Generalen noch einmal vor Augen, wie gering die Differenzen doch seien, und er deutete vor allem an, daß in der Frage des Referendums eine Änderung des deutschen Standpunkts zu erwarten sei. Die Sitzung wurde für zehn Minuten unterbrochen. Nach der Pause erklärte General Koenig, der Name der deutschen Verfassung sei so wichtig nicht, über die Ratifizierungsfrage und das Problem der Ländergrenzen müßten allerdings die alliierten Regierungen benachrichtigt werden, das sei aber keine Ablehnung. Der Bremer Bürgermeister Kaisen erklärte daraufhin, die unterschiedlichen Auffassungen bräuchten das Ingangkommen des ganzen Verfahrens doch nicht zu verzögern, man habe lediglich den Wunsch, daß die deutschen Argumente den alliierten Regierungen mitgeteilt würden, auch seien die Vorbereitungen für den Parlamentarischen Rat bereits getroffen. Kaisen signalisierte damit, daß die Deutschen unter allen Umständen zu Verfassungsberatungen und zur Staatsgründung bereit waren. Der Vorsitzende Koenig meinte, vorbereitende Schritte könnten auch schon vor der bald zu erwartenden Antwort der Regierungen in Washington, London und Paris unternommen werden. Es folgte abermals eine zehnminütige Flüsterkonferenz der drei Generale und eine kur-

whispery.

ze Unterbrechung der Sitzung. Dann kam endlich die Erlösung durch die feierliche Feststellung General Koenigs: Wegen der Benennung des Grundgesetzes gebe es keine Schwierigkeiten, in der Frage des Referendums hätten die Deutschen die Londoner Entscheidung angenommen, die Gegenvorschläge würden (trotzdem) den Regierungen überreicht, und in der Frage der Ländergrenzen wollten die Militärgouverneure die deutschen Wünsche sogar befürworten. »Wenn Sie akzeptieren, die volle Verantwortung zu übernehmen, können wir Ihnen sagen: En avant!«[80]

24

5. Die Entstehung des Grundgesetzes in Herrenchiemsee und Bonn

Die organisatorischen Vorbereitungen für das Zusammentreten der verfassunggebenden Versammlung, die endgültig »Parlamentarischer Rat« heißen sollte, wurden vom »Büro der Ministerpräsidenten des amerikanischen, britischen und französischen Besatzungsgebiets« getroffen. Diese Institution, die in Wiesbaden in der hessischen Staatskanzlei ihren Sitz hatte, war Briefkasten und ausführendes Organ der formell höchsten Instanz deutscher Politik, dem Kollektiv der Ministerpräsidenten, das auftragsgemäß als Wegbereiter der Konstituante und Verhandlungspartner der Alliierten fungierte und in der Übergangszeit von Sommer 1948 bis Sommer 1949 Westdeutschland als Ganzes repräsentierte, ohne freilich auf die Entscheidungen über die Verfassung im Parlamentarischen Rat selbst Einfluß nehmen zu können.

Ein Modellgesetz, das im Laufe des August 1948 von allen elf Länderparlamenten der Westzonen beschlossen wurde, regelte die indirekte Wahl zum Parlamentarischen Rat im Verhältnis zur Bevölkerungszahl der Länder. Für jeweils 750 000 Einwohner (mindestens jedoch einer pro Land) wurde ein Abgeordneter zum Parlamentarischen Rat von den einzelnen Landtagen gewählt. Das ergab insgesamt 65 Mandate, fünf Vertreter Berlins ohne Stimmrecht (drei Sozialdemokraten und je einer von der CDU und der FDP) kamen dazu.

Am 10. August 1948 versammelte sich im Alten Schloß auf

---

[80] Schlußkonferenz der Militärgouverneure mit den Ministerpräsidenten der westdeutschen Besatzungszonen, 26. 7. 1948. In: Parl. Rat I, S. 273 f.

der Herreninsel im Chiemsee der Sachverständigenausschuß für Verfassungsfragen, der am 25. Juli von den Ministerpräsidenten eingesetzt worden war. Dem Verfassungskonvent gehörten unter dem Vorsitz des bayerischen Ministers Anton Pfeiffer elf Länderdelegierte an, die von etwa zwanzig Mitarbeitern und Sachverständigen unterstützt wurden. Zusammen verkörperte die Versammlung einen beachtlichen politischen, administrativen und staatsrechtlichen Sachverstand. Zur politischen Prominenz auf Herrenchiemsee zählten Anton Pfeiffer, Adolf Süsterhenn, Carlo Schmid, Hermann Brill und Theodor Spitta sowie der Berliner Gast Otto Suhr, zur akademischen Theodor Maunz, Gustav von Schmoller, Hans Nawiasky, Fritz Baade, Theo Kordt, weitere Sachverständige waren Paul Zürcher, Justus Danckwerts, Claus Leusser, Otto Küster, Ottmar Kollmann, Wilhelm Drexelius. Die Experten überwogen zahlenmäßig die Politiker bei weitem, die Unionsparteien und die SPD waren zwar annähernd gleich stark vertreten – soweit die Landespolitiker ohne weiteres als Exponenten ihrer Parteien angesehen werden konnten –, in jedem Fall waren aber die süddeutschen Föderalisten in Herrenchiemsee in der Mehrzahl. Auch wenn die Sachverständigentagung es abgelehnt hatte, den von bayerischer Seite vorgelegten »Entwurf eines Grundgesetzes« und die »Bayerischen Leitgedanken für die Schaffung des Grundgesetzes«[81] zu diskutieren, heißt das nicht, daß Bayern bei den Beratungen ohne Einfluß geblieben wäre.

Der Verfassungskonvent empfand sich als politisch neutral, die Wirkungen seines Sachverstands waren aber weder rein akademisch noch unverbindlich für die weitere Entwicklung. Dem Verfassungskonvent war die Aufgabe gestellt, »Richtlinien für ein Grundgesetz« zu erarbeiten, also Lösungen für die einzelnen Verfassungsprobleme zu suchen und darzustellen, nicht aber die Probleme selbst durch Mehrheitsentscheid oder Kompromiß zu lösen. Die Sachverständigen hatten eine in der deutschen Verfassungsgeschichte einmalige Stellung: Der Parlamentarische Rat als verfassunggebendes Organ war ja keineswegs Ausdruck des Volkswillens, wie die Weimarer Nationalversammlung es gewesen war, und eine Regierung, die eine Verfassungsvorlage, wie 1919 den Entwurf von Hugo Preuß, hätte zur Diskussion stellen können, gab es noch nicht. Formal hatte also

[81] Wortlaut in: Wolfgang Benz (Hrsg.), Bewegt von der Hoffnung aller Deutschen. Zur Geschichte des Grundgesetzes. München 1979, S. 305–318.

die Arbeit des Verfassungskonvents lediglich die Bedeutung eines unverbindlichen Planspiels, dessen Ergebnis niemanden verpflichtete, und die Parteien erinnerten immer wieder daran. Der »erste Menzel-Entwurf«, mit dem die SPD der Situation nach der Konferenz der Ministerpräsidenten mit den Militärgouverneuren Rechnung zu tragen suchte, kümmerte sich z. B. um die Beratungen auf Herrenchiemsee überhaupt nicht. Tatsächlich aber gingen die stillen Wünsche und Hoffnungen der Ministerpräsidenten, durch ihren Sachverständigenausschuß doch eine Art Regierungsvorlage für den Parlamentarischen Rat zu schaffen und dessen Beratungen dadurch zu beeinflussen, weitgehend in Erfüllung. Das war nicht zuletzt dem Fleiß, der Sorgfalt und der Gründlichkeit zu danken, mit denen auf der Insel im Chiemsee gearbeitet wurde.

Der gedruckte »Bericht über den Verfassungskonvent«, den das Büro der Ministerpräsidenten am 31. August dem Parlamentarischen Rat überreichte[82], gliederte sich in eine ausführliche Darstellung der zu lösenden Verfassungsprobleme, den »Entwurf eines Grundgesetzes« mit 149 Artikeln (von denen viele in alternativen Versionen formuliert waren) und einen Kommentar mit Einzelerläuterungen zu bestimmten Artikeln. Die bescheiden als Tätigkeitsbericht deklarierten Ergebnisse des Verfassungskonvents waren für die Debatten der kommenden Monate im Parlamentarischen Rat von struktureller Bedeutung, die strittigen Probleme von Herrenchiemsee wurden wenig später auch die Streitfragen von Bonn. Alle späteren Vorlagen an die Adresse des Parlamentarischen Rats waren neben dem Herrenchiemseer Bericht nur noch bedingt diskussionsfähig. Der Hauptunterschied zwischen Herrenchiemsee und Bonn lag darin, daß hier die Probleme akademisch dargelegt werden konnten, dort aber politische Kompromisse gefunden werden mußten.

Am 13. August 1948 hatten die Ministerpräsidenten in telefonischer Abstimmung Bonn als Sitz des Parlamentarischen Rats bestimmt. Beworben hatten sich u. a. auch Celle, Düsseldorf, Frankfurt, Karlsruhe und Köln. Zugunsten Bonns war entschieden worden, um auch in der britischen Zone einen wichtigen Konferenzort der Gründerzeit des neuen Staats zu haben.

[82] Verfassungsausschuß der Ministerpräsidentenkonferenz der westlichen Besatzungszonen, Bericht über den Verfassungskonvent auf Herrenchiemsee vom 10. bis 23. August 1948. München 1948.

Die Entscheidung über die künftige Bundeshauptstadt sollte damit aber nicht präjudiziert werden, hierfür galt Frankfurt noch einige Zeit als Favorit. In Bonn wurden in aller Eile Quartiere für die Abgeordneten bereitgestellt, Büros hergerichtet und die dortige Pädagogische Akademie als Tagungsstätte für den Parlamentarischen Rat umgerüstet. Daß daraus das Bundeshaus werden sollte, ahnte im August 1948 aber noch kaum jemand.

Der Parlamentarische Rat, der am 1. September in Bonn mit einem Festakt eröffnet wurde, begann seine Tätigkeit mit der Rechtfertigung seiner Existenz. Der hessische Ministerpräsident Stock verteidigte in seiner Begrüßungsrede im Namen der Ministerpräsidentenkonferenz die Übernahme des Verfassungsauftrags von den Alliierten: »Wenn gesagt wird, in Bonn würde heute die Spaltung des deutschen Volkes vollendet, so erkläre ich hiermit vor dem ganzen deutschen Volke: Wir spalten nicht, wir führen zusammen und einigen. Unsere bisherige Tätigkeit hat nur dem Ziele gegolten, das deutsche Volk zu jeder Zeit auf der größtmöglichen Ebene zusammenzuführen.«[83]

In der Konstituante waren die Unionsparteien und die SPD mit je 27 Abgeordneten vertreten, die Liberalen hatten fünf Sitze, über je zwei Mandate verfügten die Deutsche Partei, das Zentrum und die KPD. Fraktionsvorsitzender der CDU/CSU wurde Anton Pfeiffer (CSU), Carlo Schmid stand an der Spitze der SPD-Fraktion, und Theodor Heuss führte die FDP im Parlamentarischen Rat. Am Nachmittag des 1. September, in der ersten Sitzung, wurden Konrad Adenauer zum Präsidenten des Parlamentarischen Rats und Adolph Schönfelder (SPD) und Hermann Schäfer (FDP) zu seinen Stellvertretern gewählt. Der Antrag der beiden Kommunisten, der Parlamentarische Rat möge seine Beratungen über eine separate westdeutsche Verfassung einstellen, sorgte dann für die erste Erregung im Hause. Bis zur Verabschiedung des Grundgesetzes bewegten sich die Diskussionsbeiträge der beiden KPD-Abgeordneten stets auf dieser Ebene[84].

Die eigentliche Verfassungsarbeit begann, nach einer allgemeinen Aussprache am 8. und 9. September, Mitte des Monats in den sechs Fachausschüssen für Grundsatzfragen und Grund-

[83] Büro der Ministerpräsidenten, Dokumente betreffend die Begründung einer neuen staatlichen Ordnung. Wiesbaden 1948, S. 43.
[84] Parl. Rat, 1. Sitzung 1. 9. 1948, Sten. Bericht, S. 5f.

rechte, Zuständigkeitsabgrenzung, Finanzfragen, Organisation des Bundes, Verfassungsgerichtshof und Rechtspflege, Wahlrechtsausschuß. Dort wurden in nichtöffentlichen Sitzungen die einzelnen Materien beraten. Eine zentrale Stellung hatte der Hauptausschuß, dessen 21 Mitglieder unter dem Vorsitz Carlo Schmids (SPD) – Stellvertreter war Heinrich von Brentano (CDU) – in 59 öffentlichen Sitzungen die verschiedenen Stadien des Entwurfs des Grundgesetzes erörterten. Zunächst mußten die Einzelteile, die die Fachausschüsse, der Systematik der Herrenchiemseer Denkschrift folgend, erarbeiteten, zu einem Gesetzentwurf zusammengefügt werden. Dieses Geschäft oblag dem Redaktionsausschuß, in dem Heinrich von Brentano (CDU), Georg August Zinn (SPD) und Thomas Dehler (FDP) saßen. Der Redaktionsausschuß war bis zur Auflösung des Parlamentarischen Rats auch für hieb- und stichfeste juristische Formulierungen der Verfassungsartikel zuständig. Vom 11. November bis 10. Dezember 1948 fand die erste Lesung des Grundgesetz-Entwurfs im Hauptausschuß statt[85]. Eine förmliche erste Lesung im Plenum hatte es, da zu der Zeit noch kein formulierter Entwurf vorlag, nicht gegeben, statt dessen waren am 20. und 21. Oktober die zentralen politischen Fragen, die juristische Tragweite des Grundgesetzes, die Rechtskontinuität des deutschen Staates sowie das Problem der Vertretung der Länder beim Bund (zweite Kammer), Finanzfragen und das Wahlrecht in der Vollversammlung diskutiert worden[86].

Am meisten gingen bei der ersten Lesung im Hauptausschuß die Meinungen, auch innerhalb der Fraktionen, bei folgenden Problemkreisen auseinander: Staatsoberhaupt, zweite Kammer, Verteilung der Steuern zwischen Bund und Ländern und Organisation der Finanzverwaltung, Elternrecht, Verhältnis Kirche und Staat. Die SPD hatte zwar in ihrer ersten Verfassungskonzeption[87] noch einen Präsidenten der »Deutschen Republik« vorgesehen, war aber von dieser Vorstellung dann abgerückt. In beiden Verfassungsentwürfen, die im Namen der SPD von deren Verfassungsexperten, dem nordrhein-westfälischen Innen-

[85] Parl. Rat, Verhandlungen des Hauptausschusses, 2. Sitzung (11. 11. 1948) – 26. Sitzung (10. 12. 1948), S. 1–312.

[86] Parl. Rat, 6. und 7. Sitzung, 20. und 21. 10. 1948, Sten. Bericht, S. 69–124.

[87] ›Richtlinien für den Aufbau der Deutschen Republik‹, am 13./14. März 1947 vom Parteivorstand beschlossen und im Juli 1947 vom Nürnberger Parteitag einstimmig verabschiedet. Wortlaut in: Bewegt von der Hoffnung aller Deutschen, S. 359–363.

minister Walter Menzel, 1948 präsentiert wurden[88], war entsprechend der Provisoriumstheorie von einem Staatsoberhaupt keine Rede gewesen[89]. In der Frage der Gestaltung der zweiten Kammer blieb die CDU/CSU-Fraktion gespalten, die Anhänger der Bundesratslösung standen den Verfechtern der Senatsidee innerhalb der Unionsparteien gegenüber. Die Extreme waren in etwa markiert durch Robert Lehrs »Richtlinien für die künftige Verfassung« vom August 1947 einerseits, in denen sich der Zentralismus der CDU der britischen Zone spiegelte, und durch die »Grundsätze für eine Deutsche Bundesverfassung« des »Ellwanger Kreises« vom April 1948 andererseits, in denen die süddeutsch-föderalistischen Wünsche zum Ausdruck kamen[90]. Ähnlich sah es bei der Verteilung der Steuern und der Finanzverfassung aus; ein Teil der CDU-Vertreter ging mit der Auffassung der SPD und der FDP konform, nach der die Finanzhoheit weitgehend Bundessache sein sollte.

Die Entscheidung für das Bundesratsprinzip wurde am Rande des Parlamentarischen Rats vorbereitet. Bei einem Abendessen hatten sich der bayerische Ministerpräsident Ehard, der auf die CSU-Mitglieder der Fraktion erheblichen Einfluß hatte, mit dem stellvertretenden Fraktionsvorsitzenden der SPD, Walter Menzel, über die Bundesratslösung verständigt, sehr zum Ärger eines großen Teils der Unionsfraktion und vor allem Adenauers. Er reagierte mit dem in erster Linie taktisch gemeinten Vorschlag eines Dreikammersystems (Unterhaus, Senat, Bundesrat), das aber nicht weiter diskutiert wurde. In der zweiten Lesung des Hauptausschusses[91] (15. Dezember 1948 bis 20. Januar 1949) änderte sich an den Standpunkten in diesen Streitfragen wenig oder nichts. Bei der Diskussion über die zweite Kammer stand jetzt die Gleichberechtigung von Bundesrat und Bundestag im Vordergrund. Nach der zweiten Lesung im Hauptausschuß mußten Kompromisse für den endgültigen Entwurf gesucht werden, der nach dem Wunsch der Fraktionen

[88] ›Westdeutsche Satzung‹, 26. 7. 1948 (Erster Menzel-Entwurf) und ›Grundgesetz‹, 2. 9. 1948 (Zweiter Menzel-Entwurf), Wortlaut ebd., S. 367–382 u. 391–410.

[89] Erhard H. M. Lange, Die Diskussion um die Stellung des Staatsoberhauptes 1945–1949 mit besonderer Berücksichtigung der Erörterungen im Parlamentarischen Rat. In: VfZ 26 (1978), S. 601 ff.

[90] Wortlaut in: Bewegt von der Hoffnung aller Deutschen, S. 332–347.

[91] Parl. Rat, Verhandlungen des Hauptausschusses, 27. Sitzung (15. 12. 1948) – 46. Sitzung (20. 1. 1949), S. 313–601.

eine breite Mehrheit des Parlamentarischen Rats finden sollte. Die Verhandlungen über die strittigen politischen Grundentscheidungen wurden in einer interfraktionellen Kommission, dem Ende Januar gebildeten Fünfer-Ausschuß (je zwei Abgeordnete der CDU/CSU und der SPD, einer der FDP) geführt. Unter Adenauers Vorsitz fand der Fünfer-Ausschuß bis zum 3. Februar 1949 Kompromisse in der Frage der Mitwirkung des Bundesrats bei der Gesetzgebung und, den Vorstellungen der SPD und FDP folgend, zum Problem der Finanzverfassung. Das »Elternrecht« wurde anerkannt, und beim Verhältnis Kirche und Staat einigte man sich auf die Lösung, die schon in der Weimarer Verfassung verankert gewesen war. Diese Regelungen stellten aber nur wenige zufrieden. Den Sozialdemokraten und Liberalen widerstrebte das weitgehende Eingehen auf die Forderungen der kirchlichen pressure groups; der Deutschen Partei und dem Zentrum und einem Teil der CDU und CSU ging es in der Frage des Elternrechts und der Geltung der Konkordate nicht weit genug, und vor allem die katholischen Bischöfe äußerten im Frühjahr 1949 lautstark ihre Unzufriedenheit mit dem Grundgesetz[92].

In fünf Sitzungen wurde vom 8. bis 10. Februar 1949 die dritte Lesung des Grundgesetz-Entwurfs im Hauptausschuß abgeschlossen[93]. Ehe der Entwurf dem Plenum des Parlamentarischen Rats unterbreitet wurde, sollte aber die Zustimmung der Alliierten vorliegen. Der Grundgesetz-Entwurf wurde daher den Militärgouverneuren zur Stellungnahme übermittelt, die ihn zwei Wochen lang prüften. Am 2. März meldeten sie ihre Bedenken an. Die Arbeit an der Verfassung, die kurz vor dem Abschluß zu stehen schien, geriet damit in eine ernste Krise. Seit Beginn der Beratungen des Parlamentarischen Rats hatte es Kontakte zwischen deutschen Politikern und alliierten Verbindungsoffizieren gegeben, wenngleich die Alliierten sich vorgenommen hatten, sich größter Zurückhaltung zu befleißigen, um die Verfassung nicht mit dem Odium eines Diktats zu belasten, aber auch wegen der von der SPD erfolgreich propagierten deutschen Haltung, nach der mit den Alliierten nicht über Einzelbestimmungen des Grundgesetzes in statu nascendi, son-

---

[92] Erklärung der deutschen Bischöfe zum geplanten Grundgesetz, 11. 2. 1949. Archiv IfZ, Nachlaß Eberhard ED 117/64; Sörgel, Konsensus und Interessen, S. 317f.
[93] Parl. Rat, Verhandlungen des Hauptausschusses, S. 603–685.

dern erst über einen Gesamtentwurf verhandelt werden sollte. Das beruhte auf der Annahme, daß den Militärgouverneuren eine Ablehnung des ganzen Verfassungswerks sehr viel schwerer fallen würde als die Zurückweisung einzelner Verfassungsartikel.

Die Militärgouverneure hatten sich bisher darauf beschränkt, dem Parlamentarischen Rat am 22. November 1948 ein Aide-mémoire zu überreichen[94], das sechs wesentliche Punkte enthielt. Der wichtigste war die Forderung nach einer zweiten Kammer, die mit genügend Befugnissen zur Wahrung der Länderinteressen ausgestattet sein müsse. Die Erläuterungen zum Frankfurter Dokument I in diesem Aide-mémoire waren insgesamt recht allgemein gehalten, und der deutschen Seite war damals nicht bewußt, daß es sich dabei um nichts anderes als den Wortlaut der Londoner Empfehlungen vom Juni 1948, also um conditiones sine qua non, handelte. Als Konrad Adenauer an der Spitze einer Delegation des Parlamentarischen Rats am 16. Dezember 1948 die Militärgouverneure in Frankfurt zu einer Besprechung aufsuchte, erläuterte er die Differenzen auf deutscher Seite. Er zog sich danach den Vorwurf der SPD-Fraktion zu, Interna ausgeplaudert zu haben, um einen alliierten Schiedsspruch im Sinne der Vorstellungen der Unionsparteien bzw. des von ihm repräsentierten Flügels der CDU zu erreichen. Die als »Frankfurter Affäre« bekanntgewordene Krise hatte aber wegen der deutschen Unkenntnis über die Hintergründe und die Bedeutung des Aide-mémoires in der Sache keine besondere Auswirkung, wenn man davon absieht, daß die Sozialdemokraten dem Ratspräsidenten Adenauer feierlich ihr Mißtrauen aussprachen[95]. Die Krise im März 1949, die der alliierten Stellungnahme zum Grundgesetz-Entwurf folgte, war dagegen bedrohlich.

In der Sitzung am 2. März teilte der britische Militärgouverneur Robertson als Sprecher der Alliierten der Delegation des Parlamentarischen Rats mit, daß der Grundgesetz-Entwurf in acht Punkten von den Forderungen des Memorandums vom

---

[94] Text of Aide-mémoire left with the President of the Parliamentary Council at Bonn, 22. 11. 1948. In: Documents on the Creation of the German Federal Constitution, prepared by Civil Administration Division, Office of Military Government for Germany (US). Berlin 1949, S. 105; vgl. Hans-Jürgen Grabbe, Die deutsch-alliierte Kontroverse um den Grundgesetzentwurf im Frühjahr 1949. In: VfZ 26 (1978), S. 393–418.

[95] Parl. Rat, Verhandlungen des Hauptausschusses (28. Sitzung 18. 12. 1948) S. 331ff.

22. November abweiche[96]. Die beiden wichtigsten, um die in der Folge der Streit auf deutscher Seite entbrannte, waren – wie gehabt – die Finanzverfassung und die Aufteilung der Gesetzgebungskompetenzen zwischen Bund und Ländern. Die Suche nach Lösungen, die sowohl die deutschen Interessen befriedigen, als auch den Alliierten konvenieren würden, fand im Siebener-Ausschuß, dem durch Vertreter der Deutschen Partei und des Zentrums erweiterten interfraktionellen Gremium, das sich schon als Fünfer-Ausschuß bewährt hatte, statt. Am 18. März 1949 wurden den Militärgouverneuren die Ergebnisse übermittelt. In der Frage der Finanzhoheit waren die deutschen Vorschläge aber im wesentlichen unverändert geblieben. Ohne auf die Einzelheiten einzugehen, ließen die Alliierten daher mitteilen, daß die deutschen Vorstellungen ihren am 2. März vorgetragenen Grundsätzen nicht entsprächen. Das bedeutete, daß die Kompromisse zwischen den Fraktionen, denen auch die Vorschläge des Siebener-Ausschusses Rechnung getragen hatten, nicht mehr zu halten waren.

Die SPD, die fürchtete, um die Früchte des Kompromisses in der Bundesratsfrage (Ehard-Menzel-Gespräch) zu kommen, verhielt sich gegenüber den Änderungswünschen der Finanzverfassung intransigent, während die CDU/CSU am 30. März selbständig neue Formulierungen vorlegte, um den Amerikanern entgegenzukommen. Adenauer, der auch in Verfassungsfragen wenig dogmatisch dachte, wollte lieber ein weniger ideales Grundgesetz als gar keines[97]. Die CDU trachtete also den Militärgouverneur Clay, der sich am hartnäckigsten zeigte, durch Nachgeben zu besänftigen, während die SPD es auf eine Kraftprobe mit den Alliierten ankommen lassen wollte. Die Sozialdemokraten setzten dabei auf die flexiblere Haltung der Engländer, und ihre Position wurde außerdem – ohne ihr Wissen – dadurch unterstützt, daß man in Washington, wo die Zuständigkeiten für die Deutschlandpolitik in Kürze vom Heeresministerium auf das Außenministerium übergehen sollten, kompromißbereiter war als in Frankfurt und Berlin bei der US-Militärregierung in Deutschland. Tatsächlich war Clay am 2. April vom State Department empfohlen worden, den Grundgesetz-Entwurf in der Fassung vom 17./18. März zu akzeptie-

---

[96] Hans-Jürgen Grabbe, Die deutsch-alliierte Kontroverse. In: VfZ 26 (1978), S. 401; FRUS, 1949 III, S. 217–220.
[97] Konrad Adenauer, Erinnerungen 1945–1953. Stuttgart 1965, S. 164.

ren. Clay lehnte dies ab, wobei seine Argumentation auf die Sicherung des föderalistischen Prinzips im Wortlaut der künftigen Verfassung abgestellt war. Zu seinen Motiven gehörte aber auch das Mißtrauen gegen die Sozialdemokraten, von denen er glaubte, daß sie eine starke Bundesfinanzverwaltung zur späteren Durchführung ihrer gesellschaftspolitischen Konzepte erstrebten[98].

In Washington tagten im Anschluß an die Gründung der NATO am 4. April 1949 die Außenminister der drei Westmächte, um sich über das Besatzungsstatut zu verständigen. Die Mitteilung der drei Außenminister an den Parlamentarischen Rat, daß das Memorandum der Alliierten vom 2. März dem Londoner Abkommen entspreche – das hieß, daß die deutschen Vorschläge nicht verhandlungsfähig waren –, machte das Konzept der SPD, den vorliegenden Grundgesetz-Entwurf im Hauptausschuß durch Kampfabstimmung durchzusetzen, zunichte, weil damit das ganze Verfassungswerk von der Ablehnung bedroht gewesen wäre. In den folgenden Tagen stand aber erst einmal das Besatzungsstatut im Vordergrund. Die Begleitmusik zu den Beratungen mit den Militärgouverneuren in dieser Frage bestand freilich aus öffentlichen Erklärungen der Parteien zum Stand des Grundgesetzes in schrillen Tonarten: Warf die SPD, die »kein Grundgesetz mit alliiertem Inhalt« hinnehmen wollte, der CDU und CSU »Erfüllungspolitik« vor, so warnte Adenauer vor »Patentnationalen«, die leichtfertig die alliierte Politik angriffen.

Vom 22. bis 24. April fanden aber wieder interfraktionelle Verhandlungen statt, bei denen die SPD allerdings einen verkürzten Grundgesetz-Entwurf vorlegte, der wieder mehr ihrem Provisoriumskonzept Rechnung trug, z. B. durch die Eliminierung des Grundrechtskataloges. Zur gleichen Zeit war dem Präsidenten des Parlamentarischen Rats ein Memorandum der Außenminister übergeben worden, das vom 8. April datiert war. (Die Militärgouverneure waren ermächtigt, es erst zu einem geeigneten Zeitpunkt zu benutzen.) Dieses Memorandum enthielt die Konzessionen der Alliierten in den beiden noch strittigen Komplexen Finanzverfassung und Gesetzgebungskompetenzen[99]. Adenauer und die Unionsfraktion fühlten sich dü-

[98] Gimbel, Amerikanische Besatzungspolitik, S. 294f.
[99] Message to the Military Governors, 8. 4. 1949. In: FRUS 1949, Vol. III, S. 185ff.

piert, um so mehr, als sie glaubten, daß die Sozialdemokraten
rechtzeitig einen Wink über den Inhalt des Memorandums von
britischer Seite erhalten hatten, der sie zu ihrer starrsinnigen
Haltung ermutigte. Noch am 20. April hatte sich der erweiterte
SPD-Vorstand entschlossen gezeigt, die Verfassungsarbeit
scheitern zu lassen und auf dem vereinfachten Grundgesetz-
Entwurf (der in gar keinem Zusammenhang mit den deutsch-
alliierten Streitfragen stand) zu beharren. Das Vabanquespiel
der SPD war aber erfolgreich gewesen[100]. Bei den interfraktionellen Verhandlungen vom 22. bis 24. April gab die SPD ihren
verkürzten Entwurf wieder auf, weil auf der Grundlage des
Memorandums der Außenminister die notwendigen Kompromisse auf deutscher Seite wie gegenüber den Alliierten jetzt
gefunden wurden. Am 25. April einigte sich die Delegation des
Parlamentarischen Rats mit den Militärgouverneuren in Frankfurt. Nach der Schlußredaktion der Ergebnisse, die bis zum
3. Mai dauerte, wurde der Grundgesetz-Entwurf am 5. und
6. Mai in vierter Lesung im Hauptausschuß behandelt[101] und am
6. und 8. Mai in zweiter und dritter Lesung von der Vollversammlung des Parlamentarischen Rats verabschiedet[102].

Bei der zweiten Lesung hatten 47 der 65 Abgeordneten mit Ja
gestimmt, die fünfzehn Stimmenthaltungen drückten föderalistische Vorbehalte (der CSU und der DP) und Unmut über die
unbefriedigende Regelung des Elternrechts (beim Zentrum)
aus. Die zwei Nein-Stimmen der KPD waren obligat. Am
8. Mai 1949, dem vierten Jahrestag der deutschen Kapitulation,
stimmten 53 Abgeordnete für das Grundgesetz. Sechs von den
acht Abgeordneten der CSU, die beiden Vertreter des Zentrums
und die beiden Abgeordneten der Deutschen Partei stimmten
dagegen und natürlich auch die beiden Kommunisten.

Am 12. Mai genehmigten die drei Militärgouverneure das
Grundgesetz. Am späten Abend des Tages, an dem die Zufahrtswege zum geteilten Berlin nach über dreihundert Tagen

---

[100] Vgl. dazu den Brief Walter Menzels an Fritz Heine (SPD-Vorstand), 29. 7.
1949. Archiv der sozialen Demokratie, Bonn-Bad Godesberg, Nachlaß Menzel
R 46, sowie die CDU-Zusammenstellung: Wer lügt? Dokumentarisches Material
zur Information der Sozialdemokratischen Partei durch die britische Militärregierung am 14. 4. 1949. Archiv für christlich-demokratische Politik, St. Augustin, Best. I-071/028.
[101] Parl. Rat, Verhandlungen des Hauptausschusses, 57. und 58. Sitzung,
S. 743–768.
[102] Parl. Rat (Plenum), 9. Sitzung (2. Lesung) und 10. Sitzung (3. Lesung), Sten.
Ber., S. 169–243.

der Blockade von den Sowjets wieder freigegeben worden waren, empfingen die Militärgouverneure Vertreter des Parlamentarischen Rats und der Ministerpräsidenten. Die Veranstaltung schloß in beinahe herzlicher Atmosphäre die Serie von Konferenzen ab, die mit der Übergabe der Frankfurter Dokumente am 1. Juli 1948 begonnen hatte. Es war auch eine der letzten Amtshandlungen General Clays, der nach einer triumphalen Abschiedstournee durch die US-Zone wenige Tage später in seine Heimat zurückkehrte.

Die Genehmigung des Grundgesetzes erfolgte unter den Vorbehalten des Besatzungsstatuts, das mit der Konstituierung der ersten Bundesregierung in Kraft treten sollte. Verkündet wurde es schon an diesem 12. Mai, und es erwies sich als viel weniger restriktiv, als in Frankfurt im Juli des Vorjahrs angekündigt. In seiner Dankrede an die alliierten Generale ließ Adenauer auch erkennen, daß die deutschen Politiker in diesen Wochen ein bißchen Angst gehabt hatten, die Westmächte würden sich durch ein sowjetisches Entgegenkommen bei den Verhandlungen über die Beendigung der Berlinblockade und vor allem im Hinblick auf die bevorstehende Außenministerkonferenz in Paris dazu bewegen lassen, den Zug der Weststaatgründung noch einmal anzuhalten[103]. Am 18., 20. und 21. Mai ratifizierten die Landtage von zehn Ländern das Grundgesetz für die Bundesrepublik Deutschland. Bayern, dessen Vertreter einen erheblich größeren als nur den proportionalen Einfluß auf die föderalistische Gestalt der Verfassung ausgeübt hatten, lehnte das Grundgesetz als zu zentralistisch ab. Im Münchner Landtag hatte man siebzehn Stunden debattiert, ehe sich 101 bayerische Volksvertreter gegen und 63 für das Grundgesetz aussprachen. Das hatte, weder für die Verfassung noch für den Freistaat, negative Konsequenzen, und eine Resolution hielt zu allem Überfluß noch fest, daß das Grundgesetz in Bayern als rechtsverbindlich anerkannt werde[104].

Die Schlußsitzung des Parlamentarischen Rats am 23. Mai 1949 diente der feierlichen Feststellung der Annahme des Grundgesetzes für die Bundesrepublik Deutschland, der Ausfertigung und Verkündung in Anwesenheit der Ministerpräsi-

[103] Konferenz der drei Militärgouverneure mit Vertretern des Parlamentarischen Rats und der Ministerpräsidenten in Frankfurt, 12. 5. 1949. In: AVBRD 5, S. 423 ff.
[104] Bayerischer Landtag, 110. Sitzung, 19./20. 5. 1949, Sten. Bericht, S. 80 ff.; vgl. Peter Jakob Kock, Bayerns Weg in die Bundesrepublik. Stuttgart 1983.

denten der deutschen Länder, von Vertretern der Militärregierungen, der elf Landtagspräsidenten, von Abordnungen des Wirtschaftsrats und der Bizonen-Administration. Am gleichen 23. Mai setzten sich in Paris die Außenminister der vier Mächte wieder an den Konferenztisch, um bis zum 20. Juni abermals über das Problem der deutschen Einheit zu beraten. Zur Erleichterung der westdeutschen Politiker, die für den ersten Bundestagswahlkampf rüsteten und fürchteten, Vereinbarungen der vier Mächte würden die Fortschritte im Westen hemmen, fand sich auch bei der Pariser Konferenz nicht der Schlüssel zur deutschen Einheit. Gesucht wurde er dort aber auch mit wenig erfolgversprechenden Mitteln: Die Westmächte schlugen dem Kreml den Anschluß der sowjetischen Besatzungszone an den Weststaat vor (unter der Voraussetzung, daß in der Ostzone die Freiheitsrechte und die Unabhängigkeit des Richtertums beachtet und politische Polizeiformationen verboten würden), und die Sowjetunion bot im Frühjahr 1949 die wirtschaftliche Einheit Deutschlands nach den Potsdamer Grundsätzen von 1945 einschließlich der Wiederherstellung des Alliierten Kontrollrats an. Das waren Angebote, die wechselweise als unseriös empfunden wurden.

mark individual

37

6. Zeit des Übergangs: Sommer 1949

Mit der Verabschiedung des Grundgesetzes, das am 24. Mai 1949 in Kraft trat, existierte der formelle Rahmen des neuen Staates Bundesrepublik Deutschland. Damit er auch tatsächlich ins Leben treten konnte, mußten aber noch allerlei Vorbereitungen getroffen werden. Dies geschah ab Mai 1949 an vielen Orten gleichzeitig. In Washington hatten Anfang April die Außenminister der drei westlichen Besatzungsmächte das Feld abgesteckt, auf dem die Bundesregierung künftig Bewegungsfreiheit haben würde. Die Besatzungsherrschaft sollte ja noch nicht beendet werden, sondern vorerst nur durch eine mildere und quasi vertraglich gesicherte Form ersetzt werden. An die Stelle der Militärgouverneure würden mit der Konstituierung der Bundesregierung drei Hohe Kommissare treten, denen es als Inhaber wesentlicher (und im Zweifelsfalle sogar aller) Souveränitätsrechte der Bundesrepublik oblag, vor allem die Abrüstung und Entmilitarisierung sowie die Restitutionen und

Reparationen zu kontrollieren, die Dekartellisierung der Wirtschaft zu überwachen und die auswärtigen Angelegenheiten der Bundesrepublik wahrzunehmen. Allerdings sollte die Alliierte Hohe Kommission im Gegensatz zu den Militärregierungen mit einer bescheidenen Bürokratie auskommen.

General Clay war am 15. Mai 1949 in seine Heimat zurückgekehrt, zum Hohen Kommissar wurde John McCloy, ehemals Präsident der Weltbank, ernannt; er traf Anfang Juli in Deutschland ein. General Koenig verabschiedete sich zu dieser Zeit mit Truppenparaden in der französischen Zone. Zum Vertreter Frankreichs in der Alliierten Hohen Kommission wurde ein exzellenter Fachmann bestellt, André François-Poncet, der von 1931 bis 1938 Botschafter in Berlin gewesen war (und von 1953 bis 1955, im Anschluß an seine Mission als Hoher Kommissar, als Botschafter Frankreichs in Bonn blieb). Auf britischer Seite gab es keinen personellen Wechsel, denn der Militärgouverneur Sir Brian Robertson ließ sich von der Armee beurlauben und wurde als Zivilist Hoher Kommissar. François-Poncet kam im August 1949 nach Deutschland. John McCloy, der unmittelbar nach General Clays triumphalem Abschied im Mai zum Hohen Kommissar ernannt worden war, übte bis zur förmlichen Konstituierung der Bundesrepublik die Funktion des US-Militärgouverneurs aus.

Während die Besatzungsbehörden um- und abgebaut wurden, waren auf deutscher Seite verschiedene Instanzen damit beschäftigt, die Wege von Frankfurt nach Bonn zu ebnen. Eine der letzten Taten des Parlamentarischen Rats hatte darin bestanden, Bonn zum vorläufigen Regierungssitz der Bundesrepublik zu wählen. Die Vorgeschichte dieser Entscheidung vom 10. Mai 1949 reichte in den Sommer 1948 zurück, als ein Beamter in der Düsseldorfer Staatskanzlei, Ministerialdirektor Hermann Wandersleb, die wenig erfolgversprechende Idee hatte, den Parlamentarischen Rat nach Bonn zu holen. Vor allem wegen des Zonenproporzes – die wichtigen Gründungsveranstaltungen des neuen Staates sollten gleichmäßig über die drei Westzonen verteilt werden und das britische Besatzungsgebiet war noch nicht berücksichtigt worden – hatten die Ministerpräsidenten im August 1948 in aller Eile Bonn zum Sitz der Konstituante gemacht. Von da an förderte Konrad Adenauer, von Wandersleb unermüdlich unterstützt, mit allen Mitteln, auch mit Ränken und Listen, sein Projekt, Bonn auch zur Hauptstadt der Bundesrepublik zu machen. Die Annahme, er habe das nur getan, weil Bonn seinem Rhöndorfer Domizil so praktisch nahe lag, wäre zu einfach. Es gab auch politische Überlegungen wie die, daß der Regierungssitz des Weststaats am Rhein und gar an dessen linkem Ufer, liegen solle, um – freilich inzwischen schon wieder historische – französische Ansprüche abzuwehren. Ein gewichtiges Argument gegen Frankfurt war auch, daß dort die amerikanische Besatzungsmacht so übermächtig präsent war[105]. Für Frankfurt sprach andererseits, von der geographischen Lage ganz abgesehen, sehr vieles, nicht zuletzt die Existenz der bizonalen Behörden, für die bedeutende Investitionen erbracht worden waren. So glaubte noch im Herbst 1948 kaum jemand an die Chancen Bonns; als möglich galten Stuttgart und Kassel, aber am sichersten schienen die Aussichten für Frankfurt. Die Sozialdemokraten waren mehrheitlich für Frankfurt, allerdings nicht deren Berliner Vertreter, die Bonn als Ausdruck des Provisoriums favorisierten, weil sie fürchteten, die Wahl der Börsen- und Bankenmetropole Frankfurt zur Hauptstadt würde endgültigeren Charakter haben. Dieses Argument war für alle, die auf eine Wiedervereinigung Deutschlands (mit Berlin als Hauptstadt) hofften, von einigem Gewicht.

In der christdemokratischen Fraktion waren allerdings die CSU-Abgeordneten bis zum Vortag der Entscheidung Gegner des Bonn-Projekts, und zwei prominente Parlamentarier der CDU, Heinrich von Brentano und Walter Strauß, hatten auch hessische Interessen zu vertreten und waren daher für Frankfurt. Umgekehrt war der Sozialdemokrat Walter Menzel als nordrhein-westfälischer Innenminister im Gegensatz zu seiner Fraktion ein Anhänger Bonns. Auch Hans Böckler, der Vorsitzende des Deutschen Gewerkschaftsbunds in der britischen Zone, plädierte wegen der Nähe zum Ruhrgebiet, der industriellen Kernlandschaft Westdeutschlands, für Bonn. Für die Bonn-Lobby sah es also schlecht aus; am Vormittag des 10. Mai 1949 sprach alles dafür, daß die SPD zusammen mit einigen anderen Abgeordneten den Sieg davontrugen und Frankfurt die Hauptstadt der Bundesrepublik würde. Den Bayern hatte Adenauer zwar, als Gegenleistung dafür, daß die CDU die Ablehnung des Grundgesetzes durch die meisten CSU-Abgeordneten schluckte, das Votum für Bonn abgehandelt, aber das reichte nicht, es

[105] Vgl. Dokument 2; Konrad Adenauer, Erinnerungen 1945–1953. Stuttgart 1965, S. 158; Rudolf Morsey, Konrad Adenauer und der Weg zur Bundesrepublik Deutschland 1946–1949. In: Konrad Adenauer und die Gründung der Bundesrepublik Deutschland. Stuttgart 1979, insbes. S. 32 f.

mußte ein Wunder geschehen. In Gestalt eines Gerüchtes, das zur Intrige verdichtet wurde, ereignete sich das Mirakel[106]: In einer Vorstandssitzung der SPD waren am 10. Mai die sichere Niederlage der CDU/CSU in der Hauptstadtfrage und deren politische Folgen erörtert worden. Darüber drangen Nachrichten ins Pressezentrum des Parlamentarischen Rats. Sie wurden, etwas vergröbert, zu einer Agenturmeldung verarbeitet, die vom »Deutschen Pressedienst« scheinbar verbreitet wurde. Tatsächlich existierte die Meldung aber nur in einem Exemplar, mit dem bewaffnet Adenauer die Gegner Bonns in der CDU/CSU-Fraktion umstimmte. Weil die SPD angeblich ihren Sieg zu früh und zu lautstark gefeiert hatte – die verzweifelten Dementis bewirkten nichts mehr –, verwandelte er sich in eine Niederlage, da Abgeordnete wie Strauß und Brentano unter diesem Eindruck die Loyalität zur Partei über den hessischen Regionalpatriotismus stellten; andere Fraktionsmitglieder wurden mit der unverbindlich klingenden Formel: »Die Bundesorgane nehmen ihre erste Tätigkeit in ... auf«[107] gewonnen. Am Abend des 10. Mai wurde Bonn mit 33 gegen 29 Stimmen zur vorläufigen Hauptstadt der Bundesrepublik gewählt.

Zur Vorgeschichte dieser Entscheidung, die am 11. November 1949, nachdem der Bundestag noch einmal die Vorzüge und Nachteile von Frankfurt und Bonn geprüft hatte, endgültig wurde (im Bundestag stimmten 200 Abgeordnete für Bonn, 176 für Frankfurt), gehörte auch die von Adenauer vorübergehend propagierte Idee einer Zweiteilung: In Bonn sollten die Bundesministerien als (kleine) politische Entscheidungsinstanzen sitzen, die Verwaltungsarbeit sollte weiterhin in Frankfurt erledigt werden. Die Idee war unsinnig, hielt aber im Frühjahr 1949 die Gegner Bonns in Atem, während der Hausherr des Parlamentarischen Rats, ohne Rücksicht auf die fehlende Baugenehmigung und die Finanzierung des Projekts, den Ausbau der Pädagogischen Akademie in Bonn zum künftigen Bundeshaus vorantrieb[108].

Ein Ausschuß des Parlamentarischen Rats hatte im September 1948 damit begonnen, ein Wahlgesetz für den ersten Bundestag auszuarbeiten, obwohl die Kompetenz dazu nicht bei der Kon-

[106] Klaus Dreher, Ein Kampf um Bonn. München 1979, S. 83 ff.
[107] Protokoll der Fraktionssitzung vom 10. 5. 1949. In: Rainer Salzmann (Bearb.), Die CDU/CSU im Parlamentarischen Rat. Sitzungsprotokolle der Unionsfraktion. Stuttgart 1981, S. 563.
[108] Dreher, Ein Kampf um Bonn, S. 55 f.

stituante, sondern bei den Ministerpräsidenten lag. Wie beim Grundgesetz stand den Parlamentariern auch bei den Überlegungen zum Wahlmodus allezeit die Weimarer Republik vor Augen. Trachteten sie beim Grundgesetz die Konstruktionsfehler der Weimarer Verfassung, die natürlich das Vorbild für das Bonner Grundgesetz abgegeben hatte, zu vermeiden, also insbesondere das Staatsoberhaupt nicht mit Macht auszustatten und Ermächtigungsklauseln wie den Weimarer Artikel 48 beiseite zu lassen, so war das reine Verhältniswahlsystem als eine der Ursachen der Parteienzersplitterung im Reichstag und des Untergangs der Weimarer Republik den Bonner Verfassungsvätern suspekt. Ein reines Mehrheitswahlrecht kam aber auch nicht in Frage. Angestrebt wurde vielmehr eine Kombination beider Systeme, bei der die extremen Auswirkungen des einen wie des anderen vermieden würden. Gegen die CDU/CSU und die KPD fand sich im Februar 1949 im Hauptausschuß und im Plenum des Parlamentarischen Rats eine Mehrheit für den Kompromiß, den die Sozialdemokraten mit den kleineren Parteien ausgehandelt hatten: Die Hälfte der Abgeordneten sollte direkt nach dem einfachen Mehrheitsprinzip gewählt, die andere Hälfte der Mandate über Bundeslisten (unter Anrechnung der Direktmandate) vergeben werden[109].

Der Gesetzentwurf verfiel am 2. März 1949 dem Verdikt der Alliierten, weniger wegen seines Inhalts als wegen der mangelnden Kompetenz der Konstituante. Damit sollten sich, wie ihnen im ersten der Frankfurter Dokumente aufgetragen war, die Ministerpräsidenten beschäftigen. Die Länderchefs überwiesen den Gesetzentwurf wieder nach Bonn, wo er nach etlichem Hin und Her ohne wesentliche Veränderung am 23. Mai zusammen mit dem Grundgesetz verkündet, von den Alliierten aber wieder zurückgewiesen wurde. Auf ihrer Konferenz in Schlangenbad legten die Ministerpräsidenten am 31. Mai und 1. Juni 1949 dann noch einmal Hand an das Wahlgesetz. Briten und Amerikaner hatten sie genau instruiert, was geändert werden mußte und woran nicht mehr gerührt werden durfte. Die Länderchefs entsprachen den Forderungen der Alliierten, zumal es sich um Formalia des Wahlgesetzes handelte. Die parteipolitischen Positionen wurden bei der Schlangenbader Konferenz aber noch einmal mit Vehemenz vertreten, als die CDU-Politiker Geb-

[109] Erhard Lange, Der Parlamentarische Rat und die Entstehung des ersten Bundestagswahlgesetzes. In: VfZ 20 (1972), S. 280–318.

hard Müller (Württemberg-Hohenzollern) und Karl Arnold (Nordrhein-Westfalen) weitergehende Änderungsvorschläge verfochten, nämlich die Änderung des Verhältnisses der Direkt- und Listenkandidaten von 50 zu 50 (bzw. genauer von 203 : 197) auf 60 zu 40. Außerdem sollte eine Sperrklausel eingeführt werden, die Wählervereinigungen, die im Bundesgebiet weniger als 5 Prozent der Stimmen oder kein Direktmandat erringen würden, von der Sitzverteilung ausschließen sollte. Diese Bestimmungen, die der Einstimmigkeit der Beschlüsse halber von den sozialdemokratischen Länderchefs und dem Liberalen Reinhold Maier nach langer Debatte schließlich akzeptiert wurden, waren den Alliierten gegenüber als Wünsche deklariert worden. Den Länderchefs war nämlich bewußt, daß substantielle Änderungen des Wahlgesetzes Verhandlungen auf Außenministerebene erforderlich machen würden. Um diesen Zeitverlust zu vermeiden – darin waren sich gegen die Franzosen die deutschen Politiker mit den Amerikanern und Engländern einig –, hatten die Ministerpräsidenten dem Wahlgesetz entsprechend den Instruktionen zugestimmt und die Änderungen als Wünsche angehängt. Diese gingen dann am gleichen Tag in Erfüllung, lediglich die Fünfprozent-Klausel durfte jeweils nur für ein Land (und nicht im ganzen Bundesgebiet) gelten. Das Wahlgesetz für den ersten Bundestag (und zur ersten Bundesversammlung) blieb bei den Parteien und in der Öffentlichkeit umstritten, aber mit dem Segen der Alliierten wurde es von den Ministerpräsidenten am 15. Juni 1949 verkündet; gleichzeitig setzten sie den 14. August als ersten Wahltag fest[110].

Von den Aufträgen, die die westdeutschen Regierungschefs von den Militärgouverneuren im Juli 1948 erhielten, blieb einer unerledigt: Die Ministerpräsidenten hatten von Anfang an wenig Neigung gezeigt, der Aufforderung des zweiten Frankfurter Dokuments nach einer Überprüfung der Ländergrenzen nachzukommen. Pflichtschuldigst war aber ein »Ländergrenzenausschuß« installiert worden, der mehrmals tagte und vor allem soviel Zeitgewinn brachte, daß das Problem schließlich aus dem Gründungsprozeß der Bundesrepublik ausgeklammert wurde[111]. Für eine grundsätzliche Territorialreform in Westdeutschland hatte nur der schleswig-holsteinische Ministerpräsident

[110] Ministerpräsidentenkonferenz in Bad Schlangenbad, 31. 5./1. 6. 1949. In: AVBRD 5, S. 496 ff., insbes. S. 502–527.
[111] Vgl. Konferenz der Ministerpräsidenten der westdeutschen Besatzungszonen, Jagdschloß Niederwald, 31. 8. 1948. In: Parl. Rat, Bd. 1, S. 343 f.

Lüdemann (und zwar zugunsten einer Vergrößerung seines armen Landes) plädiert. In den anderen Ländern, so willkürlich manche auch zusammengesetzt waren, war die Neigung zu Veränderungen gering, mit einer großen Ausnahme allerdings. Die Bewohner der drei Kunstgebilde im Südwesten, die unter Verletzung württembergischer und badischer Strukturen und Traditionen gebildet worden waren, wollten in einem Land zusammenkommen. Es gab da zwar regionale Probleme – vor allem focht Leo Wohleb als Staatspräsident des Ländchens (Süd)Baden für dessen Eigenständigkeit –, doch der Einheitswille in Tübingen (Gebhard Müller), in Stuttgart (Reinhold Maier) und auch in der ehemaligen badischen Hauptstadt Karlsruhe war stärker als der Unabhängigkeitsdrang in Freiburg. Aber es dauerte bis zum Frühjahr 1952, bis sich Württemberg-Baden, Baden und Württemberg-Hohenzollern zum Südweststaat Baden-Württemberg zusammenfanden[112].

In Frankfurt arbeiteten Parlament und Bürokratie des Vereinigten Wirtschaftsgebiets im letzten Vierteljahr ihres Bestehens auf Hochtouren. Der Wirtschaftsrat war bestrebt, die in Arbeit befindlichen Gesetze noch fertigzustellen; auch bei der 40. und letzten Plenarsitzung am 8. August wurden noch Gesetze verabschiedet, u. a. über »vorübergehende Gewährung von Zollbegünstigungen«. 18 legislative Beschlüsse des Wirtschaftsrats von grundsätzlicher Bedeutung (etwa über die Wiederherstellung der Selbstverwaltung in der Sozialversicherung) waren aber von den Militärregierungen zurückgestellt worden, weil der Bizonengesetzgeber nach Meinung der Alliierten dem Bundestag nicht vorgreifen sollte. Zum Katalog der vorbereiteten Maßnahmen, die deshalb nach Bonn überwiesen wurden, gehörte ein »Gesetz über die Regelung der Beziehungen zwischen Ärzten, Zahnärzten, Dentisten und Krankenkassen« ebenso wie ein Heimarbeits- und ein Kündigungsschutzgesetz.

Am 16. August trafen zum letzten Mal die bizonalen Verwaltungsspitzen mit den Militärgouverneuren zu einer Routinebesprechung zusammen. Auf der Tagesordnung standen u. a. Probleme der Finanzhilfe für Berlin und ein Gesetz über den Güterfernverkehr. Am 15. September löste sich BICO, die alliierte Kontrollinstanz der Bizone auf, eine Woche später, mit dem

[112] Vgl. Eberhard Konstanzer, Die Entstehung des Landes Baden-Württemberg. Stuttgart 1969; Reinhold Maier, Erinnerungen 1948–1955. Tübingen 1966, S. 67 ff.

Zusammentritt der ersten Bundesregierung, kam auch das Ende des Verwaltungsrats. Die Direktoren hatten unter dem Vorsitz Pünders am 6. September zum letzten Mal getagt; auf dieser 68. Direktorialsitzung waren u. a. die Arbeitslosigkeit und die Einführung der Sommerzeit 1950 behandelt worden. Förmlich aufgelöst wurden Wirtschaftsrat und Länderrat, wie sie ins Leben getreten waren, durch Gesetz und Verordnung der Amerikaner und Briten vom 1. September 1949. Die Kraft zur Rechtsetzung verloren die bizonalen Organe durch das Grundgesetz, das bestimmte, von seinem Zusammentreten an würde der Bundestag die ausschließliche Legislative sein. Abgewickelt, in Bundesorgane überführt oder aufgelöst wurde noch einige Zeit. Oberdirektor Pünder, der am 16. September eine Art Amtsübergabe an den Bundeskanzler in Gestalt eines Briefes, dem Listen über den Stand der Geschäfte beigefügt waren, vollzogen hatte, wurde erst am 4. Mai 1950 von der Bundesregierung verabschiedet[113].

Das Ende der Bizone vollzog sich in der Aufbruchstimmung des Sommers 1949 ziemlich sang- und klanglos. Diesen Eindruck hatten namentlich diejenigen beim Frankfurter Personal, für die es in Bonn keine Verwendung gab, allen voran der tief enttäuschte Oberdirektor Pünder, der am liebsten Außenminister in Bonn geworden wäre. Die personelle und administrative Kontinuität zwischen Frankfurt und Bonn war trotzdem beachtlich, und die Errungenschaften, die von der Bizone in die Bundesrepublik eingebracht wurden, waren bedeutend. Darunter sind nicht nur die zahlreichen sozialpolitischen Gesetze und die wirtschaftspolitischen Weichenstellungen zu verstehen, auch konkrete Einzelheiten wie der erste Bundeshaushalt gehörten dazu. Das Etatjahr der Bundesrepublik begann am 1. April 1950, bis dahin bildete im wesentlichen der Rumpfhaushalt des Vereinigten Wirtschaftsgebiets den Finanzrahmen des neuen Staats.

So groß die organisatorischen Vorleistungen der Bizone für die Bundesrepublik waren, so gering blieb der Anteil des französischen Besatzungsgebiets. Das viel beschworene Trizonesien war kaum mehr als eine Legende, denn eine Verschmelzung der drei Westzonen oder auch nur ein einheitlicher Verwaltungsapparat hat vor der Etablierung der Bundesrepublik auf deren

[113] Abschiedsbriefe und Vermerk Pünders über Empfang bei Adenauer, 4. 5. 1950, im Bundesarchiv, Nachlaß Pünder, Bd. 721.

Territorium nie existiert; zwar bildeten die Bank deutscher Länder, Währungsreform und Marshall-Plan, Parlamentarischer Rat und das Büro der Ministerpräsidenten einen minimalen Rahmen, aber weder die Wirtschafts- noch die Rechtsordnung war in der Bizone die gleiche wie in der französischen Zone, wo auch noch nach anderen Kriterien verwaltet wurde, und wo Post und Eisenbahn nach eigenen Gesetzen funktionierten.

Für die Übergangszeit nach der Verabschiedung des Grundgesetzes, als der Parlamentarische Rat keine Kompetenzen mehr hatte, war die Konferenz der Ministerpräsidenten das oberste verfassungsmäßige Organ der drei Westzonen, das im Auftrag der Alliierten die Vorbereitungen für den Weststaat zu treffen hatte. Der Parlamentarische Rat und vor allem dessen Präsident gedachten aber nicht in Untätigkeit zu verharren und die Ministerpräsidenten allein schalten und walten zu lassen. Adenauer wollte auch gerne die dienstbaren Geister des verfassunggebenden Parlaments bis zum Zusammentreten des Bundestags bei der Stange halten. (Es gelang mit Hilfe von Vorschüssen des Landes Nordrhein-Westfalen[114].) Nach einigem Widerstand von seiten der Länderchefs, die ebensowenig wie die Alliierten einen Überleitungsausschuß des Parlamentarischen Rats als Zwischensouverän hinnehmen wollten, fand sich der Kompromiß auf den Konferenzen der Ministerpräsidenten in Königstein (23./24. Mai) und Schlangenbad (14./15. Juni 1949). Es wurde ein gemeinsamer »Ausschuß zur Prüfung der vorbereitenden Maßnahmen für die Errichtung der Bundesorgane« etabliert, in dem die elf Regierungschefs mit 18 Vertretern des Parlamentarischen Rats, sechs Mitgliedern des Frankfurter Wirtschaftsrats und vier Delegierten der französischen Zone zusammenarbeiteten[115].

Die Arbeit selbst wurde in vier selbständig operierenden Unterausschüssen von Experten und Beamten geleistet, und die Ergebnisse wurden der Ministerpräsidentenkonferenz vorgelegt[116], die am 25. und 26. August 1949 in Koblenz, wieder auf dem Rittersturz, zum letzten Mal in dieser Form zusammen-

[114] Morsey, Konrad Adenauer und die Gründung der Bundesrepublik. S. 32–33.
[115] Ministerpräsidentenkonferenz in Bad Schlangenbad, 14./15. 6. 1949. In: AVBRD 5, S. 577–591.
[116] Ministerpräsidentenkonferenz in Koblenz 25./26. 8. 1949. In: AVBRD 5, S. 1059–1067.

trat. (In gleicher Besetzung trafen sich die Regierungschefs aber wieder im Bundesrat.) Die Empfehlungen der Unterausschüsse wurden in Koblenz aus Zeitmangel gar nicht mehr diskutiert, sondern gleich der Bundesregierung zugeleitet. Sie enthielten detaillierte Pläne für die Organisation, die Gesetzgebung und das Rechtssystem und die Finanzgebarung des Bundes. Der Organisationsausschuß hatte Geschäftsverteilungspläne und Kompetenzabgrenzungen für die Bundesressorts erarbeitet, der Juristische Ausschuß hatte zusammengestellt, welche Gesetze und Bestimmungen des Besatzungs-, Zonen- und Bizonenrechts weiter gelten sollten, und er hatte Überlegungen zur Rechtsangleichung der französischen Zone an das übrige Bundesgebiet angestellt. Außerdem hatte der juristische Ausschuß eine Liste von Gesetzentwürfen ausgearbeitet, untergliedert in die Rubriken »Sofort-Gesetze« und »Dringliche Gesetze«, die vom Bundesgesetzgeber möglichst rasch behandelt werden sollten. Das Problem des »Bevölkerungsausgleichs« (die Verteilung der Flüchtlinge) gehörte ebenso dazu wie der Schutz von Patenten aus Ländern der französischen Zone, eine Bundesamnestie oder eine Gesetzesmaßnahme über »vordringliche Fragen des Beamtenrechts«. Hinter dem letztgenannten Projekt verbargen sich Reaktion und Restauration. Die Absicht war nämlich, möglichst bald die ungeliebten Reformen der Besatzungsmächte zur Demokratisierung des Öffentlichen Dienstes rückgängig zu machen. Der Organisationsausschuß hatte gleichzeitig empfohlen, das Personalamt der Bizone, den institutionellen Ausdruck der Reform des Beamtenrechts, zu liquidieren, eine Empfehlung, der gerne entsprochen wurde, es mußte lediglich abgewartet werden, bis der Chef des Personalamts adäquat versorgt war. Das dauerte bis 1952 – und solange bestand das Personalamt als leere Hülse im Geschäftsbereich des Bundesinnenministeriums fort –, als Kurt Oppler zum Gesandten der Bundesrepublik in Island ernannt wurde. Oppler war übrigens der einzige Sozialdemokrat gewesen, der in der Bizonenhierarchie einen höheren Rang bekleidete.

Zu den dringlichen Maßnahmen auf dem Gebiet des Beamtenrechts gehörte aber auch die Versorgung des Personenkreises, der im Artikel 131 des Grundgesetzes angesprochen war: Beamte, die ihre Versorgungsansprüche nicht mehr bei der bis zum Zusammenbruch 1945 zahlenden Stelle geltend machen konnten (Heimatvertriebene) und schließlich Personen, die im Zuge der Entnazifizierung aus dem Öffentlichen Dienst ausgeschieden waren[117]. (Der erste Bundestag verhalf sowohl der Tradition zu ihrem Recht, indem er schon 1950 das von nationalsozialistischen Zutaten purgierte Beamtengesetz von 1937 wieder in Kraft setzte, als auch im Mai 1951 dem Personenkreis der »131er« durch das ›Gesetz zur Regelung der Rechtsverhältnisse der unter Artikel 131 des Grundgesetzes fallenden Personen‹.) Der Finanzausschuß strukturierte u. a. den ersten Haushaltsplan der Bundesregierung, die zunächst weder Einnahmen noch Rücklagen hatte, auf den Vorlauf der Frankfurter Administration also angewiesen war. Am schwierigsten war die Arbeit im »Technischen Ausschuß«, der sich bis zur letzten Stunde mit den Problemen Bonns, das sich zur Hauptstadt als reichlich ungeeignet erwies, herumschlagen mußte. Die Probleme bestanden in unzulänglicher Unterbringung der Bundesbehörden, in überhöhten Kosten, in mangelnden Fortschritten auf den Baustellen. Ärger hatte in diesem Zusammenhang auch Oberdirektor Pünder bekommen. Er mußte im Juni 1949 vor einem Untersuchungsausschuß des Wirtschaftsrats erscheinen, weil er aus parteipolitischen Gründen und Adenauer zuliebe zugunsten Bonns und zum Schaden Frankfurts gewirtschaftet haben sollte[118].

In der Öffentlichkeit wurden die vielfältigen Aktivitäten zur Gründung der Bundesrepublik, die sich zumeist ja auch hinter den Kulissen entfalteten, kaum wahrgenommen. Die Aufmerksamkeit war durch den ersten Wahlkampf voll in Anspruch genommen. Um die 402 Mandate des Bundestags bewarben sich sechzehn Parteien und 70 parteilose Kandidaten. Die Vielfalt der Bewerber, unter ihnen auch ausgesprochen obskure Gruppierungen und Spezialinteressen propagierende Vereinigungen, nährte die Befürchtung, daß trotz der Vorkehrungen im Wahlgesetz Weimarer Zustände ohne regierungsfähige Mehrheiten im Bundestag wiederkehren könnten. Tatsächlich teilte sich die Wählergunst ziemlich genau in Drittel. Je eines erhielten CDU/CSU, SPD und die kleineren Parteien. Unter diesen gab es mehrere, die erfolgreich Regionalinteressen vertraten, und Programmparteien, bei denen Gruppeninteressen mit Weltanschauung verbunden waren. Zur ersten Kategorie gehörte die

[117] Büro der Ministerpräsidenten, Empfehlungen des Juristischen Ausschusses. Wiesbaden 1949, S. 13 f.
[118] Wirtschaftsrat. Wörtl. Bericht über 38. Vollversammlung, 23. 6. 1949, S. 1863–1867 und 39. Vollversammlung, 20. 7. 1949, S. 1970–1971 und Drucksache Nr. 1553.

Bayernpartei, die gegen das Grundgesetz und für bayerische Eigenart – definiert als Mischung aus Folklore und Partikularismus mit monarchistischen und separatistischen Einsprengseln – kämpfte und siebzehn Abgeordnete in den Bundestag schicken konnte. Mit ihr und der CSU konkurrierte in Bayern die Wirtschaftliche Aufbau-Vereinigung des Demagogen Alfred Loritz, der im Verein mit dem »Neubürgerbund« immerhin noch 700 000 Wähler mobilisierte und zwölf Mandate errang. Die Deutsche Partei, deren Schwerpunkt in Niedersachsen lag, stritt erfolgreich (siebzehn Mandate) für nationale Werte und gegen jede Form von Sozialisierung, ihr Hauptgegner war die SPD. Der FDP warf die erzkonservative DP vor, daß sie in Kultur- und Kirchenfragen genauso materialistisch eingestellt sei wie die Sozialdemokratie. Andererseits zeichnete sich die Fortsetzung des Bündnisses zwischen CDU/CSU, DP und FDP ab, das in Frankfurt im Zeichen der Marktwirtschaft begonnen hatte. Vor allem im Rheinland, aber auch in Niedersachsen und Schleswig-Holstein konkurrierte die katholisch und christlich-sozialistisch orientierte Deutsche Zentrumspartei mit der CDU und der SPD; sie zog mit zehn Abgeordneten nach Bonn. Am äußersten rechten Ende des Parteienspektrums agitierte mit Schwerpunkt in Niedersachsen die Deutsche Konservative Partei/Deutsche Rechtspartei, in der verschiedene rechtsradikale Gruppierungen vereinigt waren. Ihre Wählerschaft, die ihr zu fünf Mandaten verhalf, bestand aus Unzufriedenen und Deklassierten, ehemaligen Berufssoldaten, entlassenen Beamten. Am linken Ende kämpften die Kommunisten um Stimmen. Sie hatten, nicht zuletzt wegen der Behinderungen durch die Militärregierungen, einen schweren Stand. Ereignisse wie die Berlin-Blockade hatten die traditionellen antikommunistischen Ressentiments bei den meisten noch verstärkt, trotzdem errang die KPD mit 1,3 Millionen Stimmen fünfzehn Mandate. Es waren freilich zum größeren Teil Protestwähler, vor allem auch Arbeitslose, und weniger Anhänger der kommunistischen Ideologie, die im Sommer 1949 die KPD wählten.

Die Hauptschlacht in diesem Wahlkampf, dem bisher härtesten in der gerade beginnenden Geschichte der Bundesrepublik, wurde zwischen Christdemokraten und Sozialdemokraten geschlagen, und das wichtigste Thema war die Wirtschaftsordnung; daneben überboten sich die Parteien darin, dem Gegner Servilität gegenüber den Besatzungsmächten nachzureden und den jeweils eigenen Standort als besonders national darzutun.

Gute Beziehungen zu einer Besatzungsmacht galten jetzt als schmählich. Wenn Adenauer in Heidelberg[119] auf eher abgefeimte Weise die SPD als Helfershelfer der Briten abqualifizierte (als Anlaß nahm er die Geschichte des Memorandums der Alliierten an den Parlamentarischen Rat vom April 1949, dessen Inhalt angeblich der SPD bekannt war und deshalb deren intransigente Haltung bei der Verfassungskrise gefahrlos machte), so schmähte Kurt Schumacher die CDU/CSU ebenso grundlos als Hörige der Franzosen und zieh sie des »klerikalen Partikularismus im Interesse Frankreichs«[120].

Allgemein hielt man die Chancen der SPD für etwas größer als die der Unionsparteien. Aber Kurt Schumachers Heftigkeit, seine maßlosen Angriffe, seine rhetorischen Rundumschläge minderten ihren Vorsprung. Für die Sozialdemokraten ging der Wahlkampf im Rheinland und Ruhrgebiet verloren, wo Schumachers Ausfälle gegen die katholische Kirche – in Gelsenkirchen hatte er in diesem Zusammenhang von einer fünften Besatzungsmacht gesprochen – vom christlich-demokratischen Gegner mit Genuß kolportiert wurden[121]. Daß sich die CDU kräftiger Unterstützung durch die katholische Kirche erfreute, steigerte Schumachers Wut zu neuen Attacken, die aber ohne Werbewirkung für die SPD blieben. Umgekehrt wurde Adenauer nicht müde, die nationale Unzuverlässigkeit der Sozialdemokratie darzulegen, und dabei hatte der 74jährige Matador auch vor schäbigen Tricks keinerlei Scheu. In der zentralen Auseinandersetzung um die Wirtschaftspolitik kämpften CDU/CSU und FDP Schulter an Schulter.

Ludwig Erhard trat als Exponent der Frankfurter Wirtschaftspolitik mit großer Überzeugungskraft und grenzenlosem Optimismus in zahlreichen Versammlungen auf. Er kandidierte bei der CDU, wofür er bei den maßgeblichen Politikern der FDP, die ihn eigentlich als den ihren betrachteten, um Verständnis gebeten hatte[122]. Die CDU hatte sich in den Düssel-

[119] Wahlrede bei einer CDU/CSU-Kundgebung im Heidelberger Schloß, 21. 7. 1949. In: Konrad Adenauer, Reden 1917–1967. Eine Auswahl. Hrsg. von Hans-Peter Schwarz. Stuttgart 1975, S. 137–149.
[120] Zitiert nach Paul Wilhelm Wenger, »Der kranke Führer«. In: Rheinischer Merkur, 16. 4. 1949.
[121] Vgl. SPD-Pressedienst, 17. 7. 1949, und Neuer Vorwärts, 23. 7. 1949: Politik oder Glaubenskrieg. Auszug aus einem Brief Kurt Schumachers vom 15. 7. 1949 an einen Freund.
[122] Briefwechsel Ludwig Erhards mit Theodor Heuss, Franz Blücher und

dorfer Leitsätzen, die am 15. Juli 1949 der Öffentlichkeit vorgestellt wurden, zur »Sozialen Marktwirtschaft« bekannt und den christlichen Sozialismus ihres Ahlener Programms von 1947 zu den Akten gelegt[123]. Der damals noch parteilose Ludwig Erhard propagierte die Idee der Sozialen Marktwirtschaft unbeirrt von den Argumenten der Sozialdemokraten, die auf die wachsende Arbeitslosigkeit und die steigenden Preise verwiesen und die Notwendigkeit einer geplanten Wirtschaft betonten. Die sozialdemokratischen Vorstellungen, die Erhards Gegenspieler, der nordrhein-westfälische Wirtschaftsminister Erik Nölting, unermüdlich vortrug, wurden als Propaganda für die Fortsetzung der Zwangswirtschaft des Dritten Reiches simplifiziert und verworfen. Ludwig Erhard erklärte die wirtschaftlichen Schwierigkeiten als Übergangserscheinungen, als Symptome einer Reinigungskrise und verhieß baldigen Aufschwung durch die Soziale Marktwirtschaft.

Die Unionsparteien gingen am 14. August 1949 mit einem Vorsprung von 424 109 Stimmen (31,0 Prozent) vor den Sozialdemokraten (29,12 Prozent) durchs Ziel. Den 139 Abgeordneten der CDU/CSU standen 131 Mandate der SPD gegenüber, mit den 52 Abgeordneten der FDP und den 17 Parlamentariern der Deutschen Partei war eine regierungsfähige bürgerliche Koalition möglich.

In den Reihen der Union gab es aber prominente Anhänger einer Großen Koalition, unter ihnen die Ministerpräsidenten Arnold, Altmeier, Wohleb und Gebhard Müller, Direktor Schlange-Schöningen und so wichtige Leute wie Werner Hilpert und Heinrich von Brentano. Eine Woche nach der Wahl, am 20. August 1949, verständigte sich aber Adenauer mit dem bayerischen Ministerpräsidenten Ehard in Frankfurt darüber, daß nur eine kleine Koalition (ohne die Sozialdemokraten) erstrebenswert sei. Der bayerische Staatsminister Anton Pfeiffer, Ludwig Erhard und Wilhelm Niklas, der Stellvertreter Schlange-Schöningens als Direktor für Ernährung und nachmaliger Bundesminister dieses Ressorts, waren bei dem Frankfurter Treffen dabei. Teil der Verabredung zwischen Adenauer und

Thomas Dehler, 14.–28. 7. 1949 im Nachlaß Erhard, Ludwig-Erhard-Stiftung Bonn. Erhard wurde formell erst 1963 Mitglied der CDU.
[123] Informationsdienst des Zonenausschusses der CDU für die britische Zone, 23. 7. 1949; Text der Düsseldorfer Leitsätze bei Ossip K. Flechtheim (Hrsg.), Dokumente zur parteipolitischen Entwicklung in Deutschland seit 1945. Bd. 2, Berlin 1963, S. 58–76.

arrangement · turn to the rghl.

der CSU-Spitze war die Zusage, daß Ehard zum Präsidenten des Bundesrats gewählt würde. Am nächsten Tag, dem 21. August 1949, wurde die Entscheidung im größeren Kreis in Adenauers Haus in Rhöndorf nachvollzogen. Bei diesem berühmten Sonntagskaffee tat Adenauer seine Neigung und Befähigung kund, das Amt des ersten Bundeskanzlers auszuüben; und es wurde beschlossen, den FDP-Kandidaten für die Position des Bundespräsidenten, Theodor Heuss, zu unterstützen und die siebzehn Abgeordneten der DP – ungeachtet des Rechtsdralls der Partei – in die Koalition aufzunehmen[124].

Trotz dieser Absprachen, die dadurch erleichtert wurden, daß unter den etwa 25 Unionspolitikern in Rhöndorf die Anhänger einer Großen Koalition sich sehr in der Minderheit befanden, war die erste Regierungsbildung der Bundesrepublik eine mühsame Prozedur. Das lag zum Teil an der Koalitionsarithmetik, derzufolge Franz Blücher (FDP) Vizekanzler und Minister für den Marshall-Plan wurde und der FDP außerdem die Ressorts Justiz (Thomas Dehler) und Wohnungsbau (Eberhard Wildermuth) überlassen wurden. Die DP erhielt das Verkehrsministerium (Hans-Christoph Seebohm), angeboten war ihr außerdem (für Heinrich Hellwege) ein Ministerium ohne Geschäftsbereich, das auf dringenden Wunsch der DP aber mit der Bezeichnung »für Angelegenheiten des Bundesrats« zu einem »Fachressort« heraufgestuft wurde[125]. Die übrigen Ministerien waren von der CDU/CSU nach innerparteilichen Proporzgründen zu besetzen, wobei Konfession, landsmannschaftliche Herkunft und ähnliche Gesichtspunkte berücksichtigt werden mußten. Unumstritten war die Besetzung des Wirtschaftsministeriums mit Ludwig Erhard; aus der Frankfurter Bizonenadministration wurden ferner Anton Storch (Arbeit) und Hans Schuberth (Post) als Bundesminister übernommen. Schlange-Schöningen hatte das ihm ohne Begeisterung angebotene Ernährungsressort in Bonn abgelehnt, nicht zuletzt wegen der Schwierigkeiten mit der CSU, die er in Frankfurt gehabt hatte; dafür wurde sein Stellvertreter Wilhelm Niklas Bundesminister. Gustav Heinemann, Oberbürgermeister von Essen und Präses der Synode der

---

[124] Rudolf Morsey, Die Rhöndorfer Weichenstellung vom 21. August 1949. Neue Quellen zur Vorgeschichte der Koalitions- und Regierungsbildung nach der Wahl zum ersten deutschen Bundestag. In: VfZ 28 (1980), S. 508–542.
[125] Briefwechsel Adenauers mit Heinrich Hellwege, 14. 9. 1949 im Nachlaß Adenauer, Stiftung Bundeskanzler-Adenauer-Haus, Bad Honnef-Rhöndorf, Bd. 09.20.

135

Evangelischen Kirche Deutschlands, wurde, damit ein prominenter Protestant aus den Reihen der CDU ins Kabinett kam, Innenminister. Aus vergleichbaren Proporzgründen bekam Hans Lukaschek das Amt des Vertriebenenministers, und Jakob Kaiser, Adenauers Berliner Gegenspieler, wurde Minister für Gesamtdeutsche Fragen. Um die Interessen und Ansprüche zu balancieren, mußten statt der acht vorgesehenen Ministerien schließlich dreizehn errichtet werden, und die CSU beanspruchte zu guter Letzt, mit Minister- und Staatssekretärsposten extra bedient zu werden und zwar zum Ausgleich dafür, daß am 7. September gegen die Verabredung statt Hans Ehard der nordrhein-westfälische Ministerpräsident Karl Arnold, auch er ein innerparteilicher Opponent Adenauers, zum ersten Präsidenten des Bundesrats gekürt worden war. Außer dem Finanzministerium (Fritz Schäffer) und dem Ernährungsressort (Wilhelm Niklas) wurde deshalb auch ein Postministerium, das zuerst gar nicht vorgesehen war, etabliert.

Am 7. September 1949 konstituierte sich der Bundestag, am 12. September wählte die Bundesversammlung (bestehend aus den 402 Bundestagsabgeordneten und ebensovielen Vertretern der Landtage) Theodor Heuss im zweiten Wahlgang zum Bundespräsidenten. Drei Tage später, am 15. September, erkor der Bundestag Konrad Adenauer mit 202 gegen 142 Stimmen, bei 44 Enthaltungen und einer ungültigen Stimme, d. h. mit einer Mehrheit von einer – seiner eigenen – Stimme, zum Bundeskanzler. Am 20. September stellte er dem Parlament sein Kabinett vor, und am folgenden Tag machte der Kanzler, begleitet von einigen Bundesministern, seinen Antrittsbesuch bei der Hohen Kommission auf dem Petersberg bei Bonn. Damit waren Bundesregierung und Bundesrepublik konstituiert, und an diesem Tag trat das Besatzungsstatut in Kraft.

7. Der Weg zur Souveränität 1949–1955

Teils im Gegenzug zur Entwicklung in den Westzonen, teils in zwangsläufig scheinender, vom Gegensatz der beiden Großmächte diktierter Parallelität war in der sowjetischen Besatzungszone seit Frühjahr 1948 der Gründungsprozeß des Oststaates im Gange. Mit der Proklamation der Deutschen Demokratischen Republik am 7. Oktober 1949 – ein Akt, der in Bonn noch am gleichen Tag als rechtswidrig bezeichnet wurde – war die Teilung der Reste des Deutschen Reiches abgeschlossen. Innerhalb der in Potsdam gezogenen Grenzen Deutschlands existierten nun zwei Staaten (und außerdem das in wirtschaftlicher Union mit Frankreich stehende Saargebiet). Die Alliierte Hohe Kommission, die auf dem Petersberg über Bonn residierte und damit auch augenfällig machte, daß die Bundesregierung noch unter Kuratel stand, erklärte am 20. Oktober 1949, die Regierung der DDR sei nicht berechtigt, im Namen Ostdeutschlands, geschweige denn im Namen Gesamtdeutschlands zu sprechen. Die Begründung war die gleiche, mit der bereits die Bundesregierung das »SED-Regime« verdammt hatte: die Bevölkerung der Ostzone habe keine Gelegenheit zur freien Willensäußerung gehabt. Am 21. Oktober erhob der Bundeskanzler unter allgemeiner Billigung des Bundestags in einer Regierungserklärung den Anspruch, allein die Bundesrepublik Deutschland sei befugt, im Namen des deutschen Volkes zu sprechen. Der Alleinvertretungsanspruch wurde im Herbst 1950 von den Außenministern der drei Westmächte feierlich bestätigt, und fünf Jahre später, im Dezember 1955, nachdem die Bundesrepublik die Souveränität erhalten hatte, wurde dieser Anspruch mit Hilfe der Hallstein-Doktrin auf lange Jahre festgeschrieben. Der nach dem damaligen Staatssekretär im Auswärtigen Amt Walter Hallstein benannte Grundsatz bedrohte alle Staaten, die die DDR anerkennen und diplomatische Beziehungen zu ihr aufnehmen würden, mit Sanktionen. So wurde bis Ende der sechziger Jahre verfahren. Meist genügte die Drohung (namentlich gegenüber armen Ländern), im Herbst 1957 jedoch brach Bonn zu Jugoslawien und 1963 zu Kuba die diplomatischen Beziehungen aus diesem Grunde ab. In der Abgrenzung gegen die DDR als Staat, bei gleichzeitigem Anspruch, die Vormundschaft über dessen Bevölkerung auszuüben, stimmten Bundesregierung und sozialdemokratische Opposition weitgehend überein.

Die deutsche Einheit, das Verlangen nach Wiedervereinigung gehörte noch lange über die Gründerjahre der Bundesrepublik und sogar noch über die Adenauerzeit hinaus zu den Grundforderungen der westdeutschen Politik. Der Streit über die richtigen Wege zum allmählich schwindenden Ziel ritualisierte und institutionalisierte sich im Laufe der Jahre. Die meisten Politiker, die in Bonn von Wiedervereinigung redeten, widmeten ihre Kraft vor allem der Trassierung der Umwege, auf denen die

137

Einheit der Nation irgendwie erreicht werden sollte. In den Reihen der Sozialdemokratie wurde mit Leidenschaft und mit Argwohn, der mit gewissen Abstufungen gegen alle vier Besatzungsmächte gerichtet war, die Wiedervereinigung als selbstverständlich zu erstrebendes politisches Hauptziel verstanden und als erreichbar herbeigesehnt. Die Oppositionsrolle bot der SPD die Möglichkeit – und Kurt Schumacher nahm sie jederzeit und nur zu gerne wahr –, als Gralshüterin der Einheit der Nation aufzutreten und sich bei prekären Entscheidungen zu verweigern. Politische Tugenden wie Elastizität und Pragmatismus standen in der Sozialdemokratie der Schumacher-Ära nicht sehr hoch im Kurs.

Auf der Regierungsbank galt die möglichst rasche Gewinnung der Souveränität für die Bonner Republik als das wichtigste Ziel. Adenauers Konzept bestand darin, durch die Westintegration der Bundesrepublik Handlungsfreiheit zu gewinnen. Das hieß vor allem Herstellung dauerhafter harmonischer Beziehungen zu Frankreich; die Stichworte in diesem Zusammenhang hießen »Aussöhnung« und Rücksichtnahme auf Frankreichs Sicherheitsinteressen. Paris mußte von der Friedfertigkeit Bonns ein für allemal überzeugt werden, die Idee eines die Nationalstaaten überwindenden Europas spielte dabei eine bedeutende Rolle. Die neuralgischen Punkte waren jedoch das Saarproblem und das Ruhrstatut. Namentlich die internationale Kontrolle der Bodenschätze und Montanerzeugnisse des Ruhrgebiets, deren Modus im Dezember 1948 im Ruhrstatut festgelegt worden war, wurde als arger Eingriff in die deutschen Interessen aufgefaßt. Die Sozialdemokraten empfanden das Statut als einseitige Knebelung, weil dem deutschen Volk die Möglichkeit genommen werde, seine Wirtschaft in eigener Verantwortung zu führen. Die Internationalisierung sei »nichts anderes als kollektive Ausbeutung zugunsten einiger Bevorrechtigter, die dann keine Veranlassung mehr sehen werden, ihre eigene Wirtschaft in eine internationale Organisation einzubringen«[126]. Die Christdemokraten waren entschlossen, aus der Not eine Tugend zu machen, sie betrachteten das Ruhrstatut als »eine schmerzliche Übergangslösung« und hielten sich an die Schlußsätze des begleitenden Kommuniqués: »Wenn die Ruhrbehörde vernünftig gehandhabt wird, kann sie einen weiteren Beitrag für

---

[126] Erklärung der Fraktion der SPD zum Ruhrstatut im Hauptausschuß des Parl. Rats, 7. 1. 1949, Drucksache PR 1.49–462.

eine engere wirtschaftliche Zusammenarbeit zwischen den Völkern Europas herstellen.«[127]

Ein überraschend früher Erfolg der Bundesregierung und eine erste Station auf dem Weg zur Souveränität war das »Petersberger Abkommen« vom 22. November 1949[128], in dem die Alliierte Hohe Kommission der Bundesrepublik die Aufnahme konsularischer Beziehungen gestattete. Außerdem wurden wirtschaftliche Erleichterungen gewährt: Die Beschränkungen beim Bau von Hochseeschiffen wurden gelockert und das Demontageprogramm wurde abermals vermindert (und 1951 beendet). Der Preis bestand im Beitritt der Bundesregierung zum Abkommen über die internationale Ruhrkontrolle; das war ohnehin vorgesehen, und seit April 1949 waren die Westdeutschen am Ruhrstatut durch ihre drei alliierten Vormünder beteiligt. Innenpolitisch war dieser Schritt höchst umstritten, und Kurt Schumacher titulierte deswegen im Bundestag seinen Widersacher Adenauer unter allgemeiner furchtbarer Erregung als den »Bundeskanzler der Alliierten«[129]. Aber dessen Willfährigkeit trug schnell und reichlich Früchte. Weniger als drei Jahre später existierte das Ruhrstatut als Kontroll- und Disziplinierungsinstrument, »daß die Bodenschätze der Ruhr in Zukunft nicht für Aggressionszwecke, sondern nur im Interesse des Friedens benutzt«[130] würden, schon nicht mehr; es war auf französischen Vorschlag durch die Montanunion, die Europäische Gemeinschaft für Kohle und Stahl, ersetzt worden. Mit dem Inkrafttreten dieses Vertrags (25. Juli 1952) wurden die Kontrollen und Beschränkungen der deutschen Schwerindustrie aufgehoben, Frankreich und die Bundesrepublik wurden Partner in der ersten supranationalen Organisation eines beginnenden »Europas der Sechs«.

Der französische Vorschlag zur Montanunion war unter dramatischen Umständen dem Bundeskanzler unterbreitet worden. Durch die Saarkonventionen, die Frankreich am 3. März 1950 mit der Saarregierung abgeschlossen hatte – die Abmachungen betrafen u. a. die Währungs- und Wirtschaftsunion mit Frankreich und gewährten dem Land im Rahmen der

[127] Erklärung der Fraktion der CDU/CSU zum Ruhrstatut im Hauptausschuß des Parl. Rats, 7. 1. 1949, Drucksache 1.49–461.
[128] Wortlaut im Anhang, S. 161 (Dok. 5).
[129] Deutscher Bundestag, 18. Sitzung, 24. u. 25. 11. 1949, Sten. Ber., S. 525.
[130] Kommuniqué und Entwurf eines Abkommens über die Errichtung einer Internationalen Ruhrbehörde. In: Europa-Archiv 4 (1949), S. 2197f.

Saarverfassung von 1947 Autonomie –, hatte sich in der Bundesrepublik die Stimmung für einen Beitritt zum Europarat, der von den Westmächten gewünscht wurde, um den Bonn aber *bitten* sollte, deutlich verschlechtert. Die Bundesregierung hatte im März gegen die Saarkonventionen protestiert und von einer verhüllten Annexion gesprochen. Für die Gegner des Beitritts zum Europarat bildete das Saarproblem das entscheidende Argument, denn die Saar sollte neben der Bundesrepublik und ebenso wie diese nur mit dem minderen Status eines assoziierten Mitglieds in Straßburg vertreten sein. Daran drohte die Europaratsfrage zu scheitern, denn Gegner des Projekts fanden sich auch in der Regierungskoalition, vor allem in der FDP, aber auch in der Union selbst. Die Opposition war ohnehin entschlossen, die Zustimmung zu verweigern. Adenauer, der den französischen Hohen Kommissar gebeten hatte, Frankreich möge ein Zeichen geben, das die Neigung Bonns zur Zustimmung fördern würde, erhielt am 9. Mai 1950 in die Kabinettsitzung, in der der Beitritt zum Europarat dann beschlossen wurde, eine Botschaft des französischen Außenministers Robert Schuman hineingereicht. Die Botschaft enthielt den von Jean Monnet erdachten Schuman-Plan, die Idee der gemeinsamen Lenkung der deutschen und der französischen Kohle- und Stahlproduktion, die als Kern einer wirtschaftlichen und politischen Organisation auch anderen europäischen Staaten offenstehen sollte[131]. Die Vorgeschichte der Montanunion war bereits ein Stück erfolgreicher Außenpolitik der Bundesrepublik, die allerdings noch keinen Außenminister und kein Auswärtiges Amt besaß.

Der Krieg, der im Juni 1950 in Korea ausbrach, lieferte, abgesehen von dem Schock, den die Auseinandersetzung zwischen den beiden Großmächten auf dem Boden der ostasiatischen geteilten Nation gerade auch in der Bundesrepublik auslöste, Argumente und Motive für die Beschleunigung der Westintegration. Die Schutzsuche bei den Vereinigten Staaten, von allem Anfang an eines der entscheidenden Elemente der Staatsräson der Bundesrepublik, erhielt im Sommer 1950 verstärktes Gewicht. Die sowjetische Blockade Berlins war den Bürgern Westdeutschlands in frischer Erinnerung, und sehr viele hielten

---

[131] Konrad Adenauer, Erinnerungen 1945–1953. Stuttgart 1965, S. 327f.; vgl. Hans-Peter Schwarz, Die Ära Adenauer 1949–1957. Stuttgart, Wiesbaden 1981, S. 96f.

den Übergang vom kalten zum heißen Krieg zwischen den beiden Weltmächten für denkbar oder gar unmittelbar bevorstehend. Angesichts der kommunistischen Aggression im Fernen Osten rückte die Frage nach der eigenen Sicherheit, nicht nur in der Bundesrepublik, in den Vordergrund. Der Gedanke an eine westdeutsche Armee, die Seite an Seite mit den Truppen der Westmächte den Status quo verteidigen würde, war denkbar geworden. Im Frühjahr 1950 hatte Churchill bereits für einen deutschen Verteidigungsbeitrag plädiert, und im Bonner Bundeskanzleramt wurden unter strenger Geheimhaltung zwei Denkschriften verfaßt, die am 29. August 1950 dem amerikanischen Hohen Kommissar McCloy beim Abflug zur New Yorker Außenministerkonferenz überreicht wurden. In der ersten, dem »Sicherheitsmemorandum«, bot Adenauer (im Alleingang, d. h. ohne Konsultation des Bundeskabinetts) ein deutsches Kontingent im Rahmen einer »westeuropäischen Armee« an. Das gleichzeitig überreichte zweite Memorandum hatte den Zweck, die Früchte des ersten einzubringen: In der Denkschrift über die Neuordnung der Beziehungen der Bundesrepublik zu den Besatzungsmächten wurde die Beendigung des Kriegszustands verlangt, und der Besatzungszweck sollte neu definiert werden, nämlich als Sicherung der Bundesrepublik gegen äußere Bedrohung[132]. Das Besatzungsstatut sollte durch Verträge ersetzt werden. Diese Gedankengänge bildeten die logische Konsequenz der politischen Konzeption der Adenauerregierung.

In der Öffentlichkeit war die Diskussion um die Remilitarisierung bereits voll im Gange, als Adenauer im August 1950 um Verstärkung der alliierten Truppen in der Bundesrepublik bat und einen deutschen Wehrbeitrag anbot. Schon im Juli hatte man in der ›Frankfurter Allgemeinen‹ lesen könnten, der Gedanke an eine deutsche Wiederbewaffnung breite »sich bei den Siegermächten aus wie ein Ölfleck«[133]. Auch in Washington war eine westdeutsche Beteiligung im Rahmen konventioneller Verteidigungsstreitkräfte schon aus pragmatischen Gründen – warum sollten deutsche personelle und materielle Ressourcen nicht genutzt werden? – lange vor Korea erwogen worden.

[132] Memorandum über die Sicherung des Bundesgebiets nach innen und außen, im Anhang, S. 175 (Dok. 9); Memorandum zur Frage der Neuordnung der Beziehungen der Bundesrepublik Deutschland zu den Besatzungsmächten vom 29. 8. 1950. In: Klaus von Schubert (Hrsg.), Sicherheitspolitik der Bundesrepublik Deutschland. Dokumentation 1945–1977. Teil I, Bonn 1977, S. 84–85.
[133] Frankfurter Allgemeine Zeitung, 14. 7. 1950.

In der Bundesrepublik war für die meisten Bürger der Gedanke an eine neue deutsche Armee noch schwer vorstellbar. Zu sehr litt jeder einzelne an irgendwelchen Kriegsfolgen. Aber das Gefühl der Bedrohung und der verbreitete Antikommunismus bildeten ebenso starke Motive zugunsten einer bewaffneten Verteidigung der Freiheit. Über das Problem der Wiederbewaffnung wurde mit Leidenschaft und Erbitterung diskutiert. Das gewichtigste politische Argument gegen die Remilitarisierung wurde vor allem von den Sozialdemokraten unermüdlich vorgetragen: Ein westdeutscher Beitrag zu einer westeuropäischen Streitmacht mußte das stärkste Hindernis für jede Wiedervereinigungspolitik werden. Die Bundesregierung verlor wegen der überraschenden Offerte des Kanzlers im Herbst 1950 ihren Innenminister: Gustav Heinemann trat aus Protest gegen den Alleingang des autoritären Regierungschefs zurück; später verließ er auch die CDU, um zwischen 1952 und 1957 in der von ihm gegründeten neutralistischen Gesamtdeutschen Volkspartei gegen Wiederbewaffnung und einseitige Westbindung zu kämpfen. Ebenso wie Helene Wessel, die 1952 dem Zentrum den Rücken kehrte und mit Heinemann zusammen zunächst die »Notgemeinschaft für den Frieden Europas« gründete, ging der erste Innenminister der Adenauer-Regierung nach dem Scheitern der Gesamtdeutschen Volkspartei 1957 zur SPD.

Früchte der Politik der Westintegration, mit der auch Souveränitätsgewinn erstrebt wurde, waren schon im Frühjahr 1951 herangereift; im März erfolgte eine Revision des Besatzungsstatuts. Die Alliierten Hohen Kommissare verzichteten auf die Überwachung der deutschen Bundes- und Landesgesetze, sie legten ein Stück Verfügung über den Außenhandel und einen Teil der Devisenhoheit in deutsche Hände, und sie erlaubten der Bundesrepublik den Ausbau der konsularischen zu diplomatischen Beziehungen im Ausland, freilich noch in begrenztem Umfang. Nach der Errichtung des Auswärtigen Amts Mitte März 1951 übernahm der Regierungschef auch den Posten des Außenministers (bis Juni 1955); verstanden hatte er sich aber schon vom Beginn seiner Regierung an auch als Ressortchef für auswärtige Angelegenheiten.

Als Gegenleistung für die Linderung des Besatzungsstatuts hatte Bonn die Auslandsschulden des Deutschen Reiches und Preußens übernommen. Mit der grundsätzlichen Anerkennung dieser Verbindlichkeiten der Weimarer Republik (darunter waren noch Verpflichtungen aus dem Dawes- und dem Young-Plan) und des NS-Staats bekannte sich die Bundesrepublik als Erbe (aber nicht unbedingt als Rechtsnachfolger) des Deutschen Reiches. Das Verlangen nach Übernahme der alten Auslandsschulden, das ebenso wie die Revision des Besatzungsstatuts ein Ergebnis der New Yorker Außenministerkonferenz vom September 1950 war, wurde durch die feierliche Bekräftigung des Alleinvertretungsanspruchs durch die Westmächte im voraus honoriert. Nach langwierigen Verhandlungen, bei denen der Bankier Hermann Josef Abs die deutsche Delegation führte, wurden Quoten und Schuldendienst (567 Millionen DM pro Jahr) im Londoner Schuldenabkommen vom 27. Februar 1953 festgelegt. Im Endergebnis einigte man sich auf rund 13 Milliarden DM Vorkriegsschulden aus Auslandsanleihen des Reiches und Preußens, privaten Krediten und Handelsschulden von 1933 bis 1945. Dazu kamen Zahlungsverpflichtungen für die Wirtschaftshilfe der ersten Nachkriegsjahre in Höhe von 16 Milliarden DM.

Dem Londoner Schuldenabkommen traten neben den drei Westmächten früher oder später insgesamt 30 Staaten bei (zuletzt 1966 Italien)[134]. Die Schuldenlast wurde durch Nachlässe bei den Zinsen und der Nachkriegshilfe auf 15,28 Milliarden vermindert und bis 1979 abbezahlt. In mehrfacher Hinsicht war die ganze Schuldenregelung ein gutes Geschäft: Durch die Übernahme der Verpflichtungen erwarb die junge Bundesrepublik nicht nur Ansehen, Legitimation und Kredit, die Bundesregierung hatte bei der Gelegenheit der Unterzeichnung des Londoner Abkommens auch erklärt, daß neben der Schuldentilgung eigene Reparationszahlungen nicht mehr geleistet werden könnten. Mit dieser Erklärung hatte es dann tatsächlich sein Bewenden.

Auch zu einer anderen Schuld bekannte sich Bonn: Das Versprechen, Entschädigungs- und Wiedergutmachungsleistungen an die Verfolgten und Opfer des NS-Regimes in aller Welt zu zahlen, wurde ab Herbst 1952 eingelöst. Die streckenweise sehr mühsamen Verhandlungen hatten unter größter Geheimhaltung seit März 1952 in Wassenaar unweit Den Haags stattgefunden.

[134] Georg Erler, Die Rechtsprobleme der deutschen Auslandsschuldenregelung und ihre Behandlung auf der Londoner Schuldenkonferenz. In: Europa-Archiv 7 (1952), S. 516 f.; Hermann J. Abs, Die Wiederherstellung des deutschen Kredits. In: Hans-Peter Schwarz (Hrsg.), Die Wiederherstellung des deutschen Kredits. Das Londoner Schuldenabkommen. Stuttgart 1982, S. 12–37.

Die deutsche Delegation leitete der Frankfurter Jurist Prof. Franz Böhm, auf der jüdischen Seite war Nahum Goldmann, Vorsitzender des World Jewish Congress und seit Herbst 1951 auch Vorsitzender der eigens gegründeten »Conference of Jewish Material Claims against Germany«, der maßgebende Mann. Aufgabe der Jewish Claims Conference war und ist es, als Dachvereinigung jüdischer Organisationen die Ansprüche der Juden, die nicht Bürger Israels sind, zu vertreten. Darüber hinaus nimmt sie auch Ansprüche anderer Verfolgter des NS-Regimes wahr[135]. Am 10. September 1952 begegneten sich in Luxemburg der deutsche Bundeskanzler (der sich aus Anlaß der ersten Ministerratssitzung der Montanunion dort aufhielt) und der israelische Außenminister Moshe Sharett. Sie unterzeichneten das »Luxemburger Abkommen«, in dem sich die Bundesrepublik zu Leistungen im Wert von 3 Milliarden DM an den Staat Israel verpflichtete. In einem Parallelabkommen sicherte die Bundesregierung die Zahlung von 450 Millionen DM an die Jewish Claims Conference zu. Der Bundestag verabschiedete am 18. März 1953 das Zustimmungsgesetz einstimmig. Hinweise auf die Folgen dieser »Bevorzugung Israels«, die von den Staaten der Arabischen Liga protestierend und drohend in Bonn monatelang vorgebracht wurden, blieben wirkungslos; man blieb sich des Vorrangs der moralischen Verpflichtung bewußt[136].

Die Luxemburger Vereinbarungen waren ein Anfang, dem bis in die sechziger Jahre Wiedergutmachungsabkommen mit zahlreichen Nationen zugunsten derjenigen ihrer Staatsbürger, die Verfolgung erlitten hatten, folgten. Die Übernahme der Wiedergutmachungs- und Entschädigungspflicht setzte die Gesetzgebungsmaschinerie in beträchtlichem Umfang in Bewegung, und die Ausführung der einschlägigen Gesetze und Verordnungen wurde einer eigenen Bürokratie übertragen. Wichtiger als die juristische Innovation und die materielle Anstrengung war aber die moralische Legitimation, die sich die Bundesrepublik dadurch erwarb. Und ihren politischen Zielsetzungen, der Betonung des Anspruchs, allein und legitim deutsche Interessen in

[135] Nahum Goldmann, Über die Bedeutung der Wiedergutmachung nationalsozialistischen Unrechts. In: Die Freiheit des Anderen. Festschrift für Martin Hirsch. Baden-Baden 1981, S. 215–217; Ernst Katzenstein, Jewish Claims Conference und die Wiedergutmachung nationalsozialistischen Unrechts. Ebd. S. 219–226.
[136] Carlo Schmid, Erinnerungen. Bern, München, Wien 1979, S. 512f.

der Welt zu vertreten, kam die Übernahme des üblen Erbes in hohem Maße zugute, vor allem natürlich auch deshalb, weil die DDR entsprechende moralische Verpflichtungen nicht anerkannte.

Mit den Folgen des nationalsozialistischen Regimes und des Krieges war das Bonner Parlament während der ganzen ersten Legislaturperiode reichlich beschäftigt. Der erste Bundestag war, gemessen an der Zahl der verabschiedeten Gesetze, der fleißigste in der bisherigen Geschichte der Bundesrepublik überhaupt, und ein beträchtlicher Teil der legislativen Maßnahmen hatte sozialpolitische Inhalte. Das größte Problem bildete die Eingliederung der Heimatvertriebenen und die Versorgung der DDR-Flüchtlinge. Die Härten der Währungsreform, bei der ja die Sachwertbesitzer Vorteile erlangt hatten, wurden, spät genug, durch das Lastenausgleichsgesetz, das im September 1952 in Kraft trat, gemildert. Der Lastenausgleich, in dessen Genuß auch Kriegs- und Vertreibungsopfer, Ausgebombte und andere Geschädigte kamen, brachte zwar nicht die große »Vermögensumverteilung«, als die er gelegentlich apostrophiert wurde, aber er bildete doch für viele die Grundlage einer neuen Existenz. Der Wohnungsbau, eines der vordringlichsten Probleme, wurde mit öffentlichen Mitteln, aber auch durch ein Wohnungsbau-Prämiengesetz (März 1952), das Anreiz zum Bausparen schuf, erheblich gefördert. Das Betriebsverfassungsgesetz von 1952 regelte Stellung und Rechte der Betriebsräte in der Wirtschaft; in der Kohle- und Stahlindustrie wurde 1951 sogar die paritätische Mitbestimmung eingeführt, als Kompromiß zwischen Bundesregierung und DGB. Was lange als Sieg kampfbereiter Gewerkschafter über die Adenauerregierung gefeiert wurde, war in Wirklichkeit ein Geschäft auf Gegenseitigkeit gewesen: Der Deutsche Gewerkschaftsbund honorierte das Entgegenkommen in der Mitbestimmungsfrage mit Unterstützung der Außen- und Sicherheitspolitik der Bundesregierung[137].

Die Frage der Wiederbewaffnung bildete seit dem Ausbruch des Koreakriegs den Kern der Politik der Westintegration. Anfang Oktober 1950 trafen sich auf Veranlassung des Bundeskanzlers in der Abgeschiedenheit des Eifelklosters Himmerod etliche ehemalige Offiziere der Wehrmacht. In einwöchiger Ar-

---

[137] Vgl. Horst Thum, Mitbestimmung in der Montanindustrie. Der Mythos vom Sieg der Gewerkschaften. Stuttgart 1982.

beit fertigten die militärischen Experten ein Papier, das zum Gründungsdokument der Bundeswehr werden sollte. Es gingen zwar noch fünf Jahre ins Land, bis die ersten Freiwilligen im November 1955 ihre Ernennungsurkunden als Soldaten der Bundesrepublik erhielten, aber die Himmeroder Denkschrift enthielt bereits das strategische, politische und personelle Grundmuster, nach dem die westdeutschen Streitkräfte dann aufgebaut wurden: Die Bundesrepublik sollte in Anlehnung an alliierte Kräfte soweit östlich wie möglich verteidigt werden, und zwölf deutsche Divisionen wurden dabei als notwendig erachtet. Unter der Rubrik »militärpolitische Grundlagen und Voraussetzungen« kamen die Offiziere zu folgendem Schluß: »Die Wehrkraft zur Ausfüllung der großen Lücke in der europäisch-atlantischen Verteidigung ist im deutschen Volke wohl vorhanden, doch fehlt in weiten Kreisen noch der Wehrwille. Das deutsche Volk hat sich zu den freiheitlichen Idealen des Westens bekannt, ist aber vielfach innerlich noch nicht bereit, dafür Opfer zu bringen. Durch die Diffamierung der letzten fünf Jahre auf vielen Gebieten menschlichen und staatlichen Seins ist der Behauptungswille und damit auch der Gedanke der Landesverteidigung systematisch untergraben worden.« Daran wurden – im Herbst 1950 – politische, militärische und psychologische Postulate geknüpft, und zwar politisch die volle Souveränität, Aufhebung der alliierten Gesetze zur Entmilitarisierung, Vollmitgliedschaft im Europarat, in militärischer Hinsicht Gleichberechtigung der deutschen Verbände »im Rahmen der europäisch-atlantischen Gemeinschaft« und psychologisch die »Rehabilitierung des deutschen Soldaten durch eine Erklärung von Regierungsvertretern der Westmächte«, die »Freilassung der als ›Kriegsverbrecher‹ verurteilten Deutschen« und die »Einstellung jeder Diffamierung des deutschen Soldaten (einschließlich der im Rahmen der Wehrmacht seinerzeit eingesetzten Waffen-SS) und Maßnahmen zur Umstellung der öffentlichen Meinung im In- und Ausland«. An Kühnheit war zu jenem Zeitpunkt der in Himmerod skizzierte Prospekt einer Wiederbewaffnung Westdeutschlands schwerlich zu übertreffen[138].

Offiziell wurde der Plan des französischen Ministerpräsiden-

---

[138] Denkschrift des militärischen Expertenausschusses über die Aufstellung eines deutschen Kontingents im Rahmen einer übernationalen Streitmacht zur Verteidigung Westeuropas, 9. 10. 1950. In: Schubert (Hrsg.), Sicherheitspolitik der Bundesrepublik Deutschland. Teil II, S. 91 f., Zitat S. 92.

ten René Pleven, der zwei Wochen nach der streng geheimen Himmeroder Denkschrift in einer Regierungserklärung publik wurde, diskutiert. Der Pleven-Plan sah eine supranationale europäische Armee vor, an der deutsche Kontingente in gewissermaßen homöopathischer Dosierung, in Bataillonstärke, beteiligt sein sollten. Der Pleven-Plan bildete den Ausgangspunkt des Projekts Europäische Verteidigungsgemeinschaft (EVG), das bis zum Frühjahr 1952 zur Vertragsreife entwickelt wurde. In der Bundesrepublik dauerte die EVG-Debatte – mit Höhepunkten im Bundestag im Juli und Dezember 1952 – bis zum 19. März 1953. An diesem Tag ratifizierte das Parlament in Bonn mit 226 gegen 164 Stimmen (der SPD und der KPD) den Deutschlandvertrag, der das Besatzungsregime beenden sollte, und mit 224 gegen 164 Stimmen den EVG-Vertrag.

Ein halbes Jahr später, am 6. September 1953, wurde der zweite Bundestag gewählt. Der hohe Wahlsieg der Unionsparteien war ein deutliches Indiz dafür, daß das außen- und sicherheitspolitische Konzept der ersten Bundesregierung in der Bevölkerung favorisiert wurde. Bei der zweiten Bundestagswahl, die nach einem gegenüber 1949 verfeinerten Wahlgesetz (Einführung der Zweitstimme und Verschärfung der Sperrklausel auf 5 Prozent der Stimmen im Bundesgebiet oder mindestens ein Direktmandat) ausgetragen wurde, klärte sich auch das Bild der Parteienlandschaft der Bundesrepublik. Die großen Parteien CDU (36,4 Prozent), SPD (28,8 Prozent), FDP (9,5 Prozent) und CSU (8,8 Prozent) beherrschten nun eindeutig das Feld, nur noch drei von den neun übrigen Parteien errangen Sitze im Bundesrat, nämlich die erst 1950 gegründete Interessenpartei »Gesamtdeutscher Block/Bund der Heimatvertriebenen und Entrechteten« (27 Sitze), die Deutsche Partei (15 Sitze) und das Zentrum (3 Sitze). Die beiden letzteren behaupteten sich teilweise nur noch durch Absprachen oder Listenverbindungen mit der CDU. KPD, Bayernpartei und WAV kamen, ebenso wie die ganz kleinen Parteien und die Parteilosen von 1949 nicht mehr ins Parlament. Die vier Jahre zuvor so gefürchtete Reprise einer zersplitterten Parteienlandschaft à la Weimarer Republik hatte sich nicht ereignet, und der Trend war eindeutig: Im dritten Bundestag 1957 gab es den BHE schon nicht mehr und auch die DP kam nur noch auf Krücken, die ihr die CDU geliehen hatte (ehe sie die Reste der DP aufsog), letztmals ins Parlament.

Wegen der Ablehnung durch die französische Nationalver-

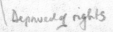

sammlung Ende August 1954 kam die Europäische Verteidigungsgemeinschaft nie zustande, und der vom Bundestag im März 1953 gleichzeitig ratifizierte Deutschland-Vertrag kam auch aufs Eis. Aber die Strategie der Regierung in Bonn brachte trotzdem die erhofften Erfolge, denn der Prozeß der Westintegration schritt fort, und damit wurde auch der Preis dafür, daß sich die Bundesrepublik willig einordnen ließ – Sicherheit und Souveränität –, mit nur geringer zeitlicher Verzögerung fällig.

Daß Westintegration und Wehrbeitrag der Bundesrepublik das Postulat der Wiedervereinigung zur politischen Deklamation und Illusion gerinnen ließen, wurde spätestens im Laufe der EVG-Verhandlungen evident. In der spektakulären Deutschlandnote vom 10. März 1952 machte die Sowjetunion den Westmächten den Vorschlag, »unverzüglich die Frage eines Friedensvertrags mit Deutschland zu erwägen«, der unter unmittelbarer Beteiligung einer gesamtdeutschen Regierung ausgearbeitet werden sollte. Der Entwurf eines Friedensvertrags lag bei. Darin war nicht nur die Wiedervereinigung Deutschlands offeriert, sondern auch der Abzug aller Besatzungstruppen und die Genehmigung nationaler Streitkräfte nebst entsprechender Rüstungsindustrie. Verlangt wurde als Gegenleistung die Neutralisierung Deutschlands. In Übereinstimmung mit der Bonner Regierung lehnten die Westmächte die Offerten des Kreml im Laufe eines viermaligen Notenwechsels, der sich bis September 1952 hinzog, ab. Die Position des Westens war durch die Forderung freier gesamtdeutscher Wahlen als Vorbedingung aller Verhandlungen festgeschrieben. Da während des Notenwechsels klar wurde, daß die Sowjetunion diese Wahlen nicht als Anfang des Procedere akzeptieren würde, kam es auch nicht zu der Konferenz, auf der die Seriosität des sowjetischen Angebots im Detail hätte geprüft werden können – zum Verdruß der sozialdemokratischen Opposition und unter dem Protest jener politischen Gruppen, die die Neutralisierung Deutschlands verfochten. Die sowjetische Offerte war von der Bundesregierung und den Westmächten als offensichtliches Propagandamanöver behandelt worden, das die westeuropäische Integrationspolitik stören und gleichzeitig (via Schuldzuweisung an die Westmächte) die Aufwertung und Stabilisierung der DDR fördern sollte[139].

---

[139] Hermann Graml, Nationalstaat oder westdeutscher Teilstaat. Die sowjetischen Noten vom Jahre 1952 und die öffentliche Meinung in der Bundesrepublik

In der Abgrenzung gegen den Osten herrschte in der Bundesrepublik weitgehender Konsens zwischen Regierung und sozialdemokratischer Opposition; insbesondere war man sich einig, daß die DDR ein labiles Gebilde, ein Pseudostaat von Moskaus Gnaden ohne Zukunft sei und bleiben werde. Die Flucht von jährlich Hunderttausenden in den Westen und ganz besonders der Volksaufstand vom 17. Juni 1953 bestätigten im Bewußtsein der meisten Bürger der Bundesrepublik die These von der mangelnden Legitimation der Ostberliner Regierung, und das ökonomische Gefälle von West nach Ost diente als zusätzlicher Beleg für die Ortsbestimmung eines »besseren Deutschland« westlich der »Demarkationslinie«. Das Scheitern der EVG im Sommer 1954 verzögerte die endgültige Einbindung der Bundesrepublik in das westliche Staatensystem und die damit verbundene Souveränität nur noch wenig. Adenauer hatte schon vor dem Scheitern der EVG die Souveränität für die Bundesrepublik in jedem Fall gefordert, und die Vertreter Großbritanniens und der USA hatten die Erfüllung dieses Wunsches im Juni 1954 zugesagt. Lediglich die Modalitäten, unter denen die Bundesrepublik die Hoheitsrechte erhalten sollte, mußten geändert werden. In einer Serie von Konferenzen, die in unterschiedlicher Besetzung (drei Westmächte plus Bundesrepublik; NATO-Mitglieder; neun Staaten des Brüsseler Pakts; Bundesrepublik und Frankreich bilateral) vom 19. bis zum 23. Oktober 1954 in Paris stattfanden, wurde ein ganzes Bündel von Verträgen ausgearbeitet und unterzeichnet. Der Deutschland-Vertrag (eine Neufassung des nicht in Kraft getretenen Generalvertrags von 1952) wurde für die Beziehungen der Bundesrepublik zu den drei Westmächten an Stelle des Besatzungsstatuts verbindlich, Zusatzverträge regelten u. a. die Stationierung ausländischer Streitkräfte und die Höhe des finanziellen deutschen Verteidigungsbeitrags; die Vertreter der USA, Großbritanniens und Frankreichs unterschrieben ein feierliches Protokoll über die Beendigung des Besatzungsregimes; sie bekräftigten außerdem ihre Sicherheitsgarantien für (West)Berlin. Die 15 NATO-Mitglieder protokollierten die Einladung zur Mitgliedschaft der Bundesrepublik, und die Neunmächte-Konferenz hatte den Brüsseler Pakt von 1948 »über wirtschaftliche, soziale und kul-

Deutschland. In: VfZ 25 (1977), S. 821–864; ders., Die Legende von der verpaßten Gelegenheit. Zur sowjetischen Notenkampagne des Jahres 1952. Ebd. 29 (1981), S. 307–341.

turelle Zusammenarbeit und über berechtigte kollektive Selbst-
verteidigung« zum Vertrag über die Westeuropäische Union
(WEU) umgearbeitet, dem Westdeutschland und Italien nunmehr beitreten durften. Bilateral hatten sich außerdem Paris
und Bonn auf ein Saarstatut geeinigt, das einen autonomen europäischen Status für das Saargebiet, allerdings auch eine Volksabstimmung nach dessen Inkrafttreten, vorsah.

In der Öffentlichkeit der Bundesrepublik verübelten viele der
Adenauerregierung, daß sie als Eintrittsbillett für den gleichbe-
rechtigten Anschluß der Bundesrepublik an die westliche Staa-
tenfamilie das Saarland zu opfern bereit war. Die Gegner des
außen- und sicherheitspolitischen Kurses der zweiten Adenauerregierung kritisierten auch, daß die Seriosität der Offerten,
die der Kreml im Herbst 1954 und Anfang 1955 abgab, nicht
weiter geprüft wurde.

Am letzten Tag der Pariser Konferenzen hatte die Sowjetunion Bereitschaft zur Diskussion über gesamtdeutsche freie Wahlen bekundet, und am 15. Januar 1955 in einer durch die Nachrichtenagentur TASS verbreiteten »Erklärung zur deutschen
Frage« die Bundesrepublik vor den Folgen der Ratifizierung
der Pariser Verträge, der definitiven Spaltung Deutschlands, ge-
warnt. Erich Ollenhauer, der Nachfolger des im August 1952
verstorbenen Kurt Schumacher, korrespondierte als SPD-Vor-
sitzender in ähnlicher Weise wie sein Vorgänger in Sorge um die
deutsche Einheit mit Adenauer, und in der Frankfurter Pauls-
kirche fanden sich auf Einladung des DGB-Vorstands, des
SPD-Vorsitzenden Ollenhauer, des Soziologen Alfred Weber
und des Theologen Helmut Gollwitzer am 29. Januar 1955 prominente Vertreter des öffentlichen Lebens ein, um das »Deutsche Manifest« zu veröffentlichen, in dem die Wiedervereinigung gegenüber der Wiederbewaffnung als das höhere Gut propagiert wurde: »Die Aufstellung deutscher Streitkräfte in der
Bundesrepublik und in der Sowjetzone muß die Chancen der
Wiedervereinigung auf unabsehbare Zeit auslöschen und die
Spannung zwischen Ost und West verstärken . . .«[140]

Bei der Ratifizierung sämtlicher Pariser Verträge gab es aber
keine Schwierigkeiten mehr. Gegen die Stimmen der Opposition verabschiedete der Bundestag am 27. Februar 1955 die Zu-
stimmungsgesetze, der Bundesrat schloß sich am 18. März an.

[140] Wortlaut des Deutschen Manifests u. a. in: Süddeutsche Zeitung, 31. 1.
1955.

Eine Normenkontrollklage von 174 SPD-Abgeordneten wegen des Saarstatuts wurde vom Bundesverfassungsgericht am 4. Mai zurückgewiesen. Am 5. Mai 1955 traten die Pariser Verträge in Kraft, die Bundesrepublik wurde souverän, und am 9. Mai wurde sie in die NATO aufgenommen. Das Saarstatut blieb nicht lange gültig, denn die Bevölkerung des Saargebiets votierte im Oktober 1955 zum zweitenmal (wie 1935) mit großer Mehrheit für die Rückkehr nach Deutschland. Die Eingliederung in die Bundesrepublik erfolgte am 1. Januar 1957, drei Monate vor der Unterzeichnung des Gründungsvertrags der Europäischen Wirtschaftsgemeinschaft (EWG) durch Frankreich, Italien, die Benelux-Länder und die Bundesrepublik.

Die Sowjetunion beantwortete das Ignorieren ihres, wie ernsthaft auch immer gemeinten, Angebots vom Januar 1955 zur Wiedervereinigung unter der Bedingung des Verzichts der Bundesrepublik auf den Beitritt zu WEU und NATO damit, daß sie das Problem der Teilung Deutschlands von nun an als Angelegenheit der beiden deutschen Staaten bezeichnete. Die »Zwei-Staaten-Theorie« wurde im Westen, dessen Regierungen in den Pariser Verträgen den Alleinvertretungsanspruch Bonns wieder bekräftigt hatten, heftig abgelehnt. In einem Staats- und Freundschaftsvertrag zwischen Moskau und Ostberlin erkannte der Schutzpatron des Oststaats der DDR am 20. September 1955 endgültig die volle Souveränität zu. Lösungsmöglichkeiten für die »deutsche Frage« konnten von nun an ohne Verhandlungen der beiden deutschen Staaten nicht mehr gesucht werden. Es sollten aber fünfzehn Jahre vergehen, bis ein zaghafter Dialog zwischen den beiden seit 1955 souveränen Staaten Deutschlands begann.

Der Beweis dafür, daß aus den drei westlichen Besatzungszonen Deutschlands ein normaler Staat geworden war, ergab sich aus einer Note der Sowjetunion, die Anfang Juni 1955 durch die sowjetische Vertretung in Paris dem dortigen Botschafter der Bundesrepublik überreicht wurde. Die Note enthielt eine Einladung an den Bundeskanzler zu einem Besuch in Moskau zur Vorbereitung diplomatischer Beziehungen. Daß sich der Kreml dann, als Adenauer im September 1955 nach Moskau reiste, zu gewissen Gesten bereitfand, war ein weiterer Beweis dafür, daß die Bundesrepublik volljährig geworden war. Eine der von Adenauer erwünschten und mit Hartnäckigkeit ausgehandelten Gesten war die Freilassung von über 15 000 deutschen Kriegsgefangenen, eine andere – die freilich zu nichts verpflichtete – war die Entgegennahme eines Briefes durch die Sowjetregierung, in dem der Bundeskanzler erklärte, die Aufnahme diplomatischer Beziehungen zwischen den beiden Regierungen bedeute keine Anerkennung des territorialen Status quo und auch keine Änderung des Rechtsstandpunkts hinsichtlich des Bonner Alleinvertretungsanspruchs (der von nun an mit Hilfe der Hallstein-Doktrin durchgesetzt wurde). Das Arrangement diplomatischer, kommerzieller und kultureller Beziehungen zwischen Bonn und der ehemaligen vierten Besatzungsmacht bildete den eigentlichen Abschluß des Gründungsprozesses der Bundesrepublik. Zugleich legte es den außen- und deutschlandpolitischen Rahmen fest, in dem die Bundesrepublik in den folgenden anderthalb Jahrzehnten agierte.

1. Aide-mémoire der Militärgouverneure für den Parlamentarischen Rat: Grundsätze der Beurteilung des Grundgesetzes, 22. November 1948

Das Aide-mémoire, das die Militärgouverneure am 22. November 1948 dem Präsidenten des Parlamentarischen Rats zustellen ließen, enthält in acht Punkten die Essenz der alliierten Forderungen an die Verfassung Westdeutschlands. Es war zugleich Kommentar zum ersten der »Frankfurter Dokumente« und Kritik der Arbeit des Parlamentarischen Rats[1].

Quelle: Bundesarchiv, Z 12/8; Archiv IfZ, ED 94/129; gedr. in: Foreign Relations of the United States. 1948. Bd. 2: Germany and Austria. Washington, D. C. 1973, S. 442 f.

Wie Ihnen wohl bekannt ist, wurde der Parlamentarische Rat einberufen, um eine demokratische Verfassung auszuarbeiten, die für die beteiligten Länder einen Regierungsaufbau föderalistischen Typs schafft, die Rechte der beteiligten Länder schützt, eine angemessene Zentralinstanz bildet und Garantieen der individuellen Rechte und Freiheiten enthält. Während der vergangenen 11 Wochen hat der Parlamentarische Rat im Plenum sowie in seinen verschiedenen Ausschüssen diese Grundsätze frei erörtert und ein Grundgesetz (Vorläufige Verfassung) entworfen, das jetzt dem Hauptausschuß vorliegt.

Angesichts des fortgeschrittenen Stadiums der Arbeit des Parlamentarischen Rats, das jetzt erreicht worden ist, halten es die Militärgouverneure für ratsam, dem Rat einen Hinweis zu geben, auf welche Weise sie die in Dokument Nr. I aufgestellten Grundsätze auslegen werden, denn man kann eine demokratische föderalistische Regierung auf verschiedene Weise schaffen. Sie beabsichtigen, die Bestimmungen des Grundgesetzes (der Vorläufigen Verfassung) in ihrem ganzen Zusammenhang zu prüfen. Trotzdem sind sie der Ansicht, daß das Grundgesetz (die Vorläufige Verfassung) in möglichst hohem Grade vorsehen sollte,

a) ein Zweikammersystem, bei dem die eine Kammer die einzelnen Länder vertreten muß und genügende Befugnisse haben muß, um die Interessen der Länder wahren zu können;

[1] Vgl. Carlo Schmid, Erinnerungen. Bern, München, Wien 1979, S. 380.

b) daß die Exekutive lediglich die Befugnisse haben muß, die in der Verfassung genau vorgeschrieben sind, und daß die Ausnahmebefugnisse der Exekutive, wenn überhaupt, so beschränkt werden müssen, daß sie unverzüglich einer gesetzlichen oder gerichtlichen Nachprüfung bedürfen;

c) daß die Befugnisse der Bundesregierung auf diejenigen beschränkt sind, die in der Verfassung ausdrücklich aufgezählt sind und auf jeden Fall sich nicht erstrecken auf Erziehungswesen, kulturelle und kirchliche Angelegenheiten, Selbstverwaltung und öffentliches Gesundheitswesen (außer im letzten Fall, um die notwendige Koordinierung zum Schutze der Volksgesundheit in den verschiedenen Ländern zu erzielen); daß ihre Befugnisse auf dem Gebiet der öffentlichen Wohlfahrt auf diejenigen beschränkt sind, die für die Koordinierung sozialer Maßnahmen notwendig sind; daß ihre Befugnisse auf dem Gebiet der Polizei auf diejenigen beschränkt sind, die während der Besatzung von den Militärgouverneuren ausdrücklich gebilligt worden sind;

d) daß die Befugnisse der Bundesregierung auf dem Gebiet der öffentlichen Finanzen auf die Verfügung über Geldmittel, einschließlich der Erhebung von Einnahmen, für Zwecke, für die sie verantwortlich ist, beschränkt sind; daß die Bundesregierung Steuersätze bestimmen darf und über die allgemeinen Grundsätze der Veranlagung bei anderen Steuern, für die Einheitlichkeit nötig ist, Gesetze erlassen darf, daß die Einziehung und Nutznießung solcher Steuern den einzelnen Ländern überlassen bleiben; daß sie Mittel nur für Zwecke, für die sie verfassungsmäßig verantwortlich ist, an sich ziehen darf;

e) daß die Verfassung für eine unabhängige Gerichtsbarkeit sorgt zur Nachprüfung von Bundesgesetzen, zur Nachprüfung der Ausübung der Befugnisse der Bundesexekutive, zur Entscheidung über Streitigkeiten zwischen Behörden des Bundes und der Länder sowie zwischen Länderbehörden und zur Wahrung der bürgerlichen Rechte und Freiheit des Einzelnen;

f) daß die Befugnisse der Bundesregierung zur Schaffung von eigenen Bundesbehörden für die Ausführung und Verwaltung ihrer Angelegenheiten klar umrissen und auf diejenigen Gebiete beschränkt sein sollten, bei denen die Verwaltung durch Landesbehörden offensichtlich undurchführbar ist;

g) daß jeder Bürger Zutritt zu öffentlichen Ämtern hat, und daß

Einstellung und Beförderung ausschließlich von seiner Eignung, die Aufgaben des Amtes zu erfüllen, abhängen, und daß der öffentliche Dienst unpolitischen Charakters ist;

h) daß ein öffentlicher Bediensteter, sollte er in die Bundeslegislative gewählt werden, vor Annahme der Wahl von seinem Amt bei der ihn beschäftigenden Behörde zurücktritt.

Die Militärgouverneure werden sich bei der endgültigen Prüfung des Grundgesetzes (der Vorläufigen Verfassung) und etwaiger späterer Änderungen von diesen Grundsätzen leiten lassen und werden das Grundgesetz (die Vorläufige Verfassung) als Ganzes betrachten, um festzustellen, ob die wesentlichen Forderungen des Dokumentes Nr. I erfüllt worden sind oder nicht.

2. Aktennotiz Adenauers über ein Gespräch mit Botschafter Murphy, 28. November 1948

Konrad Adenauer bemühte sich schon früh darum, daß Bonn (und nicht Frankfurt) Hauptstadt des Weststaates würde. Am 17. November 1948 hatte er mit dem britischen Militärgouverneur darüber gesprochen und dessen Bedenken gegen das Bonn-Projekt zu beschwichtigen versucht[2]. Die französischen Aspirationen auf das linke Rheinufer, die Adenauer gegenüber Robert Murphy, dem politischen Berater des US-Militärgouverneurs und Vertreter des State Department in Deutschland, als Argument gebrauchte, existierten zu jenem Zeitpunkt bestimmt nicht mehr.

Quelle: Nachlaß Adenauer, 09.10, Stiftung Bundeskanzler-Adenauer-Haus, Bad Honnef-Rhöndorf.

Am 24. November 1948 habe ich in Berlin ein längeres Gespräch mit Botschafter Murphy gehabt. Ich habe ihm bei dieser Gelegenheit auch gesagt, aus welchen Gründen ich Bonn als Sitz der Bundesregierung für am besten geeignet hielte. Ich habe ihm folgende Gründe angegeben:

1) Eine Umwandlung der Frankfurter Einrichtung in Bundesministerien scheint nicht richtig, weil die Bundesministerien möglichst klein gehalten und von allen Verwaltungsaufgaben befreit bleiben sollten. Ferner, weil die Organisationen in Frankfurt so schlecht sind, daß der Aufbau der Bundesmini-

[2] Vgl. Konrad Adenauer, Erinnerungen 1945–1953. Stuttgart 1965, S. 158.

sterien dadurch ungünstig beeinflußt werden würde. Aus diesem Grunde empfehle sich auch, räumlich die Bundesministerien getrennt zu halten von Frankfurt.

2) Es sei wünschenswert, daß die Bundesministerien möglichst von den alliierten Besatzungszentralen getrennt blieben.

3) Essen oder Düsseldorf würden wohl Sitz der Ruhrkontrollkommission werden. Es sei wünschenswert, daß die Bundesregierung, um einen gewissen Einfluß ausüben zu können, nicht zu weit örtlich getrennt ihren Sitz habe.

4) Ganz vertraulich: in gewissen Kreisen Frankreichs denke man noch immer an eine besondere Regelung für das linke Rheinufer. Derartige Bestrebungen seien zur Aussichtslosigkeit verurteilt, wenn eine linksrheinische Stadt Sitz der Bundesregierung werde.

Botschafter Murphy erklärte mir, er halte diese Gründe für richtig. Er fragte, ob auch für die alliierten Verbindungsstellen in Bonn genügend Raum sei. Ich habe diese Frage bejaht.

Rhöndorf/Rhein, den 28. 11. 1948.   gez. Adenauer

3. Besatzungsstatut, 12. Mai 1949

Das im Juli 1948 angekündigte Besatzungsstatut wurde auf der Außenministerkonferenz der Westmächte (6.–8. April 1949) verabschiedet, am 10. April dem Parlamentarischen Rat bekanntgegeben, am 12. Mai 1949 verkündet. In Kraft gesetzt wurde es durch die Erklärung der Alliierten Hohen Kommission am 21. September 1949. Das Dokument bildete bis 5. Mai 1955 die Rechtsgrundlage der Beziehungen zwischen den drei Besatzungsmächten und der Bundesrepublik. Das Petersberger Abkommen vom 22. November 1949 modifizierte es erstmals; am 6. März 1951 erfolgte eine gründliche Revision des Besatzungsstatuts, durch die de facto die politische Verantwortung der Bundesregierung übertragen wurde. Der 1951/52 ausgehandelte Deutschlandvertrag sollte im Zusammenhang mit der Europäischen Verteidigungsgemeinschaft (EVG) das Besatzungsstatut endgültig ablösen. Nach dem Scheitern des EVG-Projekts trat der geänderte Deutschlandvertrag im Rahmen der Pariser Verträge, durch die die Bundesrepublik souveräner Staat und NATO-Mitglied wurde, am 5. Mai 1955 in Kraft. Zu diesem Zeitpunkt erlosch das Besatzungsstatut.

Quelle: Journal Officiel/Official Gazette/Amtsblatt der Hohen Alliierten Kommission in Deutschland Nr. 1, 23. 9. 1949, S. 13–15 (Text französisch, englisch, deutsch).

In Ausübung der von den Regierungen Frankreichs, der Vereinigten Staaten und des Vereinigten Königreiches beibehaltenen obersten Gewalt,

verkünden wir, General Pierre Koenig, Militärgouverneur und Oberbefehlshaber der französischen Zone Deutschlands,

General Lucius D. Clay, Militärgouverneur und Oberbefehlshaber der amerikanischen Zone Deutschlands, und

General Sir Brian Hubert Robertson, Militärgouverneur und Oberbefehlshaber der britischen Zone Deutschlands, hiermit gemeinsam das Besatzungsstatut:

1. Die Regierungen Frankreichs, der Vereinigten Staaten und des Vereinigten Königreichs wünschen und beabsichtigen, daß sich das deutsche Volk in dem Zeitraum, während dessen das Fortdauern der Besatzung notwendig ist, im größtmöglichsten Maße selbst regiert, soweit dies mit der Besatzung vereinbar ist. Der Bund und die beteiligten Länder haben, lediglich den Beschränkungen dieses Statuts unterworfen, volle gesetzgebende, vollziehende und rechtsprechende Gewalt gemäß dem Grundgesetz und den Länderverfassungen.

2. Um die Erreichung der Grundziele der Besatzung sicherzustellen, wird die Zuständigkeit für die folgenden Gebiete, einschließlich des Rechts, von den Besatzungsbehörden benötigte Auskünfte und statistische Angaben anzufordern und deren Richtigkeit zu prüfen, ausdrücklich vorbehalten:

a) die Entwaffnung und Entmilitarisierung einschließlich der damit in Beziehung stehenden Gebiete der wissenschaftlichen Forschung, Verbote und Beschränkungen der Industrie und die Zivilluftfahrt;

b) die Kontrolle über die Ruhr, die Restitutionen, Reparationen, Dekartellisierung, Dezentralisation, Ausschluß von Diskriminierungen in Handelsangelegenheiten, die ausländischen Interessen in Deutschland und die Ansprüche gegen Deutschland,

c) auswärtige Angelegenheiten einschließlich der von Deutschland oder in seinem Namen getroffenen internationalen Abkommen,

d) verschleppte Personen und die Aufnahme von Flüchtlingen,

e) der Schutz, das Prestige und die Sicherheit der Alliierten Streitkräfte, Familienangehörigen, Angestellten und Vertreter, ihre Immunitäten und das Aufkommen für die Besatzungskosten und für ihre anderen Anforderungen,

f) die Beachtung des Grundgesetzes und der Länderverfassungen,

g) die Überwachung des Außenhandels und der Devisenwirtschaft,

h) die Überwachung innerer Maßnahmen, aber nur in dem Umfang, der erforderlich ist, um die Verwendung von Geldmitteln, Lebensmitteln und sonstigen Bedarfsgütern in der Weise sicherzustellen, daß Deutschlands Bedarf an ausländischer Unterstützung auf ein Mindestmaß herabgesetzt wird,

i) die Überwachung der Versorgung und Behandlung in deutschen Strafanstalten von Personen, die vor Gerichten oder Tribunalen der Besatzungsmächte oder Besatzungsbehörden angeklagt oder von ihnen verurteilt worden sind; die Überwachung der Vollstreckung von Strafurteilen gegen solche Personen und in Angelegenheiten ihrer Amnestierung, Begnadigung und Freilassung.

3. Es ist die Hoffnung und Erwartung der Regierungen Frankreichs, der Vereinigten Staaten und des Vereinigten Königreichs, daß die Besatzungsbehörden keinen Anlaß haben werden, auf anderen als den oben ausdrücklich vorbehaltenen Gebieten Maßnahmen zu ergreifen. Die Besatzungsbehörden behalten sich jedoch das Recht vor, entsprechend den Weisungen ihrer Regierungen die Ausübung der vollen Gewalt ganz oder teilweise wieder zu übernehmen, wenn sie dies für unerläßlich erachten für die Sicherheit oder zur Aufrechterhaltung der demokratischen Ordnung in Deutschland, oder um den internationalen Verpflichtungen ihrer Regierungen nachzukommen. Zuvor werden sie die zuständigen deutschen Behörden von ihrer Entscheidung und den dazu führenden Gründen förmlich in Kenntnis setzen.

4. Die Bundesrepublik Deutschland und die Länder haben die Befugnis, nach ordnungsmäßiger Mitteilung an die Besatzungsbehörden auch auf den diesen Behörden vorbehaltenen [Gebieten] Gesetze zu erlassen und Maßnahmen zu ergreifen, es sei denn, daß die Besatzungsbehörden ausdrücklich anders bestimmen oder daß solche Gesetze oder Maßnahmen mit den Besatzungsbehörden selbst getroffenen Entscheidungen oder Maßnahmen unvereinbar sind.

5. Jede Änderung des Grundgesetzes bedarf vor ihrem Inkrafttreten der ausdrücklichen Genehmigung der Besatzungsbehörden. Länderverfassungen, Änderungen dieser Verfassungen, alle sonstige Gesetzgebung und alle Abkommen zwischen dem Bund und ausländischen Regierungen treten 21 Tage nach ihrem amtlichen Eingang bei den Besatzungsbe-

hörden in Kraft, es sei denn, daß diese sie vorher vorläufig oder endgültig ablehnen. Die Besatzungsbehörden werden gesetzgeberische Maßnahmen nicht ablehnen, es sei denn, daß sie ihrer Ansicht nach mit dem Grundgesetz, mit einer Landesverfassung, mit der Gesetzgebung oder den sonstigen Direktiven der Besatzungsbehörden oder mit Bestimmungen dieses Statuts unvereinbar sind, oder daß diese Maßnahmen die Grundziele der Besatzung ernstlich gefährden.

6. Unter dem ausschließlichen Vorbehalt der Gewährleistung ihrer Sicherheiten garantieren die Besatzungsbehörden die Beachtung durch alle Besatzungsstellen der Rechte des Bürgers auf Schutz gegen willkürliche Verhaftung, Durchsuchung oder Beschlagnahme; auf Vertretung durch einen Anwalt; auf Freilassung gegen Sicherheitsleistung, soweit es die Umstände rechtfertigen; auf die Möglichkeit mit den Angehörigen in Verbindung zu bleiben und auf ein gerechtes und baldiges Verfahren.

7. Vor dem Inkrafttreten des Grundgesetzes erlassene gesetzgeberische Maßnahmen der Besatzungsbehörden bleiben bis zu ihrer Aufhebung oder Änderung durch die Besatzungsbehörden nach Maßgabe der folgenden Bestimmungen in Kraft:

a) Gesetzgebung, die mit dem Vorausgehenden nicht übereinstimmt, wird aufgehoben oder so abgeändert werden, daß sie mit ihm übereinstimmt.

b) Gesetzgebung, die auf den oben in Absatz 2 aufgeführten Befugnissen beruht, wird kodifiziert werden.

c) Gesetzgebung, die nicht unter a) oder b) fällt, wird von den Besatzungsbehörden auf Ersuchen der zuständigen deutschen Behörden aufgehoben werden.

8. Jede Maßnahme der Besatzungsbehörden soll als im Rahmen der hierin vorbehaltenen Befugnisse liegend angesehen und als solche gemäß diesem Statut wirksam werden, wenn sie auf Grund einer Vereinbarung zwischen ihnen getroffen worden ist oder offensichtlich in irgendeiner Weise darauf beruht.

4. Kurt Schumacher: Stellungnahme zur Proklamation der DDR, 15. Oktober 1949

Der SPD-Vorsitzende bestritt in seinem Kommentar zur Errichtung des deutschen Oststaates am 7. Oktober 1949 der DDR die Legitimität. Darin unterschied sich Schumacher nicht von den Erklärungen der Bundesregierung und der Alliierten Hohen Kommission, mit denen der Alleinvertretungsanspruch des Weststaats begründet wurde. Schumacher beschwor aber außerdem die deutsche Einheit mit Hilfe der Magnettheorie, die er Ende Mai 1947 vor den Spitzengremien der SPD kreiert hatte: »Man muß soziale und ökonomische Tatsachen schaffen, die das Übergewicht der drei Westzonen über die Ostzone deklarieren, die das Leben im Westen als nützlicher und sinnvoller und angenehmer beweisen. Die Prosperität der Westzonen, die sich auf der Grundlage der Konzentrierung der bizonalen Wirtschaftspolitik erreichen läßt, kann den Westen zum ökonomischen Magneten machen. Es ist realpolitisch vom deutschen Gesichtspunkt aus kein anderer Weg zur Erringung der deutschen Einheit möglich . . .«
Quelle: Vorstand der Sozialdemokratischen Partei Deutschlands (Hrsg.), Acht Jahre sozialdemokratischer Kampf um Einheit, Frieden und Freiheit. Ein dokumentarischer Nachweis der gesamtdeutschen Haltung der Sozialdemokratie und ihrer Initiativen. Bonn 1954, S. 81 f.

Man kann erfolgreich bestreiten, daß der neue Oststaat überhaupt ein Staat ist. Dazu fehlt ihm auch der Ansatz zur Bildung einer eigenen Souveränität, er ist eine Äußerungsform der russischen Außenpolitik.

Noch weniger aber ist dieser sogenannte Oststaat neu. Er besteht tatsächlich seit 1945. Er hatte ursprünglich keine deutschen zentralen Organe. Dafür funktionierte die sowjetische Militäradministration gegenüber den fünf Ländern der Ostzone und Berlin als Ersatz für eine zentrale deutsche Stelle. Als dann 1947 die Wirtschaftskommission von den Sowjets eingesetzt wurde, war sie ein Ersatz für eine deutsche Zentralinstanz, aber immer nur eine Funktion der russischen Militärregierung. Niemals hat die Wirtschaftskommission die Bildung und die Durchsetzung eines eigenen Willens oder auch das Bemühen dazu gezeigt.

Jetzt ist der Oststaat ein Versuch, die magnetischen Kräfte des Westens mit Hilfe staatlicher Machtmittel und eines scheinbaren Willens der deutschen Bevölkerung dieser Zone abzuwehren. Er bedeutet die Anerkennung der Tatsache, daß bis auf weiteres das große russische Unternehmen, ganz Deutschland in die politischen, gesellschaftlichen, wirtschaftlichen und kulturellen Formen der Sowjets hineinzuzwingen, gescheitert ist. Die Loslösung der Ostzone durch die Russen, wie sie 1945 radikal und erfolgreich eingeleitet wurde, bedeutet das Hinausdrängen der westalliierten Einflüsse und der internationalen Kritik. Es war aber zur gleichen Zeit das Ende jeder demokratischen Freiheit der Deutschen in dieser Zone. Die westlichen Alliierten tragen an dieser Entwicklung viel Schuld. Die Russen hefteten im Kampf um die politische Kräfteverteilung Europas Erfolg um Erfolg an ihre Fahnen. Es waren deutsche Gegenkräfte, vor allem die Sozialdemokratie, die die politische Abneigung der Deutschen gegen die Methoden des Totalitarismus geformt, ausgedrückt und im Kampf durchgeführt haben.

Der Protest der Sowjets gegen die deutsche Bundesrepublik im Westen ist ein selbstverständlich gewordenes Begleitgeräusch. In Deutschland entrüstet sich niemand mehr über die Verdrehung der Tatsachen und die Lügenhaftigkeit dieser Argumentation. Selbst die herzzerreißende Einfältigkeit in Dingen der politischen Psychologie wird kaum noch zur Kenntnis genommen. Das darf nicht darüber hinwegtäuschen, daß die Etablierung dieses sogenannten Oststaates eine Erschwerung der deutschen Einheit ist. Die Verhinderung dieser Einheit aber kann dieses Provisorium im Osten nicht bedeuten, weil das deutsche Volk und besonders die Bevölkerung der Ostzone Gebilde russischer Machtpolitik auf deutschem Boden ablehnt.

5. Niederschrift der Abmachungen zwischen den Alliierten Hohen Kommissaren und dem deutschen Bundeskanzler (Petersberger Abkommen), 22. November 1949

Das Petersberger Abkommen, wenige Wochen nach Inkrafttreten des Besatzungsstatuts unterzeichnet, ist die erste Abmachung mit Vertrags- (und nicht mehr Oktroi-) Charakter zwischen der Bundesrepublik und ihren Besatzungsmächten. Die Lockerung bzw. Aufhebung von Restriktionen und die Genehmigung konsularischer Beziehungen und der Mitarbeit an internationalen Organisationen signalisieren auch das Tempo, mit dem die Bundesrepublik ein souveräner Staat werden wollte. Im Januar 1950 forderten die Hohen Kommissare, unverzüglich Vertretungen in Washington, London und Paris zu errichten. Zunächst als »Generalkonsuln« nahmen die Vertreter der Bundesrepublik in Großbritannien (Hans Schlange-Schöningen, 16. Juni 1950), in den USA (Heinz Krekeler, 28. Juni 1950) und in Frankreich (Wilhelm

Hausenstein, 17. Juli 1950) ihre Tätigkeit auf. Im gleichen Jahr wurden weitere Vertretungen in Brüssel, Rom und Athen errichtet, 1951 folgten Kopenhagen, Ottawa, Pretoria, Stockholm, Luxemburg und Dublin. Am 7. Juni 1950 war im Bundeskanzleramt eine »Dienststelle für Auswärtige Angelegenheiten« errichtet worden, in der seit 1949 bestehende Arbeitsgruppen zusammengefaßt wurden.

Quelle: Ingo von Münch (Hrsg.), Dokumente des geteilten Deutschland. Stuttgart 1968, S. 226–229.

Im Anschluß an die Konferenz der drei Außenminister in Paris am 9. und 10. November sind die Hohen Kommissare des Vereinigten Königreiches, Frankreichs und der Vereinigten Staaten bevollmächtigt worden, mit dem Bundeskanzler die Noten zu erörtern, die er über eine endgültige Regelung der Demontagefrage an die Hohen Kommissare gerichtet hatte. Die Hohen Kommisssare sind darüber hinaus beauftragt worden, mit dem Bundeskanzler weitere Punkte zu prüfen, die in eine Gesamtregelung einbezogen werden können. Entsprechende Verhandlungen fanden am 15., 17. und 22. November auf dem Petersberg statt.

Die Besprechungen waren getragen von dem Wunsch und der Entschlossenheit beider Parteien, ihre Beziehungen auf der Grundlage gegenseitigen Vertrauens fortschreitend zu entwickkeln. Zunächst ist es ihr vordringlichstes Ziel, die Bundesrepublik als friedliebendes Mitglied in die europäische Gemeinschaft einzugliedern. Zu diesem Zweck soll die Zusammenarbeit Deutschlands mit den westeuropäischen Ländern auf allen Gebieten durch den Beitritt der Bundesrepublik zu allen in Frage kommenden internationalen Körperschaften und durch den Austausch von Handels- und Konsularvertretungen mit anderen Ländern ausdrücklich gefördert werden. Sowohl die Hohen Kommissare als auch der Bundeskanzler sind der Auffassung, daß Fortschritte auf diesem Wege auf der Wiederherstellung eines echten Sicherheitsgefühls in Westeuropa beruhen müssen; auf dieses Ziel vor allem waren ihre Bemühungen gerichtet. Dabei wurden sie bestärkt durch eine weitgehende Gemeinsamkeit der Anschauungen und Absichten. Im einzelnen wurde Übereinstimmung in folgenden Punkten erzielt:

I. Die Hohe Kommission und die Bundesregierung sind übereingekommen, die Teilnahme Deutschlands an allen den internationalen Organisationen herbeizuführen, in denen deutsche Sachkenntnis und Mitarbeit zum allgemeinen Wohl beitragen können. Sie bringen ihre Genugtuung über die in dieser Richtung bereits unternommenen verschiedenen Schritte zum Ausdruck, wie die Teilnahme der Bundesrepublik an der Organisation für europäische wirtschaftliche Zusammenarbeit (OEEC), den von beiden Seiten ausgesprochenen Wunsch, daß die Bundesrepublik demnächst als assoziiertes Mitglied in den Europarat aufgenommen werden soll und die beabsichtigte Unterzeichnung eines zweiseitigen Abkommens mit der Regierung der Vereinigten Staaten von Amerika über die Marshallplanhilfe.

II. In der Überzeugung, daß die möglichst enge Mitarbeit Deutschlands zu dem Wiederaufbau der westeuropäischen Wirtschaft wünschenswert ist, erklärt die Bundesregierung ihre Absicht, der internationalen Ruhrbehörde, in der sie derzeit nur durch einen Beobachter vertreten ist, als Mitglied beizutreten. Zwischen beiden Parteien besteht Einverständnis darüber, daß der deutsche Beitritt zum Ruhrabkommen keinen besonderen Bedingungen aus Artikel 31 dieses Abkommens unterworfen ist.

III. Die Bundesregierung erklärt ferner ihre feste Entschlossenheit, die Entmilitarisierung des Bundesgebiets aufrecht zu erhalten und mit allen ihr zur Verfügung stehenden Mitteln die Neubildung irgendwelcher Streitkräfte zu verhindern. Zu diesem Zweck wird die Bundesregierung mit der Hohen Kommission auf dem Gebiet des Militärischen Sicherheitsamts eng zusammen arbeiten.

IV. Die Hohe Kommission und die Bundesregierung sind übereingekommen, daß die Bundesregierung nunmehr die schrittweise Wiederaufnahme von konsularischen und Handelsbeziehungen mit den Ländern in Angriff nehmen wird, mit denen derartige Beziehungen als vorteilhaft erscheinen.

V. Die Bundesregierung, die aus freien demokratischen Wahlen hervorgegangen ist, bekräftigt ihren Entschluß, den Grundsätzen der Freiheit, Toleranz und Menschlichkeit, die die westeuropäischen Nationen verbinden, rückhaltlos Achtung zu verschaffen und sich in ihrem Handeln von diesen Grundsätzen leiten zu lassen. Die Bundesregierung ist fest entschlossen, alle Spuren der nationalsozialistischen Gewaltherrschaft aus dem deutschen Leben und seinen Einrichtungen auszutilgen und das Wiederaufleben totalitärer Bestrebungen welcher Art auch immer zu verhindern. Sie wird bemüht sein, den Aufbau der Regierung freiheitlich zu gestalten und autoritäre Methoden auszuschalten.

VI. Auf dem Gebiet der Dekartellisierung und zur Beseitigung monopolistischer Tendenzen wird die Bundesregierung gesetzgeberische Maßnahmen treffen, die den von der Hohen Kommission auf Grund des Artikels 2 (b) des Besatzungsstatuts erlassenen Entscheidungen entsprechen.

VII. Die Hohe Kommission hat dem Bundeskanzler die Bestimmungen eines zwischen den drei Mächten getroffenen Abkommens über die Lockerung der dem deutschen Schiffsbau derzeit auferlegten Beschränkungen mitgeteilt. Die wesentlichen jetzt vereinbarten Bestimmungen sehen folgendes vor:

a) Der Bau von Hochseeschiffen, mit Ausnahme von solchen Schiffen, die in erster Linie für die Beförderung von Passagieren bestimmt sind, und der Bau von Tankern bis zu 7200 Tonnen, von Fischereifahrzeugen bis zu 650 Tonnen und von Küstenfahrzeugen bis zu 2700 Tonnen mit einer Verkehrsgeschwindigkeit von 12 Knoten kann nunmehr aufgenommen werden. Die Zahl derartiger Schiffsbauten ist nicht beschränkt.

b) Die Bundesregierung kann mit Zustimmung der Hohen Kommission bis zum 31. Dezember 1950 sechs Spezialschiffe ankaufen oder bauen, deren Tonnage und Geschwindigkeit diese Beschränkungen überschreiten. Weitere Einzelheiten über diesen Punkt sind dem Kanzler mitgeteilt worden.

Der Bundeskanzler hat die Frage des Baues und der Reparatur von Schiffen auf deutschen Werften für Exportzwecke zur Sprache gebracht. Die Hohen Kommissare haben ihn davon unterrichtet, daß diese Frage in dem Sachverständigenausschuß nicht erörtert worden sei und daß sie deshalb nicht in der Lage seien, ihm eine endgültige Entscheidung mitzuteilen. Sie werden indessen deutsche Werften einstweilen zum Bau von Schiffen für Exportzwecke ermächtigen, jedoch unter Beschränkung auf die Typen und die Zahlen, die für den Bau von Schiffen für die deutsche

Wirtschaft gelten, die Reparatur ausländischer Schiffe werden sie ohne Einschränkung genehmigen.

VIII. Die Hohe Kommission hat die Frage der Demontage angesichts der von der Bundesregierung gegebenen Zusicherungen erneut überprüft und folgenden Änderungen des Demontageplans zugestimmt:

Die nachstehend aufgeführten Werke werden von der Reparationsliste gestrichen und die Demontage ihrer Einrichtungen wird sofort eingestellt:

a) Synthetische Treibstoff- und Gummiwerke
   Farbenfabriken Bayer, Leverkusen
   Chemische Werke, Hüls
   Gelsenberg Benzin AG, Gelsenkirchen
   Hydrierwerke Scholven AG, Gelsenkirchen-Buer
   Ruhröl GmbH, Bottrop
   Ruhrchemie AG, Oberhausen-Holten
   Gewerkschaft Viktor, Castrop-Rauxel
   Krupp-Treibstoff-Werke, Wanne-Eickel
   Steinkohlenbergwerk Rheinpreußen, Moers
   Dortmunder Paraffin-Werke, Dortmund
   Chemische Werke, Essener Steinkohle, Bergkamen.

b) Stahlwerke
   August Thyssen Hütte, Duisburg-Hamborn
   Hüttenwerke Siegerland AG, Charlottenhütte, Niederschelden
   Deutsche Edelstahlwerke, Krefeld
   Hüttenwerk Niederrhein AG, Duisburg
   Klöckner-Werke AG, Düsseldorf
   Ruhrstahl AG, Henrichshütte, Hattingen
   Bochumer Verein AG, Gußstahlwerke, Bochum.
   Die Demontage oder der Abbruch solcher Elektroöfen, die für die Aufrechterhaltung des Betriebes dieser Werke nicht notwendig sind, wird weiterhin durchgeführt.

c) Die Demontage in den IG-Farben-Werken Ludwigshafen-Oppau wird eingestellt mit Ausnahme der Einrichtungen für die Herstellung von synthetischem Ammoniak und Methanol, soweit deren Entfernung im Reparationsplan vorgesehen ist.

d) In Berlin wird jegliche Demontage eingestellt und die Arbeit in den betroffenen Werken wird wieder ermöglicht.

Bereits demontierte Einrichtungen werden, mit Ausnahme der in Berlin in Frage kommenden Einrichtungen, der I. A. R. A. zur Verfügung gestellt. Durch die vorstehenden Änderungen der Reparationsliste werden die bestehenden Produktionsverbote und -beschränkungen für bestimmte Erzeugnisse nicht berührt. Demontierte Werke dürfen nur mit Genehmigung des Militärischen Sicherheitsamtes wieder aufgebaut oder wieder eingerichtet werden. Werke, bei denen die Demontage eingestellt ist, unterstehen einer geeigneten Kontrolle, um sicherzustellen, daß die Begrenzung der Stahlerzeugung (11,1 Millionen Tonnen pro Jahr) nicht überschritten wird.

IX. Die Frage der Beendigung des Kriegszustandes ist erörtert worden. Obwohl die Beendigung des Kriegszustandes im Einklang mit dem Geist dieser Abmachungen stehen würde, bietet doch die Frage erhebliche juristische und praktische Schwierigkeiten, die noch der Prüfung bedürfen.

X. Die Hohen Kommisssare und der Bundeskanzler haben diese Niederschrift unterzeichnet in der gemeinsamen Entschlossenheit, die in der Präambel aufgestellten Absichten zu verwirklichen und in der Hoffnung, daß ihre Abmachungen einen bedeutsamen Beitrag zur Einordnung Deutschlands in eine friedliche und dauerhafte Gemeinschaft der europäischen Nationen darstellen.

gez. K. Adenauer   gez. B. H. Robertson
                                               gez. A. François-Poncet
                                               gez. J. J. McCloy

6. Wiedergutmachung des vom NS-Regime gegenüber Juden begangenen Unrechts. Interview des Bundeskanzlers, 25. November 1949

Das Interview, das der Chefredakteur und Herausgeber der ›Allgemeinen Wochenzeitung der Juden in Deutschland‹, Karl Marx, mit Konrad Adenauer führte, erschien dort am 25. November 1949. Der Text wurde außerdem vom Presse- und Informationsamt der Bundesregierung verbreitet.

Frage: Gewisse Kreise vertreten immer wieder die These, daß die Betonung des christlichen Charakters der CDU eine antijüdische Tendenz umschließe. Wollen Sie, Herr Bundeskanzler, zu dieser Frage eine Erklärung abgeben?

Antwort: In der ersten Regierungserklärung vor dem Bundestag habe ich im Namen der Regierung und der hinter ihr stehenden politischen Kräfte betont, daß unsere Arbeit getragen sein wird von dem Geist christlich abendländischer Kultur und der Achtung vor dem Recht und der Würde des Menschen. In der Zeit des Hitlerregimes ist die Achtung vor der Würde des Menschen gründlich zerstört worden. Die Entwertung des Menschen zu einem Objekt staatlicher Zwecke ist eines der erschreckendsten Symptome jener Zeit gewesen. Wir wollen als Christen die Achtung vor dem Menschen ohne Rücksicht auf seine konfessionelle, rassische oder völkische Zugehörigkeit wiederherstellen. Im Geiste dieser Toleranz sehen wir in unseren jüdischen Landsleuten vollberechtigte Mitbürger. Wir wünschen, daß sie mit gleichen Rechten und Pflichten am geistigen, politischen und sozialen Aufbau unseres Landes teilhaben. Wir können und wollen ihre Mitarbeit nicht entbehren. Darin sehen wir in diesem Zusammenhang den Sinn des Begriffes »christlich«.

Frage: Glauben Sie, Herr Bundeskanzler, daß durch die gegen Deutsche nach dem Kriege getroffenen Maßnahmen, z. B. bei der Austreibung aus den Ostgebieten, das Unrecht, das im Namen des deutschen Volkes bis 1945 geschehen ist, kompensiert werden kann? Diese Auffassung wird vielfach vertreten.

Antwort: Unrecht und Leid, das über Menschen gebracht wurde, kann niemals kompensiert werden durch Unrecht oder Leid, das über andere Menschen gebracht wird. Das deutsche Volk ist gewillt, das Unrecht, das in seinem Namen durch ein verbrecherisches Regime an den Juden verübt wurde, soweit wiedergutzumachen, wie dies nur möglich ist, nachdem Millionen Leben unwiederbringlich vernichtet sind. Diese Wiedergutmachung betrachten wir als unsere Pflicht. Für diese Wiedergutmachung ist seit 1945 viel zu wenig geschehen. Die Bundesregierung ist entschlossen, die entsprechenden Maßnahmen zu treffen.

Frage: Für uns ist die Wiedergutmachung nicht nur eine wirtschaftliche, sondern auch eine moralische Frage. Was gedenkt die Bundesregierung zu tun, um diese Wiedergutmachung zu fördern?

Antwort: Die moralische Wiedergutmachung ist ein Teil unseres rechtsstaatlichen Wiederaufbaues.

Die Bundesregierung wird aufmerksam über die Einhaltung des Grundrechtsartikels wachen, der es verbietet, irgend jemand wegen seiner Abstammung, seiner Rasse oder seines Glaubens zu benachteiligen. Ich möchte keinen Zweifel darüber lassen, daß die Schändung jüdischer Kultstätten und die Verwüstung jüdischer Friedhöfe, die leider in den vergangenen Jahren immer noch vorgekommen sind, ohne Nachsicht geahndet und bestraft werden. Es ist Pflicht vor allem der Gemeinden, die jüdischen Kultstätten nicht nur in ihren Schutz zu nehmen, sondern, soweit nötig, den Wiederaufbau zu unterstützen. Ich habe in der ersten Regierungserklärung bereits angekündigt, daß wir gegen radikale Tendenzen nötigenfalls von den Rechten, die die Gesetze uns geben, entschlossen Gebrauch machen. Wir werden dies in aller Schärfe gegen antisemitische Tendenzen in der Presse oder im öffentlichen Leben tun, wenn sich dies als nötig erweist. Wir werden jeden Antisemitismus nicht nur bekämpfen, weil er uns innen- und außenpolitisch unerwünscht ist, sondern weil wir ihn aus Gründen der Menschlichkeit mit aller Entschiedenheit ablehnen. In Ausführung der Grundrechtsartikel des Grundgesetzes sind uns alle gesetzlichen Voraussetzungen gegeben, diesen unseren Willen in die Tat umzusetzen und die Juden vor jeder Diskriminierung zu schützen. Wir werden die Juden gegen jede Möglichkeit neuer Verfolgungen sichern.

Ihre besondere Aufmerksamkeit wird die Bundesregierung dem Ausgleich der den jüdischen Staatsangehörigen zugefügten wirtschaftlichen Schäden widmen. Die bestehende Gesetzgebung bedarf hier mancher Verbesserung und Ergänzung. Der Staat Israel ist die nach außen sichtbare Zusammenfassung der Juden aller Nationalitäten. Die Bundesregierung beabsichtigt, dem Staat Israel Waren zum Wiederaufbau im Werte von 10 Millionen DM zur Verfügung zu stellen, und zwar als erstes unmittelbares Zeichen dafür, daß das den Juden in aller Welt von Deutschen zugefügte Unrecht wiedergutgemacht werden muß.

Die lange Verfolgung der Juden in Deutschland während der nationalsozialistischen Zeit hat eine Reihe von Problemen entstehen lassen, über die die Bundesregierung sich laufend unterrichten lassen muß. Es wird deshalb im Bundesministerium des Innern ein Referat eingerichtet und einem deutschen Juden übertragen werden, das sich mit diesen Problemen befaßt. Die

Einrichtung dieses Referats soll gleichzeitig den in Deutschland lebenden Juden die Gewißheit geben, daß seitens der Bundesregierung alles geschieht, um ihre staatspolitischen Rechte in vollem Umfange zu wahren.

Frage: Die jüdischen Opfer der nationalsozialistischen Verfolgungen, insbesondere die Angehörigen der in Konzentrationslagern getöteten Juden verfolgen mit Besorgnis die Tendenz, die für die Vernichtung verantwortlichen politischen Elemente zu amnestieren und die Verfolgung von Menschlichkeitsverbrechen einzustellen. Beabsichtigt die Bundesregierung, Schritte in dieser Richtung zu tun?

Antwort: Ich habe vor dem Bundestag bereits erklärt, daß die Bundesregierung der Auffassung ist, daß durch die Denazifizierung viel Unheil und Unglück angerichtet worden ist, daß jedoch die wirklich Schuldigen an den Verbrechen, die in der nationalsozialistischen Zeit und im Kriege begangen worden sind, mit aller Strenge bestraft werden sollen. Diese Auffassung wird von der Bundesregierung unverändert vertreten. Verbrecher, die sich der Vernichtung von Menschenleben schuldig gemacht haben, sind einer Amnestierung nicht würdig und werden auch in Zukunft der ihnen zukommenden Strafverfolgung ausgesetzt sein.

7. Gründe für und wider den Beitritt zum Europarat. Aus der Denkschrift der Bundesregierung, 7. Mai 1950

Das Plädoyer für den Beitritt zum Europarat war in mehrfacher Hinsicht ein Balanceakt Adenauers. Die Bundesrepublik war nicht als vollberechtigtes, sondern nur als assoziiertes Mitglied eingeladen. Das Saarland sollte neben der Bundesrepublik den gleichen Status erhalten. Deswegen kämpften nicht nur die Sozialdemokraten (und die anderen Oppositionsparteien) im Bundestag dagegen, der Beitritt war auch bei der FDP, die sich im Saarland als nationale Bewegung profilierte, und sogar innerhalb der CDU umstritten. Gegen den Widerstand Jakob Kaisers beschloß das Bundeskabinett am 9. Mai den Beitritt. Der Beschluß wurde dadurch erleichtert, daß Adenauer während der Kabinettssitzung eine dringende Botschaft des französischen Außenministers Schuman erhielt. Es war der Vorschlag, die französische und die deutsche Kohle- und Stahlerzeugung zum Kern einer politischen europäischen Organisation zu machen (Schuman-Plan), in der Frankreich und die Bundesrepublik gleichberechtigt sein würden. Der Bundestag

169

stimmte am 15. Juni mit 220 gegen 152 Stimmen für den Beitritt zum Europarat. Bereits am 2. Mai 1951 erhielt die BRD den Status eines Vollmitglieds. Der Europarat war am 5. Mai 1949 mit Sitz in Straßburg gegründet worden, um »einen engen Zusammenschluß unter seinen Mitgliedern zu verwirklichen, um die Ideale und Grundsätze, die ihr gemeinsames Erbe sind, zu schützen und zu fördern und um ihren wirtschaftlichen und sozialen Fortschritt zu begünstigen«.

Quelle: Denkschrift der Bundesregierung zur Frage des Beitritts zum Europarat. Bonn o. J. (1950), S. 19–20.

Es dürfte kaum einem Zweifel unterliegen, daß das deutsche Volk von allem Anfang an den Gedanken eines europäischen Zusammenschlusses aufrichtig und freudig begrüßte. Es sah in ihm das Zeichen einer neuen Zeit und eine große Hoffnung. In der Präambel des Grundgesetzes ist festgestellt, daß Deutschland als gleichberechtigtes Mitglied in einem vereinten Europa dem Frieden der Welt dienen will und nach Artikel 24 des Grundgesetzes kann der Bund durch einfaches Gesetz Hoheitsrechte auf zwischenstaatliche Einrichtungen übertragen. Der Bund kann sich nach dem Grundgesetz zur Wahrung des Friedens einem System kollektiver Sicherheit einordnen. Er wird hierbei in die Beschränkungen seiner Hoheitsrechte einwilligen, die eine friedliche und dauerhafte Ordnung in Europa und zwischen den Völkern der Welt herbeiführen und sichern. Es dürfte wohl keinen europäischen Staat geben, der sich so wie die Bundesrepublik verfassungsmäßig zum Eintritt in eine festgefügte europäische Rechtsordnung vorbereitet hat.

Es dürfte auch keinem Zweifel unterliegen, daß die Einladung an die Bundesrepublik, dem Europarat beizutreten, von der überwiegenden Mehrheit der öffentlichen Meinung mit noch größerer Genugtuung begrüßt worden wäre, wenn nicht unglücklicherweise durch die Behandlung der *Saarfrage* der Eindruck erweckt worden wäre, daß trotz der europäischen Einigungsbestrebungen eine Frage, die die Bundesrepublik so nahe berührt, anders gelöst wird, als durch eine freie und offene Aussprache auf dem Boden gegenseitiger Verständigungsbereitschaft.

Es dürfte aber klar sein, daß die Behandlung der Saarfrage, deren Bedeutung und Tragweite in keiner Weise verkleinert werden darf, nicht Veranlassung sein darf, sich nicht an der so sehr viel wichtigeren Frage der organisierten europäischen Zusammenarbeit zu beteiligen und deren Lösung dadurch zu gefährden.

Um jede Präjudizierung der Saarfrage durch einen eventuellen Beitritt zu vermeiden, hat die Bundesregierung die nochmalige Klarstellung herbeigeführt, daß die Mitgliedschaft des Saarlandes in der europäischen Versammlung nur vorbehaltlich der Regelung des Status des Saarlandes durch den Friedensvertrag mit Deutschland gilt. Die Befürchtung, ein Beitritt zum Europarat gleichzeitig und unter den gleichen Bedingungen wie das Saarland bedeute die Anerkennung des Saarlandes als eines auf die Dauer begründeten unabhängigen Staatswesens, ist demnach hinfällig. Jedenfalls hat die Bundesregierung und mit ihr der Bundestag in ganz unmißverständlicher Weise zum Ausdruck gebracht, daß sie die Saarfrage als offen und die Saarregierung nicht als legitimiert ansehen, über diesen deutschen Gebietsteil eigenmächtig zu verfügen.

Bei der Einladung, die an die Bundesregierung ergangen ist, wurde dieser in keiner Weise zugemutet, ihren Standpunkt in der Saarfrage zu modifizieren.

Von dieser durch die Saarfrage entstandenen Enttäuschung abgesehen, dürfte sich das deutsche Volk in seiner Mehrheit über die uns gestellte Schicksalsfrage völlig klar sein. Es wird sich entscheiden müssen, ob *Europa zwischen dem großen Machtfaktor der Vereinigten Staaten und dem gewaltigen Sowjet-Block* in Nationalstaaten aufgespalten bleiben soll, die sich politisch befehden und wirtschaftlich gegeneinander absperren, oder ob es zu einem politischen und wirtschaftlichen Zusammenschluß gelangt, der ihm Eigengewicht und innere Stabilität gibt.

Einer der positiven Züge im Gesamtbild der Nachkriegszeit ist sicher der, daß in den meisten europäischen Ländern ein starkes Bewußtsein einer europäischen Schicksalsgemeinschaft lebendig geworden ist. Das bisherige Ergebnis der dadurch ausgelösten Bestrebungen ist in der Sphäre der offiziellen Politik der Straßburger Europarat. Es läßt sich einwenden, der Europarat sei als Institution ungenügend, und es sei zweifelhaft, ob er sich über den jetzigen Zustand hinaus in positivem Sinne weiterentwickeln werde. Ob diese Zweifel berechtigt sind, kann uns die Zukunft zeigen. Jedenfalls ist es eine Tatsache, daß die westeuropäischen Staaten den Weg nach Straßburg gegangen sind, und die Bundesrepublik heute auffordern, ihnen zu folgen. Einen anderen Weg zum Anschluß an die westeuropäischen Staatengemeinschaft gibt es praktisch nicht.

Keinesfalls ist die Bundesregierung mit eigenen Mitteln in der

Lage, einen anderen Weg zur Erreichung des absolut notwendigen Zieles – Zusammenschluß Europas – zu zeigen und die anderen Staaten für diesen Weg zu gewinnen. Eine solche Vorstellung wäre völlig utopisch. Wenn wir uns überhaupt dem Ziele nähern wollen, so müssen wir uns des Weges bedienen, der von den anderen vorbereitet wurde. Es gibt in dieser Frage keinen deutschen Führungsanspruch.

Es mag als bedauerlich erscheinen, daß die Bundesrepublik aufgefordert wird, dem Europarat als *assoziiertes Mitglied*, d. h. als Mitglied minderen Rechtes beizutreten. Demgegenüber wäre zu bemerken, daß der Begriff der »assoziierten Mitgliedschaft« eigens geschaffen wurde, um den Beitritt der Bundesrepublik bereits in einem Stadium ihrer Entwicklung zu ermöglichen, in dem sie noch nicht die souveränen Befugnisse besitzt, die für ihr Auftreten im Ministerkomitee notwendig wären. Daß der Kriegszustand mit der Bundesrepublik noch nicht aufgehoben wurde, und daß die Besatzungsmächte es für zweckmäßig halten, der Bundesrepublik die ihr zustehenden souveränen Rechte nur stückweise zurückzugeben, ist bedauerlich. Nach Ansicht der Besatzungsmächte ist aber gerade der Eintritt in den Europarat ein wesentlicher Schritt auf dem Wege der Befreiung der Bundesrepublik von ihren Bindungen. Hierüber hat sich der britische Außenminister vor dem Unterhaus am 28. März ds. Js. in verbindlicher Weise ausgesprochen. Mr. Bevin sagte:

> »Ich glaube, solange das Besatzungsstatut in Kraft ist, tut das deutsche Volk nicht gut, wenn es mit uns über die Bedingungen seines Zutritts zum Europarat rechten will. Ich glaube, wenn Deutschland beitritt und den Gedanken des Europarats von ganzem Herzen annimmt, so werden wir in diesem Akt ein politisches Glaubensbekenntnis sehen dürfen und sollten dann nicht zu lange zögern, den nächsten Schritt zu tun. Worin besteht dieser nächste Schritt? Unter dem Besatzungsstatut ist die Frage einer eigenen deutschen Außenpolitik offengeblieben. Ich bin der Meinung, daß wir, d. h. die Besatzungsmächte, nach einiger Zeit uns entschließen müssen, Deutschland die Führung seiner Außenpolitik zurückzugeben. Erst wenn es soweit ist, kann Deutschland als gleichberechtigtes Mitglied in dem Ministerkomitee auftreten.«

Auch aus dieser Äußerung des britischen Außenministers ist zu erkennen, daß die Entscheidung, ob Deutschland nach Straßburg geht oder nicht, von der Weltöffentlichkeit als *eine grund-legende Entscheidung des neuen Deutschlands* verstanden wird. Dies gilt besonders für die Vereinigten Staaten, die bekanntlich zum stärksten Verfechter des europäischen Einigungsgedankens und zum wichtigsten Förderer des deutschen Wiederaufbaus geworden sind.

Es ist meine Überzeugung, daß der Friede nur dann aufrecht-erhalten werden kann, wenn in Europa eine Föderation freier Staaten sich zu einer Kraft entwickelt, die ihr Gewicht jederzeit zugunsten des Friedens in die Waagschale wirft. Der Europarat ist ein Schritt zu dieser Kraft. Es ist Pflicht der Bundesrepublik, zu dieser Entwicklung ihren Beitrag zu leisten.

Ich gehe dabei von der Überzeugung aus, daß eine Wieder-vereinigung der Ostzone mit der Bundesrepublik nur eintreten wird, wenn der Friede gewahrt wird, und wenn die Bundesre-publik innerhalb der europäischen Föderation wirtschaftlich und politisch an Gewicht gewinnt.

In der Einladung des Generalsekretärs des Europarats vom 31. März 1950 heißt es, es sei wünschenswert, Deutschland an die europäischen Länder anzuschließen. Daraus ist zu entneh-men, daß die im Ministerkomitee vertretenen Regierungen *die Aufnahme Gesamtdeutschlands in die neue europäische Ord-nung* erstreben.

Das deutsche Volk ist durch den Zustand, in dem es sich befindet, gezwungen, *Anlehnung an andere Mächte* zu suchen. Dies können nach Lage der Dinge nur die Völker sein, deren sittliche, wirtschaftliche und soziale Lebensformen den unseren wesensverwandt sind, also die demokratischen und freiheitli-chen Völker Europas.

Über diesen Grundsatz dürfte keine Meinungsverschieden-heit im deutschen Volke bestehen. Es kann aber auch keinen Zweifel darüber geben, daß die Bundesrepublik durch eine Ablehnung der Einladung *das Odium für ein Scheitern des eu-ropäischen Zusammenschlusses* auf sich laden würde, nachdem so oft und so eindeutig von den verschiedensten Seiten versi-chert wurde, daß Europa »nicht um Deutschland herumgebaut werden kann«. Das deutsche Volk wird alle diese Gesichts-punkte für und wider sorgfältig abzuwägen haben. Wie immer die Entscheidung fällt, darf keinesfalls der Eindruck entstehen, daß Deutschland durch sein Fernbleiben den wirtschaftlichen, kulturellen und schließlich auch politischen Zusammenschluß Europas verzögert oder gar verhindert habe.

Unter sorgfältiger Abwägung aller Gründe und Gegengründe komme ich zu folgendem Ergebnis:

Der Zusammenschluß Europas auf föderativer Grundlage ist im Interesse aller europäischen Länder, insbesondere auch der Bundesrepublik Deutschland, notwendig. Der Europarat ist der Anfang eines solchen Zusammenschlusses. Die Bundesrepublik Deutschland muß die Einladung aus tiefer Überzeugung, daß nur auf diesem Wege Europa und der Friede gesichert werden können, annehmen.

Bonn, den 7. Mai 1950
Dr. Adenauer

8. Dementi des Vizekanzlers Franz Blücher (FDP) in Sachen Wiederbewaffnung, 7. August 1950

Der Text wurde als Mitteilung an die Presse Nr. 727/50 vom Presse- und Informationsamt der Bundesregierung verbreitet, das Sicherheits- memorandum des Bundeskanzlers (vgl. Dokument 9) befand sich – unter größter Geheimhaltung – währenddessen in Arbeit.

Das Bundespresseamt gibt bekannt:

Unter der Überschrift »Bonn fordert deutsche Armee« behauptet die Overseas News Agency, führende Männer der Bundesregierung hätten in der vergangenen Woche alliierten Stellen den schnellen Aufbau einer deutschen Armee zugesagt. Unter Bezugnahme auf ein Interview, das Vizekanzler Blücher einem Vertreter der Agentur gewährte, wird ferner behauptet, der Vizekanzler habe eine beschränkte Anzahl von deutschen Divisionen für unzureichend erklärt.

Vizekanzler Blücher stellt dazu folgendes fest:

1. Keine verantwortliche deutsche Stelle hat den westlichen Besatzungsmächten mitgeteilt, daß die Bundesregierung eine Armee aufbauen wolle.
2. Eine solche Mitteilung würde überdies von den Hohen Kommissaren oder ihren Mitarbeitern nicht entgegengenommen werden.
3. Eine solche Mitteilung ist auch deswegen nicht möglich, weil sie dem Willen der deutschen Regierung und des deutschen Volkes widersprechen würde.

4. Ebensowenig kann von sogenannten »Diplomatischen Schritten« die Rede sein, um gegen den Willen des Volkes derartige Pläne weiterzutreiben oder Forderungen auszusprechen.

5. Ich habe nicht von der Notwendigkeit eines »schnellen deutschen Handelns« gesprochen und darüber Verschwiegenheit gefordert, sondern ich habe sehr ernste Mahnungen an die Presse aller westlichen Länder gerichtet gegen das ewige Reden über eine etwaige Remilitarisierung. Ich habe dies Reden als eine Gefährdung für eine friedliche Entwicklung bezeichnet. Richtig ist, daß ich in diesem Zusammenhang eine deutsche Initiative überhaupt ablehnte. Richtig ist allerdings weiter, daß ich aus vielfachen Gründen die Errichtung einer ausreichend starken Grenzpolizei befürwortete.

6. Es ist völlig unrichtig, daß ich mich für eine geheime Ansammlung großer Waffenmengen ausgesprochen hätte. Richtig ist vielmehr, daß ich eindeutig die Zumutung zurückgewiesen habe, einige unzulänglich ausgerüstete Einheiten in Westdeutschland aufzustellen. Schon ein derartiges Gerede bedeutet eine Gefahr und könnte den Russen Veranlassung zu einem Präventivschritt geben. Große, gut ausgerüstete Verbände könnten aber nicht auf geheimnisvolle Weise plötzlich herbeigezaubert werden. Dies habe ich nachdrücklich unterstrichen, um die Problematik einer deutschen Wiederbewaffnung völlig deutlich zu machen.

Bonn, den 7. August 1950

9. Memorandum Bundeskanzler Adenauers über die Sicherung des Bundesgebiets nach innen und außen, 29. August 1950

Das Schriftstück wurde dem amerikanischen Hohen Kommissar McCloy beim Abflug zur New Yorker Außenministerkonferenz übergeben. Die entscheidende Passage, mit der sich wunschgemäß die Außenminister beschäftigten, steht am Ende des Teils IV: Der Bundeskanzler habe wiederholt seine Bereitschaft erklärt, »im Falle der Bildung einer internationalen westeuropäischen Armee einen Beitrag in Form eines deutschen Kontingents zu leisten«. Die Zahlen über die sowjetischen Truppenstärken und den Rüstungsstand sind im Memorandum dramatisch überhöht worden. Die Angabe 3000 bzw. 5000 Düsenjäger wurde später im Bundeskanzleramt, wo die geheime Denkschrift entstanden war, auf 300 bzw. 500 reduziert. Gleichzeitig mit diesem Dokument wurde ein weiteres Memorandum »zur Frage der Neuordnung der Beziehungen der Bundesrepublik zu den Besatzungsmächten« überreicht, in dem die Beendigung des Kriegszustands verlangt wurde, außerdem sollte der Besatzungszweck mit der Sicherung der Bundesrepublik gegen äußere Gefahr neu definiert und das Besatzungsstatut durch ein Vertragssystem abgelöst werden.

Quelle: Klaus von Schubert (Hrsg.), Sicherheitspolitik der Bundesrepublik Deutschland. Dokumentation 1945–1977, Teil I, Bonn 1977, S. 79–83.

I.

Die Entwicklung im Fernen Osten hat innerhalb der deutschen Bevölkerung Beunruhigung und Unsicherheit ausgelöst. Das Vertrauen, daß die westliche Welt in der Lage sein würde, Angriffshandlungen gegen Westeuropa rasch und wirksam zu begegnen, ist in einem besorgniserregenden Ausmaß im Schwinden begriffen und hat zu einer gefährlichen Lethargie der deutschen Bevölkerung geführt.

II.

Der ganze Ernst der Situation ergibt sich aus der Betrachtung der in der Ostzone versammelten sowjetischen Kräfte und der dort im beschleunigten Aufbau befindlichen Volkspolizei.

Nach bestätigten Informationen befinden sich im Raum der Ostzone an sowjetischen Truppen zur Zeit zwei Armeen schneller Truppen mit zusammen 9 motorisierten Divisionen, vier Panzer-Armeen mit zusammen 13 Divisionen, insgesamt also 22 motorisierte und Panzerdivisionen. Die Divisionen zu 10 bis 12 000 Mann gerechnet sind personell voll aufgefüllt und verwendungsbereit auf den Sommerübungsplätzen versammelt. Sämtliche Führungsstäbe sind vorhanden. Die Mobilmachungsausrüstung (Munition, Betriebsstoff, Fahrzeuge, Marschverpflegung usw.) ist in den Händen der Truppe, die innerhalb 24 Stunden in Marsch gesetzt werden kann.

Diese sowjetischen Armeen stehen auf der Linie Neustrelitz – Döberitz/Berlin – Wittenberg/Elbe – Grimma/Harz. Ihr Aufmarsch zeigt in vorderer Linie die motorisierten schnellen Truppen, dahinter in zweiter Linie die schweren Panzerverbände, mit dazwischenliegenden besonderen Artillerie- und Flakeinheiten. – Dieses Bild muß als ausgesprochener Offensiv-Aufmarsch bezeichnet werden.

Die Zahl der einsatzbereiten Panzer muß mit 5000 bis 6000 angenommen werden.

Die sowjetische Jagdluftwaffe befindet sich in rasch zunehmender Umbewaffnung auf Turbojäger (Düsenjäger) modernster Bauart. Bei gleichbleibendem Tempo der Umbewaffnung muß zur Zeit mit 3000 Turbojägern, Ende September mit etwa 5000 gerechnet werden. – Der Ausbau der Jägerflugplätze in der Ostzone für die Benutzung durch Turbojäger ist bereits weitgehend durchgeführt. Im Raum südlich Berlin werden zur Zeit mehrere Flugplätze mit Startbahnen für Langstreckenbomber ausgestattet. Aus dieser Tatsache kann auf die sowjetische Absicht geschlossen werden, demnächst auch Verbände der »strategischen Luftwaffe«, die bisher im Innern Rußlands versammelt waren, in die Ostzone vorzuziehen. – Dies würde als ein weiteres, ausgesprochenes Zeichen offensiver Absichten gewertet werden müssen.

Neben diesen außerordentlich starken sowjetrussischen Kräften macht der Aufbau der Volkspolizei in der Ostzone in den letzten Monaten besondere Fortschritte. Dabei ist ihre Entwicklung von der Polizei zur Polizei-Armee bemerkenswert. In den letzten Monaten wurden ca. 70000 Mann aus der Allgemeinen Polizei der Ostzone herausgelöst, in militärähnlichen Formationen organisiert und militärisch ausgebildet.

Diese aus dem Allgemeinen Polizeiverband gelösten Einheiten sind in Bereitschaften und Schulen gegliedert. Ende Juli wurden bereits 12000 Mann in die neue erdgraue Felduniform eingekleidet. Die Bereitschaften der Volkspolizei, von denen zur Zeit 45 in allen Einzelheiten durch unseren Nachrichtendienst erfaßt sind, umfassen jede etwa 1000 Mann. Sie erhalten weder polizeiliche Ausbildung, noch ist ihr polizeilicher Einsatz geplant. Vielmehr werden sie ausgesprochen militärisch ausgebildet.

Es sind ferner mit allen Einzelheiten erfaßt 15 Waffenschulen. Weitere Schulen befinden sich im Aufbau. Diese Schulen dienen der Ausbildung von Unterführern und Offizieren. Sie besitzen jede eine Stärke von 1000 bis 1500 Mann. Es bestehen außerdem Spezialschulen für die Ausbildung höherer Führer, von Propagandaoffizieren und für die Ausbildung an schweren Waffen. Diese Schulen bilden das Kernstück dieser Polizeiarmee. Die Bewaffnung der Volkspolizeibereitschaften besteht überwiegend noch aus leichten Infanteriewaffen. Nach neuesten, allerdings noch nicht völlig bestätigten Meldungen befinden sich in Niederschlesien und bei Stettin, also auf polnisch besetzten Gebieten, bereits Volkspolizeidivisionen, die mit Panzern ausgerüstet sind. – Eine volle Motorisierung ist geplant, jedoch mangels Material noch nicht durchgeführt. Die Planung für die weitere Entwicklung der Volkspolizei sieht eine Gliederung in 5 Gruppenkommandos zu je zwei Gruppen (eine Panzerdivision und eine motorisierte Infanteriedivision) vor. Die Gruppen (Divisionen) werden nach dem vorgesehen Organisationsschema genau das Aussehen sowjetischer Heeresdivisionen tragen.

Es ist damit zu rechnen, daß die Volkspolizei in naher Zukunft etwa 150 000 Mann umfassen wird, die nach der Gesamtplanung auf rund 300 000 Mann gebracht werden soll.

Die Nachrichten über die Zielsetzung, die von seiten der Sowjet- und der Ostzonenregierung diesen Truppen gegeben wird, lauten einheitlich dahin, daß ihre in naher Zukunft zu lösenden Aufgaben darin bestehen sollen, Westdeutschland von seinen alliierten Gewalthabern zu befreien, die »kollaborationistische Regierung« der Bundesrepublik zu beseitigen und Westdeutschland mit der Ostzone zu einem satellitenartigen Staatengebilde zu vereinigen. Hält man dies mit den gleichlautenden öffentlichen Erklärungen der ostzonalen Politiker Pieck und Ulbricht zusammen, so muß man annehmen, daß in der Ostzone Vorbereitungen zu einem Unternehmen getroffen werden, das unter vielen Gesichtspunkten an den Ablauf der Aktion in Korea mahnt. Man muß damit rechnen, daß die Sowjetregierung noch im Laufe dieses Herbstes, vielleicht nach den Mitte Oktober in der gesamten Ostzone stattfindenden Wahlen, sich von der Ostzonenregierung stärker distanzieren und dieser völkerrechtlich größere Handlungsfreiheit gewähren wird, um dadurch die Voraussetzung dafür zu schaffen, daß sie selbständig ihr »Einigungswerk« zunächst mit einer Befreiung Berlins beginnen und später mit Aktionen der Volkspolizei gegen die Bundesrepublik fortsetzen könnte. Ausgelöst oder begleitet würden derartige »Befreiungsaktionen« mit Aufmärschen der straff organisierten FDJ und einer aktiven fünften Kolonne.

Diese fünfte Kolonne würde die Aufgaben haben, auf dem Bundesgebiet Sabotageakte zu begehen, die Behörden in den Kommunen, in den Ländern und auf der Bundesebene zu desorganisieren und die Regierungsgewalt den aus der Ostzone kommenden Funktionären in die Hände zu spielen.

III.

Als Gegenkräfte stehen in Westdeutschland diesen Gegnern je zwei amerikanische und britische Divisionen und einige französische Verbände gegenüber.

Die Bundesregierung verfügt, wenn man von den schwachen Kräften des Zollgrenzdienstes absieht, über keine Kräfte. In der britischen Zone gibt es eine Polizei, die auf kommunaler Basis organisiert ist. Sie ist weder einheitlich ausgebildet noch einheitlich ausgerüstet. Sie besitzt keine angemessenen Waffen. Sie verfügt lediglich über eine beschränkte Zahl Pistolen und einige Karabiner; automatische Feuerwaffen, insbesondere Maschinenpistolen fehlen, da sie nicht zugelassen sind. In den Ländern der amerikanischen und französischen Zone gibt es eine Polizei, die teilweise staatlich organisiert ist. Sie ist aber in kleinste Gruppen zu je vier bis höchstens zehn Mann über das jeweilige Landesgebiet verteilt. Ihre Bewaffnung und Ausbildung ist ähnlich derjenigen der Polizei in der britischen Zone.

Für einen Einsatz gegen einen organisierten inneren Feind oder gar gegen einen Eingriff der Volkspolizei sind die Polizeikräfte völlig unzureichend, da sie zahlenmäßig schwach weder über eine entsprechende Waffenausbildung noch über Ausbildung in geschlossenem Einsatz verfügen. Sie sind auch nicht in der Lage, einen wirksamen Schutz an der Ostzonengrenze zu bilden, die in ihrer außerordentlichen Länge besondere Anforderungen stellt.

Auch der Wert der Polizei als Ordnungsfaktor in den Städten und auf dem flachen Land ist äußerst gering, wie dies z. B. die Zwischenfälle mit der demonstrierenden FDJ in Dortmund gezeigt haben. Auch die von den Alliierten zugestandenen Polizeireserven in einer Gesamthöhe von 10 000 Mann, die sich auf die einzelnen Länder verteilen sollen, bedeuten keine Verbesserung der geschilderten Lage. Infolge der Tatsache, daß die Organisation, die Ausbildung und die personelle Zusammensetzung im wesentlichen den Ländern überlassen bleibt, ist nicht zu erwarten, daß diese Polizeireserven zu einem Instrument werden können, das im Augenblick der Gefahr vom Bund mit Erfolg eingesetzt werden kann. Allein die Aufteilung dieser geringen Reserve von 10 000 Mann auf die Länder bedeutet eine solche Zersplitterung der Kräfte, daß ihre rasche Zusammenführung zu kampffähigen Einheiten im Augenblick der Gefahr technisch unlösbar ist. Man kann auch auf dieser Reserve keine stärkeren Verbände aufbauen.

IV.

Das Problem der Sicherheit des Bundes stellt sich zunächst unter dem äußeren Gesichtspunkt. Die Verteidigung des Bundes nach außen liegt in erster Linie in den Händen der Besatzungstruppen. Der Bundeskanzler hat wiederholt um die Verstärkung dieser Besatzungstruppen gebeten und erneuert diese Bitte hiermit in dringendster Form. Denn die Verstärkung der alliierten Besatzungstruppen in Westeuropa kann allein der Bevölkerung sichtbar den Willen der Westmächte kundtun, daß Westdeutschland im Ernstfall auch verteidigt wird. Eine solche Verstärkung der alliierten Truppen ist aber auch deshalb notwendig, weil nur hinter dem Schutz einer ausreichenden Zahl gut ausgerüsteter alliierter Divisionen die gegenwärtig in Westeuropa anlaufenden Verteidigungsmaßnahmen ungestört durchgeführt werden können.

Der Bundeskanzler hat ferner wiederholt seine Bereitschaft erklärt, im Falle der Bildung einer internationalen westeuropäischen Armee einen Beitrag in Form eines deutschen Kontingents zu leisten. Damit ist eindeutig zum Ausdruck gebracht, daß der Bundeskanzler eine Remilitarisierung Deutschlands durch Aufstellung einer eigenen nationalen militärischen Macht ablehnt.

V.

Das Problem der Sicherheit des Bundesgebietes stellt sich ferner unter einem inneren Gesichtspunkt. Zur Aufrechterhaltung der inneren Ordnung gegenüber der fünften Kolonne, gegen Übergriffe der Volkspolizei und der FDJ verfügt die Bundesregierung bis heute über keine entsprechenden Kräfte. Es könnte sehr wohl der Fall eintreten, daß nach koreanischem Muster die Volkspolizei offene oder getarnte Aktionen gegen westdeutsches Gebiet beginnt. Sollten in einem solchen Fall die Alliierten aus irgendwelchen Gründen ihre Kräfte nicht zum Einsatz bringen wollen, so müßte es die Aufgabe der Schutzpolizei sein, nach Kräften gegen diese Aktionen einzuschreiten.

Die Bundesregierung schlägt deshalb vor, umgehend auf Bundesebene eine Schutzpolizei in einer Stärke aufzustellen, die eine hinreichende Gewähr für die innere Sicherheit zu bieten vermag.

Die Bundesregierung ist sich darüber im klaren, daß eine solche Schutzpolizei nur im Wege über ein verfassungsänderndes Gesetz aufgestellt werden kann. Sie ist bereit, einen entsprechenden Gesetzentwurf sofort den gesetzgebenden Körperschaften vorzulegen, muß aber darauf hinweisen, daß bis zur Verabschiedung des Gesetzes ein Zeitraum von mehreren Monaten verstreichen würde. Da mit den Vorbereitungen sofort begonnen werden muß, ist es erforderlich, daß die Alliierte Hohe Kommission der Bundesregierung die Weisung erteilt, die notwendigen Schritte zur Schaffung dieser Schutzpolizei einzuleiten.

Die demokratische Kontrolle dieser Polizei soll durch einen vom Bundestag gebildeten Ausschuß gewährleistet werden, dem das Recht der Einsicht in den Aufbau und die personelle Zusammensetzung der Schutzpolizei übertragen wird.

Eine internationale Kontrolle dieser Schutzpolizei könnte durch das militärische Sicherheitsamt wahrgenommen werden.

Bonn, den 29. August 1950

10. Brief des SPD-Vorsitzenden Kurt Schumacher an Bundeskanzler Adenauer zum Notenwechsel der Vier Mächte in der Deutschlandfrage, 22. April 1952

In einer Note an die Westmächte hatte die Sowjetunion am 10. März 1952 einen Friedensvertrag für ein neutralisiertes Gesamtdeutschland in den Grenzen von Potsdam angeboten. In der westlichen Antwort (25. März) waren als Vorbedingungen einer Viermächtekonferenz zum Deutschland-Problem freie Wahlen in ganz Deutschland gefordert worden. In einer zweiten Note (9. April) hatte Stalin der Abhaltung von Wahlen zugestimmt, sie sollten aber nicht unter Kontrolle eines UNO-Gremiums, sondern einer Viermächte-Kommission stehen. Adenauer hatte schon die erste sowjetische Note als lästiges Störmanöver gegen die Westintegration der Bundesrepublik, insbesondere gegen den EVG-Vertrag abgetan und in diesem Sinne auch auf die Westmächte eingewirkt. Am 3. und 4. April 1952 hatte sich der Bundestag mit der ersten Note Stalins beschäftigt, die Sprecher der SPD kritisierten dabei vor allem die Selbstherrlichkeit, mit der Adenauer die Westmächte beeinflußte. In der Sache – Postulat freier Wahlen, Ablehnung einer Neutralisierung – unterschieden sich die Positionen der SPD nicht allzu sehr von denen der CDU und der Westmächte.

Quelle: Acht Jahre sozialdemokratischer Kampf um Einheit, Frieden und Freiheit (vgl. Dokument 4), S. 177–179.

Sehr geehrter Herr Bundeskanzler!

Obgleich das Verhalten der Bundesregierung und ihrer Parteien in der Bundestagsdebatte vom 3. April nicht dazu ermutigt, Ihnen nochmals brieflich Vorschläge für eine gemeinsame Stellungnahme von Regierung und Opposition in der Frage der Wiedervereinigung Deutschlands zu machen, möchte ich Ihnen im Namen der Sozialdemokratischen Fraktion noch einmal darlegen, wie dringlich es ist, zum Notenwechsel zwischen den Regierungen der vier Besatzungsmächte konkrete deutsche Forderungen zur Geltung zu bringen. Das ist um so dringlicher, als man nicht weiß, ob sich in absehbarer Zeit noch eine Chance zur friedlichen und demokratischen Wiedervereinigung bieten wird.

Von den Regierungen der Westmächte wird zur Zeit der Text einer Antwortnote auf die sowjetische Note vom 9. April beraten. Meines Erachtens ist es notwendig, den Regierungen der drei Westmächte als gemeinsamen deutschen Standpunkt vorzutragen, daß nichts unversucht bleiben darf, festzustellen, ob die Sowjetnote eine Möglichkeit bietet, die Wiedervereinigung Deutschlands in Freiheit durchzuführen. Um dies festzustellen, sollten sobald wie möglich Viermächteverhandlungen stattfinden. Wenn sich dabei herausstellen sollte, daß auch nach den letzten Noten der Sowjetregierung nicht die Möglichkeit gegeben ist, durch eine Viermächteübereinkunft die Voraussetzung für freie Wahlen in den vier Zonen und Berlin zu gewährleisten, dann wäre doch auf jeden Fall klargestellt, daß die Bundesrepublik keine Anstrengung gescheut hat, um eine sich bietende Chance zur Wiedervereinigung Deutschlands und Befriedung Europas auszunützen.

Es sollte den Regierungen der drei westlichen Besatzungsmächte gegenüber als deutscher Standpunkt zum Ausdruck gebracht werden, daß durch eine Fortsetzung der brieflichen Diskussion über Einzelpunkte des ursprünglichen Sowjetvorschlages vom 10. März nicht die notwendige Klärung herbeigeführt werden könnte. Die Situation würde dadurch lediglich kompliziert, indem den Kommunisten die Möglichkeit gegeben würde, weiter mit der Einheitsparole zu operieren und die Behauptung aufzustellen, die Sowjetregierung sei zu Verhandlungen bereit gewesen, während die drei anderen Besatzungsmächte solche Verhandlungen abgelehnt hätten.

Die sowjetische Note vom 9. April bietet die Möglichkeit, in

Viermächteverhandlungen zu ermitteln, ob jetzt eine Übereinkunft der vier Mächte über die Gewährleistung der Voraussetzungen für freie Wahlen in den vier Zonen und Berlin erzielt werden kann. Von deutscher Seite sollte der vom Bundestag am 6. Februar 1952 verabschiedete Vorschlag einer Wahlordnung als deutscher Beitrag vorgelegt werden. Für die zur Gewährleistung der gleichen Bedingungen in allen vier Zonen und Berlin erforderliche internationale Kontrolle sollten von deutscher Seite einige Alternativmöglichkeiten zur Diskussion gestellt werden. Solche Möglichkeiten wären:

a) Die vier Mächte nehmen die guten Dienste der Vereinten Nationen (UN) zur internationalen Kontrolle der Wahlen in Anspruch.

b) Die vier Mächte einigen sich auf eine aus neutralen Staaten zusammenzusetzende Kommission zur Durchführung der internationalen Kontrolle der Wahlen.

c) Falls die vier Mächte selbst die Kontrolle ausüben wollen, kommt es darauf an zu gewährleisten, daß keine der vier Mächte eine deutsche Partei benachteiligen oder bevorzugen kann.

Es ließe sich denken, daß noch andere Alternativmöglichkeiten zu finden wären. Entscheidend ist nicht, welche Möglichkeiten der internationalen Kontrolle schließlich beschlossen werden, sondern daß nur solche Möglichkeiten annehmbar sind, die freie Wahlen unter gleichen Bedingungen in allen Teilen Deutschlands sicherstellen.

Die sowjetische Note vom 9. April bietet die Möglichkeit, die Prüfung der Voraussetzungen für freie Wahlen durch eine von den vier Besatzungsmächten zu bildende Kommission vornehmen zu lassen. In der Sache bedeutet dieser Vorschlag ein Zugeständnis gegenüber der bisher absolut ablehnenden Haltung der Sowjetzonenregierung zur Prüfung der Voraussetzungen für freie Wahlen. Meines Erachtens sollte die Möglichkeit zu einer solchen Prüfung ausgenützt werden. Es wäre doch zum Beispiel denkbar, eine Besichtigung der sowjetischen Strafanstalten zu verlangen, wenn diese Kommission erst einmal eingesetzt ist.

Mit diesen Vorschlägen sehe ich nicht alle Möglichkeiten zu einer positiven Ausnützung der in der Sowjetnote vom 9. April enthaltenen Vorschläge erschöpft. Es kommt mir in dieser Stunde lediglich darauf an, zu betonen, in welcher Weise die Bundesrepublik auf diese Vorschläge reagieren und ihre Beantwortung durch die Regierungen der drei westlichen Besatzungsmächte zu beeinflussen suchen sollte. Vertreter der Sozialdemokratischen Fraktion stehen zu einer Beratung dieser Fragen zu Ihrer Verfügung.

Ich werde mir erlauben, von diesem Brief der Öffentlichkeit Kenntnis zu geben.

Mit vorzüglicher Hochachtung
Ihr ergebener
gez. Schumacher

Die Literatur zum Thema Deutschland unter alliierter Besatzung, die sich im weiteren oder engeren Sinn mit der Vorgeschichte und der Gründung der Bundesrepublik befaßt, ist kaum mehr überschaubar. Der Zeitraum liegt schon lange nicht mehr »im toten Winkel der Forschung«, wie Hans-Peter Schwarz (1966) im Vorwort seiner Darstellung *Vom Reich zur Bundesrepublik. Deutschland im Widerstreit der außenpolitischen Konzeptionen in den Jahren der Besatzungsherrschaft 1945–1949* schrieb. Das Buch ist zu Recht in 2. Auflage, Stuttgart 1980, erschienen, ergänzt lediglich durch einen nützlichen bibliographischen Essay. Zwei erfolgreiche Gesamtdarstellungen, die freilich nicht mehr den aktuellsten Stand der Forschung bieten, sind als Taschenbücher weit verbreitet: Thilo Vogelsang, *Das geteilte Deutschland.* München 1966, 12. Aufl. 1980, und Alfred Grosser, *Geschichte Deutschlands seit 1945.* München 1974, 1979. Der gleichen Intention, nämlich der Darstellung gesamtdeutscher Nachkriegsgeschichte über die Gründung zweier deutscher Staaten hinaus, folgen auch Christoph Kleßmanns mit Dokumenten stark angereichertes Buch *Die doppelte Staatsgründung. Deutsche Geschichte 1945–1955.* Göttingen 1982, und Rolf Steininger, *Deutsche Geschichte 1945–1961. Darstellung und Dokumente.* 2 Bände, Frankfurt 1983; die Dokumentation überwiegt bei Steininger (dem die Fachwissenschaft auch etliche profunde Aufsätze vor allem zum Themenkreis der britischen Deutschlandpolitik verdankt), die Darstellung bei weitem. Zwei ganz gegensätzlich konzipierte Unternehmen sind ausschließlich der Bundesrepublik und ihrer Vorgeschichte gewidmet. Die opulent ausgestattete *Geschichte der Bundesrepublik.* Hrsg. von Karl Dietrich Bracher, Theodor Eschenburg, Joachim Fest, Eberhard Jäckel. Stuttgart, Wiesbaden/Mannheim 1981–1987 liegt in 5 (eigentl. 6) Bänden abgeschlossen vor. Die zuerst in drei Taschenbuch-Bänden von Wolfgang Benz herausgegebene Darstellung in historischen Längsschnitten versteht sich als problemorientierte Übersicht und zugleich als Handbuch, inzwischen (1989) auf 4 Bände erweitert: *Die Geschichte der Bundesrepublik Deutschland, Politik. Wirtschaft. Gesellschaft. Kultur.* Frankfurt a. M. 1989.
Wissenschaftlicher Fortschritt und – im besten Fall – daraus

resultierende Erkenntnis entspringt freilich immer dem Detail; gemeint sind damit die monographischen Untersuchungen unterschiedlichen Umfangs – vom Aufsatz in der Fachzeitschrift bis zum voluminösen Buch –, die, aus den primären Quellen gearbeitet, zweifelhafte Sachverhalte klären, Kenntnis schaffen, Probleme darstellen und lösen. Als Klassiker mit hohem Gebrauchswert wären hier (nur als Beispiele) zu nennen Werner Sörgel, *Konsensus und Interessen. Eine Studie zur Entstehung des Grundgesetzes für die Bundesrepublik Deutschland.* Stuttgart 1969, John Gimbel, *Amerikanische Besatzungspolitik in Deutschland 1945–1949.* Frankfurt a. M. 1968, und Klaus von Schubert, *Wiederbewaffnung und Westintegration. Die innere Auseinandersetzung um die militärische und außenpolitische Orientierung der Bundesrepublik 1950–1952.* Stuttgart 1970. Wichtig und exemplarisch für die Herausarbeitung allgemeingültiger Sachverhalte anhand eines begrenzten Untersuchungsfelds ist auch Lutz Niethammer, *Entnazifizierung in Bayern. Säuberung und Rehabilitierung unter amerikanischer Besatzung.* Frankfurt a. M. 1972, unverändert neu aufgelegt unter dem Titel *Die Mitläuferfabrik.* Berlin, Bonn 1982. Zur Sozialgeschichte der Nachkriegszeit sind wichtig: Hans Woller, *Gesellschaft und Politik in der amerikanischen Besatzungszone. Die Region Ansbach und Fürth.* München 1986; vor allem aber die Ergebnisse eines Forschungsprojekts aus dem Ruhrgebiet: Lutz Niethammer (Hrsg.), *»Die Jahre weiß man nicht, wo man sie hinsetzen soll.« Faschismuserfahrungen im Ruhrgebiet.* Berlin, Bonn 1983; ders. (Hrsg.), *»Hinterher merkt man, daß es richtig war, daß es schiefgegangen ist.« Nachkriegserfahrungen im Ruhrgebiet.* Berlin, Bonn 1983; ders. und Alexander von Plato (Hrsg.), *»Wir kriegen jetzt andere Zeiten«. Auf der Suche nach der Erfahrung des Volkes in nachfaschistischen Ländern.* Berlin, Bonn 1985. Zugleich, aber mit politologischem Ansatz, die 3 Bände *Demokratie und Antikommunismus in Berlin nach 1945:* Harold Hurwitz, *Die politische Kultur der Bevölkerung und der Neubeginn konservativer Politik.* Köln 1983.

Als Faktensammlung und als systematisch geordnetes Kompendium ist immer noch von Nutzen: Tilman Pünder, *Das Bizonale Interregnum. Die Geschichte des Vereinigten Wirtschaftsgebiets 1946–1949.* Waiblingen 1966; viele der dort berührten Probleme sind in neueren Studien aufgearbeitet, etwa bei Werner Abelshauser, *Wirtschaft in Westdeutschland 1945–1948.* Stuttgart 1975; Gerold Ambrosius, *Die Durchset-*

zung der sozialen Marktwirtschaft in Westdeutschland 1945–1949. Stuttgart 1977; Friedrich Jerchow, Deutschland in der Weltwirtschaft. Düsseldorf 1978; Heribert Piontkowitz, Anfänge westdeutscher Außenpolitik 1946–1949. Stuttgart 1978; Peter Jakob Kock, Bayerns Weg in die Bundesrepublik. Stuttgart 1983 und Horst Thum, Mitbestimmung in der Montanindustrie. Stuttgart 1982; Norbert Frei, Amerikanische Lizenzpolitik und deutsche Pressetradition. Die Geschichte der Nachkriegszeitung Südost-Kurier. München 1986; Hermann Graml, Die Alliierten und die Teilung Deutschlands. Konflikte und Entscheidungen 1941–1948. Frankfurt a. M. 1985; Udo Wengst (Bearb.), Auftakt zur Ära Adenauer. Koalitionsverhandlungen und Regierungsbildung 1949. Düsseldorf 1985.

Forschungslücken bestehen noch auf manchen Gebieten. Eine Untersuchung über den Alliierten Kontrollrat und den Mechanismus der Viermächtekontrolle fehlt ebenso wie eine Darstellung des Wirkens und Funktionierens der Alliierten Hohen Kommission ab 1949. Auf dem Gebiet der Innen- und Sozialpolitik harrt die große Arbeit von Hans-Günther Hockerts, Sozialpolitische Entscheidungen in Nachkriegsdeutschland. Alliierte und deutsche Sozialversicherungspolitik 1945 bis 1957. Stuttgart 1980, der Ergänzung durch Monographien zur Integration der Flüchtlinge, zum Wohnungsbau, zur Landwirtschaft, um nur drei Problemkreise zu nennen. Das Feld der Außen- und Sicherheitspolitik ist, ebenso wie das damit eng zusammenhängende Thema »deutsche Frage« fleißig beackert worden, zu nennen sind Arnulf Baring, Außenpolitik in Adenauers Kanzlerdemokratie. Bonns Beitrag zur europäischen Verteidigungsgemeinschaft. 1969 (jetzt mit dem Titel Im Anfang war Adenauer. Die Entstehung der Kanzlerdemokratie. München 1982), Gunther Mai, Westliche Sicherheitspolitik im Kalten Krieg. Der Korea-Krieg und die deutsche Wiederbewaffnung 1950. Boppard 1977, und das auf drei Bände veranschlagte, vom Militärgeschichtlichen Forschungsamt herausgegebene Werk Anfänge westdeutscher Sicherheitspolitik 1945–1956. Band 1, München, Wien 1982, sowie Andreas Hillgruber, Deutsche Geschichte 1945–1975. Die »Deutsche Frage« in der Weltpolitik. Frankfurt a. M. 1978.

Über wichtige Akteure und Gründungsväter der Bundesrepublik, deutsche wie alliierte, fehlen die definitiven Biographien, für Lucius D. Clay jetzt: Wolfgang Krieger, General Lucius D. Clay und die amerikanische Deutschlandpolitik

1945–1949. Stuttgart 1987; aber Desiderate sind noch Robert Murphy und Pierre Koenig. Die Biographie Adenauers liegt jetzt in glänzender Darstellung vor bis 1952: Hans-Peter Schwarz, *Adenauer. Der Aufstieg: 1876–1952*. Stuttgart 1986; eine neuere, abschließende politische Biographie Kurt Schumachers (zuletzt: Günther Scholz, *Kurt Schumacher*. Düsseldorf 1988) steht ebenso aus wie eine Würdigung Ludwig Erhards (ersatzweise: *Ludwig Erhard. Beiträge zu seiner politischen Biographie*. Festschrift zum 75. Geburtstag. Frankfurt a. M. 1972) oder die Biographie des in den Gründerjahren der Bundesrepublik so wichtigen bayerischen Ministerpräsidenten Hans Ehard. Über zwei Außenseiter liegen dagegen bedeutsame Arbeiten vor: Werner Conze, *Jakob Kaiser, Politiker zwischen Ost und West. 1945–1949*. Stuttgart 1968, und Erich Kosthorst. *Jakob Kaiser. Bundesminister für Gesamtdeutsche Fragen 1949–1957*. Stuttgart 1972, sowie Diether Koch, *Heinemann und die Deutschlandfrage*. München 1972.

Zu gering sind immer noch unsere Kenntnisse über die französische Deutschlandpolitik und über Zustände und Entwicklungen in der französischen Besatzungszone. Wichtig: Rainer Hudemann, *Sozialpolitik im deutschen Südwesten zwischen Tradition und Neuordnung. 1945–1953. Sozialversicherung und Kriegsopferversorgung im Rahmen französischer Besatzungspolitik*. Mainz 1988. Zur Orientierung nützlich ist neben F. Roy Willis, *The French in Germany 1945–1949*. Stanford 2. Aufl. 1968, der Sammelband *Die Deutschlandpolitik Frankreichs und die Französische Zone 1945–1949*. Hrsg. von Claus Scharf u. Hans-Jürgen Schröder. Wiesbaden 1983. Derlei Sammelbände, oftmals Vorträge zusammenfassend und daher neben Goldkörnern auch manchen Bleiklumpen enthaltend, gibt es viele; zu erwähnen sind *Westdeutschlands Weg zur Bundesrepublik 1945–1949*. Beiträge von Mitarbeitern des Instituts für Zeitgeschichte. München 1976; *Politische Weichenstellungen im Nachkriegsdeutschland 1945–1953*. Hrsg. von Heinrich August Winkler als Sonderheft der Zeitschrift ›Geschichte und Gesellschaft‹, Göttingen 1979; und *Vorgeschichte der Bundesrepublik Deutschland*. Hrsg. von Josef Becker, Theo Stammen u. Peter Waldmann. München 1979. Einen anderen Typ verkörpern Konferenzbände, in denen neben Referaten auch die Diskussionsbeiträge abgedruckt sind. Rühmlich hervorzuheben sind hier, als Ergebnis des Austausches von Historikern und Zeitzeugen, die Rhöndorfer Gespräche, z. B. die Bändchen *Konrad*

Adenauer und die Gründung der Bundesrepublik Deutschland.
Stuttgart 1979, *Die Legende von der verpaßten Gelegenheit.*
Die Stalin-Note vom 10. März 1952. Stuttgart 1982 und *Die*
Wiederherstellung des deutschen Kredits. Das Londoner Schul-
denabkommen. Stuttgart 1982. Kritische Reflexionen enthalten
die Bände Josef Foschepoth (Hrsg.), *Kalter Krieg und deutsche*
Frage. Deutschland im Widerstreit der Mächte 1945–1952. Göttingen 1985 und ders. (Hrsg.), *Adenauer und die Deutsche Fra-*
ge. Göttingen 1988. Bilanzierend, aber auch Neuland erschlie-
ßend sind die beiden Bände *Westdeutschland 1945–1955. Un-*
terwerfung, Kontrolle, Integration. Hrsg. von Ludolf Herbst.
München 1986 und *Wiedergutmachung in der Bundesrepublik*
Deutschland. Hrsg. von Ludolf Herbst und Constantin Go-
schler. München 1989.

Intensiv hat sich die Forschung mit der Entstehung und allen
möglichen Aspekten der Entwicklung der Parteien beschäftigt.
Hier können nur einige wenige neuere Titel aufgezählt werden,
die ihrerseits Hinweise auf weitere Literatur enthalten: Kurt
Klotzbach, *Der Weg zur Staatspartei. Programmatik, praktische*
Politik und Organisation der deutschen Sozialdemokratie 1945
bis 1965. Bonn 1982; Günter Buchstab und Klaus Gotto
(Hrsg.), *Die Gründung der Union.* München 1981, Alf Mintzel,
Geschichte der CSU. Opladen 1977; A. R. L. Gurland, *Die*
CDU/CSU. Ursprünge und Entwicklung bis 1953. Frankfurt
a. M. 1980; Michael Jörg Gutscher, *Die Entwicklung der FDP*
von ihren Anfängen bis 1961. Meisenheim a. G. 1967; Hans
Kluth, *Die KPD in der Bundesrepublik. Ihre politische Tätig-*
keit und Organisation 1945–1956. Köln 1959; Hermann Meyn,
Die Deutsche Partei. Entwicklung und Problematik einer natio-
nalkonservativen Rechtspartei nach 1945. Düsseldorf 1965; Ilse
Unger, *Die Bayernpartei. Geschichte und Struktur 1945–1957.*
Stuttgart 1979; Hans Woller, *Die Loritz-Partei. Geschichte,*
Struktur und Politik der Wirtschaftlichen Aufbau-Vereinigung
(WAV) 1945–1955. Stuttgart 1982.

Kontroversen bestehen, und das ist auch ein Problem der
Quellenlage, vor allem über die Intentionen der Deutschlandpolitik der Alliierten. Durch die Arbeiten John Gimbels ange-
regt, kam die amerikanische Besatzungspolitik zuerst in die
Diskussion (wobei Gimbel sehr pointiert die Hauptstöße der
amerikanischen Politik ab 1946 als auf Frankreich gerichtet interpretiert). Die berühmte Byrnes-Rede in Stuttgart wurde so
nicht nur ihres Charakters als Markstein einer Wende beraubt,

sie wurde auch als Drängen gegenüber Paris verstanden – John Gimbel, *Byrnes' Stuttgarter Rede und die amerikanische Nachkriegspolitik in Deutschland*. In: VfZ 20 (1972) – wogegen dann zu Recht eingewendet wurde, daß doch in erster Linie die Sowjetunion gemeint war, wenn die Amerikaner auf die Einhaltung der Potsdamer Vereinbarungen drangen: Hans-Dieter Kreikamp, *Die amerikanische Deutschlandpolitik im Herbst 1946 und die Byrnes-Rede in Stuttgart*. In: VfZ 29 (1981). Im Zuge der Öffnung der britischen Archive ergab sich zwar keine grundlegende Neubewertung der britischen Deutschlandpolitik, wohl aber eine Klärung ihres Anteils an den anglo-amerikanischen Planungen über Deutschland. Zu nennen sind in diesem Zusammenhang zwei Aufsätze als Beispiele: Rolf Steininger, *Die britische Deutschlandpolitik in den Jahren 1945/46*. In: Aus Politik und Zeitgeschichte 1982/32, und Falk Pingel, *»Die Russen am Rhein?« Zur Wende der britischen Besatzungspolitik im Frühjahr 1946*. In: VfZ 30 (1982). Eine gewisse Neigung, in der Euphorie über neu entdeckte Quellen die Rolle Großbritanniens zu überschätzen, muß gelegentlich allerdings auch konstatiert werden. Eine vorläufige Bilanz im Sammelband: Joseph Foschepoth und Rolf Steininger (Hrsg.), *Die britische Deutschland- und Besatzungspolitik 1945–1949*. Paderborn 1985.

Strittig ist auch immer noch die Bewertung des Marshall-Plans. War er lediglich der ökonomische Hebel zur Durchsetzung der Truman-Doktrin, das Instrument zu politischen Unterwerfung Westeuropas (Erich Ott, *Die Bedeutung des Marshall-Plans für die Nachkriegsentwicklung in Westdeutschland*. In: Aus Politik und Zeitgeschichte 1980/4) oder war er in erster Linie das Ergebnis ökonomischer und ideeller Motive liberaler Wirtschaftseliten in den USA ohne vordergründig-politische Zielsetzung (Werner Link, *Der Marshall-Plan und Deutschland*. In: Aus Politik und Zeitgeschichte 1980/50)? Die Auseinandersetzung wird noch eine Weile andauern, wie folgende Titel zeigen: Werner Abelshauser, *Ein deutsches Entwicklungsmodell? Zur Rolle des Marshall-Plans beim Wiederaufstieg der westdeutschen Wirtschaft nach dem Zweiten Weltkrieg*. In: Aus Politik und Zeitgeschichte, 1986/49, S. 8–14; Albrecht Ritschl, *Die Währungsreform von 1948 und der Wiederaufstieg der deutschen Industrie*. In: Vierteljahrshefte für Zeitgeschichte 33 (1985), S. 136–165.

Vielleicht am stärksten umstritten ist die Frage, ob 1952 eine Chance – die letzte? – zur Wiedervereinigung vertan wurde, als der Westen die Vorschläge der Stalin-Note vom März und die Offerten der drei folgenden Noten verwarf. Die Reihen in diesem Streit, der sich mangels primärer Quellen zur sowjetischen Deutschlandpolitik endlos fortsetzen läßt, sind fest geschlossen. Andreas Hillgruber, *Adenauer und die Stalin-Note vom 10. März 1952.* In: *Konrad Adenauer und seine Zeit.* Bd. 2, Stuttgart 1976, und Wilfried Loth, *Die Teilung der Welt. Geschichte des Kalten Krieges 1941–1955.* München, 1980. 7. Aufl. 1989, stehen auf der einen Seite, vor allem jedoch Rolf Steininger, *Eine Chance zur Wiedervereinigung? Die Stalin-Note vom 10. März 1952. Darstellung und Dokumentaion auf der Grundlage unveröffentlichter britischer und amerikanischer Akten.* Bonn 1985. Die Einleitung erschien auch separat, ohne das Fragezeichen im Titel: Rolf Steininger, *Eine vertane Chance.* Bonn 1985. Hermann Graml, *Die Legende von der verpaßten Gelegenheit. Zur sowjetischen Notenkampagne des Jahres 1952,* in: VfZ 29 (1981), ist der keineswegs auf verlorenem Posten kämpfende Exponent der anderen Überzeugung wie auch der zuletzt erschienene Titel zeigt: Hermann Graml, Die Märznote von 1952. Legende und Wirklichkeit. Melle 1988. Die Auswertung der französischen Akten, die eben erst begonnen hat (vgl. Nikolaus Meyer-Landrut, *Frankreich und die deutsche Einheit.* München 1988), wird außer Früchten der Erkenntnis auch Stoff zu neuen Kontroversen liefern; die utopisch erscheinende Benützung der sowjetischen Archive wäre freilich der entscheidende Schritt zur endgültigen Entzauberung der Gründungsgeschichte der Bundesrepublik.

Die Quellen, gedruckte wie unveröffentlichte Materialien, zur Gründungsgeschichte der Bundesrepublik Deutschland fließen seit einiger Zeit in breitem Strom. Daß die bis weit in die siebziger Jahre spärlichen und oft verborgenen Rinnsale so mächtig anschwollen, hat mehrere Ursachen. Die Vorschrift, daß amtliche Unterlagen in der Regel dreißig Jahre nach ihrer Entstehung zur allgemeinen Benutzung freigegeben werden, machte ab 1979 in den meisten Ländern der Bundesrepublik die Quellen deutscher Provenienz zugänglich, ebenso erhielten die Historiker allmählich Zugang zu den Unterlagen der britischen Besatzungsbehörden aus den Jahren 1945–1949, die im Public Records Office in London verwahrt werden. Die Akten des Office of Military Government, U. S. (OMGUS), in der Obhut der National Archives, Washington, wurden 1973 sogar generell (d. h. für den ganzen Zeitraum 1945–1949) freigegeben, und auch Frankreich hat die Restriktionen, die den Zugang zu den Akten zur Deutschlandpolitik in Paris ebenso wie zur Besatzungspolitik, die seinerzeit in Baden-Baden gemacht wurde, bislang verhinderten, aufgegeben. Die amerikanischen Akten sind inzwischen (in Auswahl) auch in der Bundesrepublik benutzbar: Auf Initiative des Instituts für Zeitgeschichte hat eine Gruppe von Historikern und Archivaren ab 1975 nahezu alle Provenienzen der OMGUS-Akten in den National Archives in Washington gesichtet und verzeichnet; das Relevante – etwa ein Drittel der Akten – wurde gefilmt und steht jetzt in Form von Mikrofiches u. a. im Bundesarchiv und im Institut für Zeitgeschichte zur Verfügung. Mikrofiches der Akten der regionalen US-Militärregierungen (von der lokalen bis zur Länderebene) sind im Rahmen des OMGUS-Projekts von den Staatsarchiven der Länder der ehemaligen US-Zone erworben worden. Der OMGUS-Bestand ist beträchtlich: die Originalakten in Washington füllen etwa 8000 Kisten oder 3200 Regalmeter, es sind 20 Millionen Blatt Papier; etwa 6 Millionen Mikrofiche-Aufnahmen kamen im Zuge des OMGUS-Projekts in die Bundesrepublik.

Einen weiteren Grund für das Anschwellen der Quellen zur Nachkriegsgeschichte bildete das Ausscheiden der Gründungsväter der Bundesrepublik aus dem öffentlichen Leben; die schriftlichen Nachlässe vieler wichtiger Politiker gelangten in Archive oder Bibliotheken und wurden in der Regel für die Historiker dann auch zugänglich. Freilich kamen die Unterlagen aus dem Besitz der Politiker aus parteipolitischen, landsmannschaftlichen und anderen Gründen an die unterschiedlichsten Aufbewahrungsorte. Zuständig für die Archivierung des hinterlassenen Schriftguts der Staatsmänner fühlen sich, mit jeweils guten Gründen, verschiedene Stellen. Das Bundesarchiv in Koblenz sammelt die Nachlässe von Politikern und anderen Persönlichkeiten des öffentlichen Lebens, die auf Bundesebene aktiv waren, und die Staatsarchive der Länder bemühen sich unterschiedlich intensiv um entsprechende Unterlagen der Landespolitiker. Die Archive der Parteistiftungen konkurrieren, meist mit großem Erfolg, um die Papiere der Prominenz ihrer Couleur. So sind zahlreiche Nachlässe von Unionspolitikern im 1976 gegründeten Archiv für christlich-demokratische Politik der Konrad-Adenauer-Stiftung in St. Augustin bei Bonn zu finden; davon sind (im Rahmen dieser Darstellung) erwähnenswert die Papiere des Generalsekretärs der Arbeitsgemeinschaft der CDU/CSU Deutschlands (1945–1954), Bruno Dörpinghaus, des hessischen Ministers Werner Hilpert, seines niedersächsischen Kollegen Georg Strickrodt, der auch Mitglied des Länderrats der Bizone war, der Parlamentarier (im Wirtschaftsrat bzw. Parlamentarischen Rat) Wilhelm Laforet und Theophil Kaufmann, von Theodor Blank (des nachmaligen Sicherheitsbeauftragten des Bundeskanzlers und Verteidigungsministers) und Hans-Joachim von Merkatz (der 1960 von der Deutschen Partei zur CDU übertrat). Wie für manche andere Unterlagen gelten auch für die der beiden letztgenannten »besondere Benutzungsbedingungen«, d. h. sie sind nicht uneingeschränkt benutzbar, aber auch nicht generell gesperrt – wie etwa der Nachlaß von Adenauers Staatssekretär Hans Globke und wie die Papiere des rheinland-pfälzischen Ministers Adolf Süsterhenn, eines der heftigsten Verfechter des Elternrechts im Parlamentarischen Rat, die im Original im Landeshauptarchiv Koblenz liegen und bis 31. Dezember 1999 gesperrt sind (das Archiv für christlich-demokratische Politik besitzt Mikrofilmkopien). In St. Augustin gibt es auch Akten, Protokolle und Korrespondenzen von Parteigremien der CDU auf praktisch allen Ebenen, von der lokalen bis zum Bundesvorstand, außerdem u. a. die Materialien der CDU/CSU-Fraktion des Wirtschaftsrates der Bizone sowie Periodika und Schriftenreihen der Unionsparteien, ihrer Vereinigungen und Sonderorganisationen, die andernorts zum Teil nicht mehr auffindbar sind.

Ähnlich strukturiert, wenngleich mit längerer Tradition und dichterem Bestand, ist das Archiv der sozialen Demokratie der Friedrich-Ebert-Stiftung in Bonn-Bad Godesberg, das seit 1969 in der heutigen Form existiert; seine Sammlungen reichen aber weit in die Emigrations- und Verfolgungszeit der Sozialdemokratie zurück. Wichtig sind die Unterlagen der Parteiführung und des Parteivorstands der SPD. Der Bestand Schumacher enthält die Korrespondenz des »Büros Dr. Schumacher« in Hannover, seine Handakten als Chef des »Büros der Westzonen« und (für den Zeitraum 1946–1952) als Parteivorsitzender. Unter den Nachlässen und Deposita sind für die Gründungsgeschichte der Bundesrepublik relevant die Bestände Walter Menzel (Innenminister in Nordrhein-Westfalen, Verfassungsexperte der SPD im Parlamentarischen Rat und im Parteivorstand), Helene Wessel (Mitgründerin und von 1949 bis 1951 Vorsitzende der neuen Zentrumspartei und für diese Mitglied des Parlamentarischen Rats), Erwin Schoettle (Vorsitzender der SPD-Fraktion des Wirtschaftsrats), Fritz Hoch (Parlamentarischer Rat) und Carlo Schmid.

Eine entsprechende Institution, die für Akten der FDP und die Nachlässe liberaler Politiker zuständig ist, gibt es natürlich auch. Das Politische Archiv der Friedrich-Naumann-Stiftung (bis Mitte 1983 in Bonn, dann in Gummersbach) verwahrt u. a. den Nachlaß Thomas Dehlers.

Einen Sonderfall bildet der Nachlaß Konrad Adenauers, der in seinem Haus in Rhöndorf als Bestandteil der 1967 gegründeten »Stiftung Bundeskanzler-Adenauer-Haus« aufbewahrt und ausgewertet wird; er steht im Rahmen der üblichen Sperrfrist zur Verfügung und bildet den Fundus der zur Zeit erscheinenden Edition der »Rhöndorfer Ausgabe« von Adenauers Briefen und Gesprächsniederschriften. Die Papiere vieler Politiker befinden sich aber auch noch in Familienbesitz, und manche Nachlässe wurden auf mehrere Aufbewahrungsorte zersplittert, am spektakulärsten vielleicht der von Viktor Agartz, dem Leiter des Zentralamts für Wirtschaft der britischen Zone (1946) und des Verwaltungsamts für Wirtschaft in der ersten Phase der Bizone, dessen Unterlagen zum großen Teil im Archiv der Humboldt-Universität in Ostberlin liegen, einige Teile dagegen im Bundesarchiv Koblenz. Über den Verbleib der Papiere seines Nachfolgers Johannes Semler, der als Chef der Wirtschaftsverwaltung in Frankfurt im Januar 1948 von den Alliierten gefeuert wurde, ist nichts bekannt, während der Nachlaß seines Nachfolgers als Direktor für Wirtschaft, anschließenden Bundesministers und Bundeskanzlers von 1963 bis 1966 noch von diesem selbst in die Ludwig-Erhard-Stiftung e. V. in Bonn eingebracht worden ist. Allerdings sind dort für die Gründungszeit der Bundesrepublik bis 1948 nur ganz spärliche Unterlagen vorhanden. Hilfreich ist aber die dortige Dokumentation aller öffentlichen Äußerungen Erhards.

Nachlässe sind manchmal Fundgruben, oft aber auch enttäuschend. In der Regel ergänzen sie das amtliche Material, und zuweilen kann der Historiker mit den Unterlagen aus dem (mehr oder minder) privaten Besitz von Politikern auch die Wartezeit überbrücken, bis die amtlichen Protokolle, Korrespondenzen, Berichte usw. in Gestalt der Aktenüberlieferung in den öffentlichen Archiven zur Verfügung stehen. Die wichtigste Aufbewahrungsstelle amtlichen Schriftguts ist das Bundesarchiv in Koblenz. Den zentralen Bestand zur Geschichte der Bizone bilden dort die Akten der Direktorialkanzlei des Verwaltungsrates des Vereinigten Wirtschaftsgebietes; diese Akten des Oberdirektors Pünder bzw. seines Büros, in dem die Tätigkeit der Fachverwaltungen und der dem Oberdirektor direkt unterstellten Behörden wie Rechtsamt, Personalamt, Amt für Fragen der Heimatvertriebenen, Statistisches Amt koordiniert wurde, spiegeln auch die Zusammenarbeit zwischen deutschen und alliierten bizonalen Stellen, den Fachverwaltungen einerseits und BICO andererseits. Ergänzt wird dieser stattliche Bestand (Z 13) amtlicher Akten durch den ebenfalls recht umfänglichen persönlichen Nachlaß Hermann Pünders, der u. a. die Handakten des Oberdirektors und seine Korrespondenz enthält.

Im Bundesarchiv befindet sich auch die schriftliche Hinterlassenschaft der Bizonenbehörden, freilich mit der Einschränkung, daß die Akten der sechs Ressorts in Frankfurt, der Verwaltungen für Ernährung, Landwirtschaft und Forsten, Post, Verkehr, Finanzen, Arbeit und Wirtschaft, zum größeren Teil von ihren Nachfolgeinstanzen, den Bundesministerien in Bonn, fortgeführt wurden; es sind erst Teile unterschiedlichen Umfangs an das Bundesarchiv gekommen, von der Verwaltung für Ernährung, Landwirtschaft und Forsten (VELF) z. B. sind vor allem die Handakten ihres Chefs Hans Schlange-Schöningen von 1946 bis 1949 einschließlich seiner Unterlagen als Chef des

Zentralamts für Ernährung der britischen Zone nach Koblenz gelangt, während die Sachakten zunächst in den neueröffneten Registraturen des Bundesernährungsministeriums verschwanden. Ergänzt wird der Bestand durch die privaten Papiere Schlange-Schöningens, dessen Nachlaß (den Zeitraum 1924 bis 1959 umfassend) ebenfalls im Bundesarchiv archiviert ist. Bei der Verwaltung für Wirtschaft sieht es ähnlich aus: Die Akten wurden in der Hauptsache vom Bundeswirtschaftsministerium und vom Bundesamt für gewerbliche Wirtschaft fortgeführt, aber ein beachtlicher Teil, darunter Unterlagen aus den Sekretariaten der Behördenspitze, sind in Koblenz benutzbar. Der Bestand (Z 8) enthält auch Vorläuferakten des Zentralamts für Wirtschaft der britischen Zone (ab März 1946) bzw. des bizonalen Verwaltungsamts für Wirtschaft in Minden (ab Januar 1947). Die Überlieferung anderer bizonaler Instanzen ist mehr oder weniger lückenlos ins Bundesarchiv gelangt, das gilt u. a. für die Bestände Personalamt (Z 11), Rechtsamt (Z 22), die Sonderstelle Geld und Kredit bei der Verwaltung für Finanzen des Vereinigten Wirtschaftsgebietes (Z 32) und deren Nachfolgebehörde, das Büro für Währungsfragen (Z 26) und die Dienststelle Der Berater für den Marshallplan beim Vorsitzer des Verwaltungsrates des Vereinigten Wirtschaftsgebietes (Z 14). Der Bestand Deutsches Obergericht für das Vereinigte Wirtschaftsgebiet und Generalanwaltschaft beim Deutschen Obergericht (Z 37) enthält die Generalakten der Institution, die bis Ende 1951 Vorgänger des Bundesgerichtshofs, des Bundesfinanzhofs und des Bundesverfassungsgerichts war.

Die Unterlagen der parlamentarischen Gremien der Bizone befinden sich heute an verschiedenen Orten. Das Archiv des Deutschen Bundestags in Bonn übernahm den wesentlichen Teil der Akten des Frankfurter Wirtschaftsrats. Die stenographischen Protokolle der 40 Vollversammlungen und die 1672 Drucksachen des Bizonenparlaments sind in den sechs Bänden eines von Christoph Weisz und Hans Woller wissenschaftlich aufbereiteten Reprints zugänglich: *Wörtliche Berichte und Drucksachen des Wirtschaftsrates des Vereinigten Wirtschaftsgebietes 1947–1949.* Hrsg. vom Institut für Zeitgeschichte und dem Deutschen Bundestag, Wiss. Dienste. München, Wien 1977. Die Überlieferung der zweiten Kammer der Bizone, des Länderrats des Vereinigten Wirtschaftsgebietes einschließlich seines Vorläufers, des Exekutivrates, ist zum größeren Teil wiederum in Koblenz (Bestand Z 4) und enthält neben den Protokollen des Plenums die Akten des Generalsekretärs Heinrich Troeger (dessen Nachlaß im Archiv der sozialen Demokratie in Bonn-Bad Godesberg liegt, zum kleineren Teil auch im Hauptstaatsarchiv Wiesbaden) und Material der Hauptreferate und einiger Ausschüsse.

Wer spezielle Forschung treibt, muß aufwendige Archivreisen in Kauf nehmen. Außer dem Bundesarchiv, dem Parlamentsarchiv in Bonn, den Archiven der Parteistiftungen, gibt es noch zahlreiche andere Institutionen, die Quellen zur Gründungsgeschichte der Bundesrepublik verwahren. Am wichtigsten sind die Staatsarchive der Länder, ihr Besuch ist für denjenigen, der Detailprobleme im Zeitraum 1945–1949 untersucht, oft unerläßlich, weil in den Staatskanzleien der Länder und bei Ministerpräsidentenkonferenzen für ganz Westdeutschland verbindliche Politik gemacht wurde. Der Bestand Büro der Ministerpräsidenten des amerikanischen, britischen und französischen Besatzungsgebietes befindet sich zwar im Bundesarchiv, aber der Schlüssel für manche Entscheidung liegt z. B. im Bayerischen Hauptstaatsarchiv oder in Wiesbaden, Stuttgart, Düsseldorf usw. Je nach Fragestellung lohnt sich auch der Besuch im einen oder anderen Stadtarchiv.

Wichtige Unterlagen aus privater Hand sind auch an anderer Stelle noch zu finden, etwa im Archiv des Instituts für Zeitgeschichte, das den ebenso umfangreichen wie wertvollen Nachlaß von Walter Strauß verwahrt. In rund 350 Akten-Bänden spiegeln sich im Nachlaß Strauß die Gründungsgeschichte der CDU, ein guter Teil bizonaler Behördengeschichte von ihren Anfängen im Sommer 1946 bis Ende 1949, die Entstehung des Grundgesetzes und die Personalpolitik im Übergang zur Bundesrepublik. Die Nachlässe von Ministerpräsident Wilhelm Hoegner (SPD) und Minister Baumgartner (CSU, dann Bayernpartei) erhellen wiederum die Nachkriegspolitik aus der Gegenposition zu Frankfurt und bieten die Sicht eines Landeskabinetts.

Neben den amtlichen Akten und den privaten Papieren ehemals politisch Handelnder bildet die Berichterstattung in der Presse eine Kategorie von Quellen, die nicht nur als Konserven des Zeitgeistes, sondern – vor allem – als Indikatoren der Resonanz politischer Entscheidungen und Handlungen unentbehrlich sind. Alte Zeitungen, zumal Provinzblätter, sind nicht immer leicht zugänglich, für die bequemer zu benutzenden, thematisch geordneten Zeitungsausschnittsammlungen gilt dasselbe. Pressedokumentationen gibt es an mehreren Orten der Bundesrepublik, besonders erwähnenswert ist das Material im Pressearchiv des Presse- und Informationsamtes der Bundesregierung in Bonn. Außer rund 3000 Titeln deutscher und ausländischer Tages- und Wochenzeitungen, Zeitschriften, Presse- und Informationsdienste sowie umfangreichen und systematisch erschlossenen Beständen von Zeitungsausschnitten zum Thema »Deutschland unter alliierter Besatzung 1945–1955« (auf Mikrofilm) gibt es dort das Pressearchiv der ehemaligen *Neuen Zeitung* (ca. 1 Million Ausschnitte auf Mikrofilm) und die Presseausschnittsammlung des Deutschen Büros für Friedensfragen (200 Mikrofilme, 1944–1950). Für die historische Forschung stehen alle diese Unterlagen zur Verfügung.

Was die Forschungsarbeit in den Archiven mühselig und zeitraubend macht, nämlich die Trennung von Weizen und Spreu, die Auswahl des Relevanten und die Bewertung der gewonnenen Fakten, das bleibt dem Benutzer der Quelleneditionen erspart. Für die Gründungsgeschichte der Bundesrepublik sind zwei Editionen von außerordentlicher Bedeutung. Das Unternehmen *Akten zur Vorgeschichte der Bundesrepublik Deutschland 1945–1949*. Herausgegeben vom Bundesarchiv und dem Institut für Zeitgeschichte, liegt in fünf umfänglichen Bänden abgeschlossen vor, München 1976–1983. Dokumentiert wird darin die deutsche Politik oberhalb der Länderebene in den Besatzungsjahren bis zur Weststaatsgründung, der Wandel von der alliierten Auftragsverwaltung zu selbständigem Handeln, die Revitalisierung von Parteipolitik gegenüber dem Gouvernementalismus der Länderchefs, die wirtschaftlichen und sozialen Determinanten der neuen Staatlichkeit und die Ausformung ihrer Organe. Das Rückgrat der Edition bilden folgende Quellengruppen (aus denen jeweils die mit reichem Kommentar versehenen relevanten Stücke ausgewählt sind): Länderrat der US-Zone und Zonenbeirat der britisch besetzten Zone, Konferenzen der Ministerpräsidenten, Besprechungen der Militärgouverneure mit den Länderchefs und Vertretern der bizonalen Verwaltungen, Sitzungen des Exekutivrats und Sitzungen des Verwaltungsrats (Direktorialsitzungen) der Bizone.

Die Entstehung des Grundgesetzes ist in den Akten zur Vorgeschichte der Bundesrepublik nur am Rande dokumentiert, da sich eine eigene, aber offenbar ins Stocken geratene Edition diesem Themenkomplex widmet: *Der Parlamentarische Rat 1948–1949. Akten und Protokolle*. Von dieser vom Deutschen Bundestag und dem Bundesarchiv gemeinsam herausgegebenen

Reihe liegen vor der Band 1: *Vorgeschichte*, der im wesentlichen die Ereignisse, Entscheidungen und Ergebnisse des Sommers 1948, von den Londoner Empfehlungen bis zur Eröffnung des Parlamentarischen Rats, dokumentiert (bearbeitet von Johannes Volker Wagner, Boppard 1975), der Band 2: *Der Verfassungskonvent auf Herrenchiemsee* (bearbeitet von Peter Bucher, Boppard 1981) und der Band 3: *Ausschuß für Zuständigkeitsabgrenzung* (bearbeitet von Wolfram Werner, Boppard 1986). Wer die Akten und Protokolle des Parlamentarischen Rats und seiner Ausschüsse benützen will, ist vorläufig auf das Finderglück in Bibliotheken angewiesen: Die (gedruckten) Protokolle des Hauptausschusses sind relativ häufig zu finden, die (ebenfalls gedruckten) Stenographischen Niederschriften der Plenarsitzungen sind seltener (freilich in den Parlamentariernachlässen fast immer anzutreffen), die Protokolle der Fachausschüsse und die Drucksachen des Parlamentarischen Rats, ebenso die Korrespondenz und die zahlreichen Eingaben an die Konstituante sind im Bundesarchiv (Bestand Z 5) zu finden. Die gedruckten Unterlagen des Parlamentarischen Rats sind auch im Parlamentsarchiv des Deutschen Bundestags vorhanden; dort gibt es außerdem die *Grundgesetzdokumentation*. In dieser systematischen Sammlung ist der Werdegang jedes einzelnen Verfassungsartikels, in der Regel mit dem Herrenchiemsee-Entwurf beginnend, durch alle Lesungen in den Ausschüssen und im Plenum mit allen Anträgen, Formulierungsvarianten und Diskussionen bis zur Veröffentlichung im Bundesgesetzblatt dokumentiert. Das ist zwar in erster Linie für Juristen interessant, erleichtert aber auch Historikern den Zugang zu speziellen Materien ungemein. Die Forschungsstelle für Zeitgeschichte des Verfassungsrechts an der Universität Hannover hat mit der Erarbeitung einer umfassenden Grundgesetz-Dokumentation begonnen, bei der für jeden Artikel der Werdegang vom Entwurf über Ausschußberatungen im Parlamentarischen Rat bis zu späteren Änderungen durch den Bundestag nachgewiesen wird. Die Sitzungsprotokolle der CDU/CSU-Fraktion im Parlamentarischen Rat sind, von Rainer Salzmann eingeleitet und bearbeitet, unter dem Titel *Die CDU/CSU im Parlamentarischen Rat. Sitzungsprotokolle der Unionsfraktion* im Auftrag der Konrad-Adenauer-Stiftung veröffentlicht worden (Stuttgart 1981), eine Edition der Protokolle der SPD-Fraktion steht noch aus. Eine Auswahl von Verfassungsentwürfen, beginnend im Widerstand und Exil, über Konzepte der Nachkriegsparteien und Diskussionen in den Medien bis zur Verabschiedung des Bonner Grundgesetzes ist zusammengestellt im Taschenbuch *Bewegt von der Hoffnung aller Deutschen«. Zur Geschichte des Grundgesetzes. Entwürfe und Diskussionen 1941–1949.* Hrsg. von Wolfgang Benz, München 1979.

Die meisen Gründungsväter der Bundesrepublik, die Memoiren schrieben, haben damit enttäuscht, weil sie, wie Carlo Schmid *Erinnerungen.* Bern, München, Wien 1979, niemandem mehr weh tun wollten oder wie Hermann Pünder, *Von Preußen nach Europa. Lebenserinnerungen.* Stuttgart 1968, vor allem ihre Wirkung auf die Nachwelt im Sinn hatten. Wegen der reichlichen Verwendung amtlicher Unterlagen sind dagegen die schmucklosen Aufzeichnungen von Konrad Adenauer, *Erinnerungen 1945–1953.* Stuttgart 1965, nicht ohne Wert, und dasselbe gilt für die sehr früh erschienenen Memoiren von Lucius D. Clay: *Entscheidung in Deutschland.* Frankfurt a. M. 1950. Als Ergänzung zur wichtigen amtlichen Aktenpublikation *Foreign Relations of the United States. Diplomatic Papers* (wesentlich in unserem Zusammenhang die Bände *1947 II: Council of Foreign Ministers. Germany and Austria.* Washington 1972, sowie *1948 II: Council of Foreign Ministers, Germany and Austria.* Washington 1973 und *1949 III: Council of Foreign Ministers. Germany and Austria.* Washington 1974) sind die Erinnerungen amerikanischer Diplomaten nützlich: James F. Byrnes, *In aller Offenheit.* Frankfurt a. M. 1949, George F. Kennan, *Memoiren eines Diplomaten.* Stuttgart 1968 und Robert Murphy, *Diplomat unter Kriegern.* Berlin 1965. Unter den Memoirenwerken auf deutscher Seite ragt noch heraus Reinhold Maier, *Erinnerungen 1948–1953.* Tübingen 1966. Im übrigen sind Briefeditionen oft ergiebiger, wie z. B. Rolf Lahr, *Zeuge von Fall und Aufstieg. Private Briefe 1934–1974.* Hamburg 1981, Theodor Heuss, *Lieber Dehler! Briefwechsel mit Thomas Dehler.* Hrsg. u. kommentiert von Friedrich Henning, München 1983, und *Lehrstücke in Solidarität. Briefe und Biographien deutscher Sozialisten 1945–1949.* Hrsg. von Helga Grebing, Stuttgart 1983, schließlich die auf mehrere Bände angelegte *»Rhöndorfer Ausgabe«* der Briefe Adenauers, hrsg. von Rudolf Morsey und Hans-Peter Schwarz; erschienen sind *Briefe 1945–1947* und *1947–1949*, sowie *1949–1951* und *1951–1953*, Berlin 1983 bis 1987. Bearbeitet von Hanns Jürgen Küsters erschienen 1984 und 1986 die *Teegespräche 1950–1954* und *1955 bis 1958*, ebenfalls in der *»Rhöndorfer Ausgabe«.*

Die Aufzählung der Quellensammlungen, die lange fortgesetzt werden könnte, soll mit einigen Hinweisen beschlossen werden. In der Sparte Dokumentation der *Vierteljahrshefte für Zeitgeschichte* finden sich, verstreut über die Jahrgänge, wichtige Einzeldokumente zur Gründungsgeschichte der Bundesrepublik, z.B. über die »Rhöndorfer Weichenstellung vom 21. August 1949« oder »Zur Entstehung der ›Magnet-Theorie‹ in der Deutschlandpolitik«. 1982 wurde vom Bundesarchiv der Band 1 (1949) der Edition *Die Kabinettsprotokolle der Bundesregierung* vorgelegt, weitere Bände sind im Zweijahresabstand gefolgt, bis 1951 liegen die Protokolle vor; das Institut für Zeitgeschichte publiziert (in Verbindung mit dem Bundesarchiv) eine Reihe *Biographische Quellen zur deutschen Geschichte nach 1945*, in der Tagebücher, Memoiren, Briefe ediert werden, um durch persönliche Zeugnisse der Handelnden die Dokumentation der politischen Rahmenbedingungen, wie sie in den Akteneditionen geleistet wird, zu ergänzen und zu vertiefen (Band 1: Ludwig Vaubel, *Zusammenbruch und Wiederaufbau. Ein Tagebuch aus der Wirtschaft 1945–1949*; Band 2: *Entscheidung für die SPD. Briefe und Aufzeichnungen linker Sozialisten 1944–1948.* Hrsg. v. Helga Grebing, beide München 1984; zu nennen sind in diesem Zusammenhang auch Band 3: Heinrich Troeger, *Interregnum. Tagebuch des Generalsekretärs des Länderrats der Bizone 1947–1949*. München 1985 und Band 6: Wolfgang Schollwer, *Potsdamer Tagebuch 1948–1950. Liberale Politik unter sowjetischer Besatzung*. München 1988). Inzwischen gibt es auch eine erste Publikation, die diplomatische Akten als Spiegel der westdeutschen Politik präsentiert: *Anfangsjahre der Bundesrepublik Deutschland. Berichte der Schweizer Gesandtschaft in Bonn 1949–1955.* Hrsg. von Manfred Todt. München 1987.

Zeittafel

1945

4.–11. 2. Konferenz von Jalta (Krim): Churchill, Roosevelt und Stalin beschließen die Aufteilung Deutschlands in Besatzungszonen und die gemeinsame Verwaltung durch die alliierte Zentralkommission nach dem Sieg der Alliierten; Frankreich soll als vierte Macht zur Mitarbeit eingeladen werden.

8. 5. Bedingungslose Kapitulation der Wehrmacht des Deutschen Reiches.

5. 6. Berliner Deklaration: Übernahme der »obersten Regierungsgewalt in Deutschland« durch die Regierungen der vier Mächte USA, UdSSR, Großbritannien und Frankreich.

11. 7. Beginn der Viermächte-Verwaltung Berlins (erste Sitzung der Alliierten Kommandantur).

17. 7.–2. 8. Potsdamer Konferenz der »Großen Drei«: Truman (USA), Churchill bzw. ab 28. 7. Attlee (Großbritannien) und Stalin (Sowjetunion). Frankreich schließt sich dem Potsdamer Protokoll am 4. 8. 1945 an. Ziele der Alliierten: Entmilitarisierung, Entnazifizierung, Demokratisierung, Dezentralisierung Deutschlands, das aber als »wirtschaftliche Einheit« behandelt werden soll; Reparationen aus der laufenden Produktion, durch Demontagen in der jeweiligen Besatzungszone und durch Beschlagnahme deutscher Auslandsguthaben; Gebiete östlich der Oder-Neiße-Linie kommen unter sowjetische bzw. polnische Verwaltung; »Aussiedlung« der deutschen Bevölkerungsgruppen aus Polen, der ČSR, Jugoslawien, Ungarn; Rat der Außenminister der Vier Mächte soll Friedensvertrag mit Deutschland und den ehemaligen Verbündeten vorbereiten und sich mit dem Problem der Regierung und Verwaltung Deutschlands und der Reparationsfrage beschäftigen.

30. 7. Erste Sitzung des Alliierten Kontrollrats in Berlin.

10. 9.–2. 10. Erste Konferenz des Rats der Außenminister in London: Frankreich verlangt Abtrennung des Rhein-Ruhr-Gebiets, die Sowjetunion fordert deutsche Zentralregierung und Viermächtekontrolle des Ruhrgebiets.

17. 10. Errichtung des Länderrats der US-Zone in Stuttgart.

5.–7. 10. Konferenz der SPD in Wennigsen bei Hannover erkennt Kurt Schumacher als Sprecher für die Westzonen an.

1946

26. 2.–1. 3.	Zonenausschuß der CDU der britischen Zone wählt in Neheim-Hüsten Konrad Adenauer zum Vorsitzenden auf Zonenebene.
6. 3.	Erste Sitzung des Zonenbeirats der britischen Zone.
26. 3.	Industrieplan des Alliierten Kontrollrats verfügt auf Vierzonen-Ebene Produktionsbeschränkungen und Verbote, setzt Höchstkapazitäten fest (70–75 Prozent des Standes 1936) und bestimmt 1800 Betriebe zur Demontage.
25. 4.–12. 7.	Zweite Außenministerkonferenz in Paris: Byrnes (USA) fordert den Zusammenschluß der vier Zonen, Einladung zur Fusion mit der US-Zone wird am 29. 7. von Großbritannien angenommen; Molotow (UdSSR) kritisiert die westliche Besatzungspolitik und wiederholt die Forderung nach 10 Milliarden Dollar Reparationen und Viermächte-Kontrolle des Ruhrgebiets.
9.–11. 5.	Erster Parteitag der SPD der drei Westzonen in Hannover wählt Kurt Schumacher zum Vorsitzenden.
6. 9.	Rede von US-Außenminister Byrnes in Stuttgart markiert Grundsätze der amerikanischen Deutschlandpolitik.
10. 9.–1. 10.	Abschluß von fünf Abkommen zur Bildung bizonaler deutscher Verwaltungen für Ernährung (Stuttgart), Verkehr (Bielefeld), Wirtschaft (Minden), Finanzen (Bad Homburg) und Post (Frankfurt).
4. 11.–11. 12.	Dritte Außenministerkonferenz in New York: Abschluß der Beratungen über Friedensverträge mit ehemaligen Verbündeten Deutschlands, keine Erörterung der deutschen Frage.
2. 12.	Unterzeichnung des Abkommens über wirtschaftliche Verschmelzung der amerikanischen und britischen Besatzungszonen durch die Außenminister Byrnes und Bevin.
22. 12.	Eingliederung des Saargebiets in den französischen Zoll- und Wirtschaftsraum.

1947

1. 1.	Offizieller Beginn der Bizone (Fusion der amerikanischen und britischen Zone zum Vereinigten Wirtschaftsgebiet).
1.–3. 2.	Ahlener Wirtschaftsprogramm der CDU der britischen Zone verabschiedet.
5./6. 2.	Gründung der »Arbeitsgemeinschaft der CDU/CSU Deutschlands« als Dach der christdemokratischen Parteien der Länder- bzw. (brit.) Zonenebene.

10. 3.–24. 4.	Vierte Außenministerkonferenz in Moskau: UdSSR lehnt den föderalistischen Staatsaufbau Deutschlands ab; nach Meinungsverschiedenheiten über Reparationsfrage (wegen sowjetischer Forderungen) Ende der Konferenz ohne Ergebnis.
12. 3.	Truman-Doktrin: Ankündigung materieller Hilfe durch die USA gegen »totalitäre« (kommunistische) Bedrohung im Innern (Griechenland) oder von außen (Türkei).
22.–25. 4.	Gründungskongreß des Deutschen Gewerkschaftsbunds (DGB) in der britischen Zone in Bielefeld.
29. 5.	Abkommen zwischen Militärgouverneuren der Bizone sieht die Zentralisierung der Administration in Frankfurt a. M. vor, die Errichtung eines parlamentarischen Gremiums (Wirtschaftsrat) und eines Exekutivrats (Ländervertreter) als Lenkungsgremium für die Direktoren der fünf Fachverwaltungen. Das Abkommen tritt am 10. 6. 1947 in Kraft.
5. 6.	US-Außenminister Marshall kündigt in der Harvard University ein Hilfsprogramm für den europäischen Wiederaufbau an.
6.–8. 6.	Ministerpräsidentenkonferenz in München über Wirtschafts-, Ernährungs- und Flüchtlingsprobleme. Abreise der Delegation aus der sowjetischen Besatzungszone am Vorabend wegen Uneinigkeit über die Tagesordnung symbolisiert die Teilung Deutschlands.
25. 6.	Konstituierung des Wirtschaftsrats (52 von den acht Landtagen der Bizone delegierte Abgeordnete) als Parlament des Vereinigten Wirtschaftsgebiets in Frankfurt a. M.
24. 7.	Erste Frankfurter Direktorenwahl. Weil die SPD ihren Anspruch auf Besetzung des Wirtschaftsressorts nicht durchsetzen kann, begibt sie sich in die Opposition. Gewählt werden Johannes Semler (Wirtschaft), Hans Schlange-Schöningen (Ernährung), Hans Schuberth (Post) und (am 9. 8.) Alfred Hartmann (Finanzen), Edmund Frohne (Verkehr), alle CDU/CSU.
29. 8.	Revidierter Industrieplan für die Bizone erlaubt ein Wirtschaftspotential entsprechend dem Stand von 1936.
16. 10. u. 7. 11.	Veröffentlichung der neuen Demontagelisten für die Bizone (682 Betriebe) und die französische Zone (236 Fabriken) im Zusammenhang mit dem Revidierten Industrieplan.
25. 11.– 15. 12.	Fünfte Außenministerkonferenz in London, vorzeitig abgebrochen, weil eine Verständigung der Vier Mächte über die deutsche Frage nicht möglich.

1948

7./8. 1.	Konferenz der Militärgouverneure mit den Ministerpräsidenten und Vertretern der Bizone über die Reform der Bizone.
24. 1.	Entlassung Semlers als Direktor für Wirtschaft wegen seiner Erlanger Hühnerfutter-Rede (4. 1. 1948).
9. 2.	»Frankfurt Charta« (von Clay und Robertson am 5. 2. unterzeichnet) in Kraft: Verdoppelung des Wirtschaftsrates von 52 auf 104 Abgeordnete; Errichtung des Länderrats (als Zweiter Kammer und anstelle des Exekutivrats) mit Vetorecht und Recht zur Gesetzesinitiative; Verwaltungsrat aus Direktoren der Verwaltungen mit einem Oberdirektor an der Spitze als Quasi-Regierung.
9. 2.	Errichtung eines Deutschen Obergerichts für die Bizone durch Proklamation der Militärgouverneure.
23. 2.–6. 3.	Erste Phase der Londoner Sechsmächte-Konferenz (westliche Besatzungsmächte und Benelux-Staaten): Empfehlung, in Westdeutschland ein föderatives Regierungssystem zu errichten und die Westzonen am Marshall-Plan und an der Ruhrkontrolle zu beteiligen.
24. 2.	Erste Vollversammlung des erweiterten Wirtschaftsrats.
1. 3.	Gründung der »Bank deutscher Länder« durch Militärgouverneure der drei Westzonen (später: Bundesbank) in Frankfurt a. M.
2. 3.	Zweite Frankfurter Direktorenwahl: Hermann Pünder (Oberdirektor), Ludwig Erhard (Wirtschaft), Hans Schlange-Schöningen (Ernährung), Alfred Hartmann (Finanzen), Edmund Frohne (Verkehr), Hans Schuberth (Post); am 20. 8. kommt Anton Storch als Direktor der neuen Verwaltung für Arbeit hinzu. Dem Oberdirektor unterstellt sind das Rechtsamt (Walter Strauß) und das Personalamt (Kurt Oppler).
20. 3.	Sprengung des Alliierten Kontrollrats durch Marschall Sokolowskij aus Protest gegen die Londoner Sechsmächte-Konferenz und das antisowjetische Bündnis der Brüsseler Westunion (17. 3. 1948): Ende der Viermächte-Verwaltung Deutschlands.
1. 4.	Beginn der »Kleinen« Berlin-Blockade: Behinderungen des Verkehrs durch sowjetische Inspektionen.
16. 4.	Gründung der OEEC durch Unterzeichnung der Konvention für europäische wirtschaftliche Zusammenarbeit nach Marshall-Plan-Konferenzen in Paris von sechzehn Staaten. Westdeutschland war durch die Militärgouverneure vertreten.
20. 4.–2. 6.	Zweite Phase der Sechsmächte-Konferenz endet mit Londoner Empfehlungen: Die deutschen Ministerpräsi-

denten sollen von den Militärgouverneuren ermächtigt werden, eine Konstituante (als ersten Schritt der Staatsgründung) einzuberufen. Internationale Ruhrkontrolle und ein militärisches Sicherheitsamt als Dreimächte-Instanz werden als Sicherheitsmaßnahmen in Aussicht genommen.

20. 4.–8. 6.	Deutsche Währungsfachleute arbeiten, von der Öffentlichkeit abgeschirmt, nach Anweisung der Alliierten an der technischen Vorbereitung der Währungsreform mit (Konklave von Rothwesten).
16. 6.	Sowjetischer Vertreter verläßt Alliierte Kommandantur für Berlin.
20. 6.	Durchführung der Währungsreform in den drei Westzonen.
23./24. 6.	Warschauer Achtmächte-Konferenz unter Führung der Sowjetunion bezichtigt Westmächte der Spaltung Deutschlands und propagiert Friedensvertrag auf der Basis der Potsdamer Vereinbarungen.
24. 6.	»Gesetz über Leitsätze für die Bewirtschaftung und Preispolitik nach der Geldreform« ermöglicht zusammen mit einigen anderen Gesetzen des Wirtschaftsrats den Übergang zur Marktwirtschaft in der Bizone.
24. 6.	Beginn der Blockade Berlins durch die sowjetischen Besatzungsbehörden.
1. 7.	Übergabe der drei »Frankfurter Dokumente« an die elf westdeutschen Ministerpräsidenten durch die Militärgouverneure der drei Westzonen. Dokument I enthält »Verfassungsrechtliche Bestimmungen«, Dok. II den Auftrag, Vorschläge zur Länderneugliederung zu machen, Dok. III »Grundzüge eines Besatzungsstatuts«.
8.–10. 7.	Konferenz der westdeutschen Ministerpräsidenten in Koblenz (Hotel Rittersturz) nimmt den alliierten Auftrag zur Staatsgründung an, stellt aber Bedingungen, die von den Militärgouverneuren nicht akzeptiert werden.
21./22. 7.	Konferenz der westdeutschen Länderchefs im Jagdschloß Niederwald bei Rüdesheim erarbeitet Kompromißformeln zur Annahme der Frankfurter Dokumente.
26. 7.	Schlußkonferenz der Militärgouverneure mit den Ministerpräsidenten der Westzonen über die Frankfurter Dokumente, bei der in der Sache die Deutschen, in der Terminologie die Alliierten nachgeben.
10.–23. 8.	Sachverständigenausschuß (Herrenchiemseer Verfassungskonvent) erstellt im Auftrag der Ministerpräsidenten den Entwurf eines Grundgesetzes.
1. 9.	Konstituierung des Parlamentarischen Rats in Bonn (65 Abgeordnete, von den elf Landtagen gewählt, außerdem

fünf Vertreter Berlins ohne Stimmrecht). Präsident wird Konrad Adenauer (CDU), Vorsitzender des Hauptausschusses Carlo Schmid (SPD).

8./9. 9.	Allgemeine Aussprache über Verfassungsprobleme im Plenum des Parlamentarischen Rats.
11. 9.	Bekanntgabe des Kreditumfangs für die Bizone (414 Millionen Dollar) und die französische Zone (100 Millionen Dollar) im Rahmen des Marshall-Plans.
15./16. 9.	Konstituierung der Fachausschüsse und erste Sitzung des Hauptausschusses des Parlamentarischen Rats.
26. 10.	Kompromiß zwischen CSU (Ehard) und SPD (Menzel) über die zweite Kammer (Bundesrat).
10. 11.–10. 12.	Erste Lesung des Grundgesetz-Entwurfs im Hauptausschuß.
22. 11.	Aide-mémoire der Militärgouverneure an den Parlamentarischen Rat enthält grundsätzliche Bedingungen (Londoner Empfehlungen).
11./12. 12.	Zusammenschluß der liberalen Parteien der Westzonen zur FDP in Heppenheim; Theodor Heuss wird Vorsitzender.
15. 12.–20. 1. 1949	Zweite Lesung des Grundgesetz-Entwurfs im Hauptausschuß.
16. 12.	Unterredung einer Delegation des Parlamentarischen Rats mit Militärgouverneuren führt wegen angeblicher Indiskretionen Adenauers zur Krise zwischen SPD und Union (»Frankfurter Affäre«).
28. 12.	Veröffentlichung des Ruhrstatut-Entwurfs.

1949

17. 1.	Errichtung eines militärischen Sicherheitsamtes für die Westzonen als Dreimächte-Behörde in Berlin trägt dem französischen Sicherheitsbedürfnis Rechnung (Kontrolle der Entmilitarisierung und Abrüstung) und erfüllt Aufgaben des früheren Kontrollrats.
8.–10. 2.	Dritte Lesung des Grundgesetz-Entwurfs im Hauptausschuß.
2. 3.	Militärgouverneure nennen acht Punkte, in denen der Entwurf von alliierten Forderungen abweicht (insbesondere Finanzverfassung und Verteilung der Gesetzgebungskompetenzen zwischen Bund und Ländern). Der Siebenerausschuß des Parlamentarischen Rats sucht Kompromißformulierungen, die am 18. 3. von den Alliierten wieder zurückgewiesen werden.
4. 4.	Gründung der NATO in Washington, anschließend
5.–8. 4.	Deutschlandkonferenz der Außenminister Acheson (USA), Bevin (Großbritannien) und Schuman (Frank-

	reich) beschließt u. a. den Text des Besatzungsstatuts, die weitere Reduzierung der Demontagen, die Einsetzung einer Alliierten Hohen Kommission anstelle der drei Militärregierungen.
22. 4.	Ruhrstatut in Kraft: Internationale Kontrolle der Kohle- und Stahlproduktion des Ruhrgebiets durch die westlichen Besatzungsmächte und die Benelux-Länder. Die Westzonen sind durch Militärgouverneure vertreten.
22.–25. 4.	Militärgouverneure signalisieren im Auftrag der Außenminister Verhandlungsbereitschaft über das Grundgesetz; nach interfraktionellen Besprechungen im Parlamentarischen Rat und Einigung mit den Alliierten Beendigung der Krise.
5./6. 5.	Vierte Lesung des revidierten Grundgesetz-Entwurfs im Hauptausschuß.
6. u. 8. 5.	Zweite und Dritte Lesung des Grundgesetz-Entwurfs im Plenum des Parlamentarischen Rats.
10. 5.	Parlamentarischer Rat bestimmt Bonn zum vorläufigen Regierungssitz (am 3. 11. vom Bundestag bestätigt).
12. 5.	Ende der Blockade Berlins.
12. 5.	Militärgouverneure genehmigen das Grundgesetz.
18.–21. 5.	Zehn Landtage der drei Westzonen ratifizieren das Grundgesetz, Bayern lehnt die Verfassung ab.
23. 5.	Das Grundgesetz für die Bundesrepublik Deutschland wird in der Schlußsitzung des Parlamentarischen Rats feierlich verkündet.
23. 5.– 20. 6.	Sechste Außenministerkonferenz in Paris. Die Sowjetunion schlägt die Rückkehr zu den Potsdamer Vereinbarungen und die Wiederbelebung des Alliierten Kontrollrats vor, Westmächte offerieren das Besatzungstatut und den Anschluß der Sowjetzone an die Bundesrepublik.
15. 7.	Düsseldorfer Leitsätze der CDU: Bekenntnis zur Sozialen Marktwirtschaft als Wahlkampfprogramm und Kurskorrektur gegenüber Thesen des Ahlener Programms.
14. 8.	Wahlen zum ersten Deutschen Bundestag.
21. 8.	Rhöndorfer Treffen führender CDU/CSU-Politiker schließt Große Koalition mit der SPD aus, nominiert Adenauer als Bundeskanzler und Theodor Heuss (FDP) für das Amt des Bundespräsidenten.
7. 9.	Konstituierende Sitzung des Bundestages und des Bundesrats.
12. 9.	Bundesversammlung wählt Theodor Heuss zum Bundespräsidenten.
15. 9.	Bundestag wählt Konrad Adenauer zum Bundeskanzler.
20. 9.	Vereidigung des Bundeskabinetts und Regierungserklärung Adenauers.

21. 9.	Inkrafttreten des (am 10. 4. 1949 veröffentlichten) Besatzungsstatuts.
12.–14. 10.	Gründungskongreß des Deutschen Gewerkschaftsbundes (DGB) in München.
31. 10.	Bundesrepublik wird OEEC-Mitglied.
22. 11.	Petersberger Abkommen erlaubt u. a. den Beitritt der Bundesrepublik zum Europarat und zur Ruhrbehörde, Aufnahme konsularischer Beziehungen.

1950

| 8. 7. | Bundesrepublik wird assoziiertes Mitglied des Europarats (ab 2. 5. 1951 Vollmitglied). |
| 12.–18. 9. | Außenministerkonferenz der Westmächte in New York beschließt u. a. westdeutschen Wehrbeitrag zur Verteidigung Europas. |

1951

6. 3.	Erste Revision des Besatzungsstatuts: u. a. erweiterte Befugnisse in auswärtigen Angelegenheiten und daraufhin (15. 3.) Wiedererrichtung des Auswärtigen Amtes.
18. 4.	Vertrag über Gründung der Europäischen Gemeinschaft für Kohle und Stahl (EGKS). Die »Montanunion« (Frankreich, Italien, Bundesrepublik, Benelux) soll das Ruhrstatut und die Ruhrbehörde ersetzen und ist ein erster Schritt zur Integration Europas.
14. 9.	Außenministerkonferenz der drei Westmächte in Washington beschließt, das Besatzungsstatut durch einen Generalvertrag zu ersetzen, der zur selben Zeit in Kraft treten soll wie das Abkommen über den deutschen Beitrag im Rahmen der Europäischen Verteidigungsgemeinschaft (EVG).
24. 9.	Beginn der Verhandlungen zwischen Adenauer und den Hohen Kommissaren über die Ablösung des Besatzungsstatuts.
19. 11.	Verbotsantrag der Bundesregierung gegen die neonazistische »Sozialistische Reichspartei« beim Bundesverfassungsgericht (Verbot am 23. 10. 1952).

1952

8. 2.	Bundestag stimmt dem EVG-Vertrag zu.
28. 2.	Beginn der Londoner Schuldenkonferenz.
10. 3.	Sowjetische Note an die Westmächte schlägt Friedensvertrag mit Deutschland vor auf der Basis von Wiedervereinigung und Neutralisierung.
19. 3.	Ratifizierung des Deutschlandvertrags und des EVG-Vertrags durch den Bundestag.

30. 3.	Beginn der Verhandlungen über Wiedergutmachungsleistungen der Bundesrepublik an Israel und Jewish Claims Conference.
25. 3.	Antwort der Westmächte auf die Stalinnote: Freie gesamtdeutsche Wahlen sind die Vorbedingung für Gespräche über einen Friedensvertrag.
9. 4.	Zweite Note der Sowjetunion an die Westmächte: Zustimmung zu freien gesamtdeutschen Wahlen, aber unter Viermächte- statt UN-Kontrolle. In weiterem Notenwechsel (24. 5./10. 7. und 23. 8./23. 9.) bleiben die Standpunkte beider Seiten unverändert: Die Westmächte glauben nicht an die Ernsthaftigkeit des Stalin-Angebots freier Wahlen und lehnen die Neutralisierung im Einklang mit der Bonner Regierung ab.
26. 5.	Unterzeichnung des »Deutschlandvertrags« über Beziehungen zwischen der BRD und den Drei Mächten (mit Zusatzverträgen, u. a. Truppenvertrag) in Bonn.
23. 7.	Vertrag über die Europäische Gemeinschaft für Kohle und Stahl in Kraft; Ende des Ruhrstatuts und der Internationalen Ruhrbehörde.
1. 9.	Gesetz über Lastenausgleich vom 14. 8. tritt in Kraft.
10. 9.	Wiedergutmachungsabkommen mit Israel und der Jewish Claims Conference in Luxemburg unterzeichnet.

1953

| 27. 2. | Unterzeichnung des Londoner Abkommens über Regelung der Auslandsschulden des Deutschen Reiches und Preußens durch die Bundesrepublik und zwanzig Gläubigerstaaten. |
| 6. 9. | Wahlen zum zweiten Bundestag (Wahlgesetz vom 8. 7. 1953 führte Zweitstimmen ein und verschärfte die Sperrklausel). |

1954

30. 8.	Ablehnung des EVG-Vertrags durch die französische Nationalversammlung.
28. 9.–3. 10.	Londoner Neunmächte-Konferenz berät u. a. über die völkerrechtliche Stellung der Bundesrepublik nach dem Scheitern der EVG.
19.–23. 10.	Pariser Konferenzen der drei Westmächte mit der BRD, der neun Unterzeichner der Londoner Akte, der fünfzehn NATO-Staaten regeln den künftigen Status der Bundesrepublik in den Pariser Verträgen, u. a. Beendigung des Besatzungsregimes, Sicherheitsgarantien der Westmächte für Berlin, Anerkennung des Alleinvertretungsanspruchs, Aufnahme in die NATO und (bilateral

zwischen Frankreich und Bonn) Saarstatut (politische Autonomie bei wirtschaftlicher Bindung an Frankreich).

1955

27. 2.   Bundestag ratifiziert die Pariser Verträge.
5. 5.   Proklamation der Souveränität der Bundesrepublik. Aufhebung des Besatzungsstatuts, Deutschlandvertrag in Kraft, Beitritt der BRD zur Westeuropäischen Union.
6. 5.   NATO-Vertrag für die Bundesrepublik in Kraft.

1957

1. 1.   Eingliederung des Saarlandes in die Bundesrepublik (aufgrund der Volksabstimmung am 23. 10. 1955).

Die Wahl zum 1. Deutschen Bundestag am 14. 8. 1949

	Schleswig-Holstein	Hamburg	Niedersachsen	Bremen	Nordrhein-Westfalen	Hessen	Rheinland-Pfalz	Baden-Württemberg¹	Bayern	Bundesgebiet	Sitze im Bundestag
Wahlberechtigte (in Tausend)	1731,0	1141,0	4425,6	379,8	8681,8	2906,2	1900,8	4056,9	5984,2	31207,6	
Wahlbeteiligung (prozentual)	82,7	81,9	77,7	81,9	79,6	77,3	79,6	70,6	81,1	78,5	
Christlich-Demokratische Union/Christlich-Soziale Union Partei	30,7	19,8	17,6	16,9	36,9	21,3	49,1	39,6	29,2	31,0	139
Sozialdemokratische Partei Deutschlands	29,6	39,6	33,4	34,4	31,4	32,1	28,6	23,9	22,8	29,2	131
Freie Demokratische Partei/Deutsche Volkspartei/Bremer Demokratische Volkspartei	7,4	15,8	7,5	12,9	8,7	28,1	15,8	17,6	8,5	11,9	52
Kommunistische Partei Deutschlands	3,1	8,5	3,1	6,7	7,6	6,7	6,2	6,4	4,1	5,7	15
Bayern-Partei	–	–	–	–	–	–	–	–	20,9	4,2	17
Deutsche Partei	12,1	13,1	17,8	18,0	–	–	–	–	–	4,0	17
Deutsche Konservative Partei/Deutsche Rechtspartei	1,9	1,2	8,1	–	1,8	–	–	–	–	1,8	5
Europäische Volksbewegung Deutschlands	–	–	–	–	–	–	–	1,0	–	0,1	–
Radikalsoziale Freiheitspartei	1,3	1,5	1,0	2,1	2,1	–	–	0,1	–	0,9	–
Rheinisch-Westfälische Volkspartei	–	–	–	–	0,3	–	–	–	–	0,1	–
Südschleswigscher Wählerverband	5,4	–	–	–	–	–	–	–	–	0,3	1
Wirtschaftliche Aufbau-Vereinigung	–	–	–	–	–	–	–	–	14,4	2,9	12
Zentrums-Partei	0,9	–	3,4	–	8,9	–	–	–	–	3,1	10
Parteilose	7,6	0,5	8,1	9,0	2,3	11,8	0,3	11,5	0,1	4,8	3

¹ Zusammenfassung der Ergebnisse in den drei Ländern Württemberg-Baden, Württemberg-Hohenzollern und Baden, die am 25. 4. 1952 zu Baden-Württemberg vereinigt wurden.

Nach: Statistisches Jahrbuch für die Bundesrepublik Deutschland 1953. Stuttgart, Köln 1953.

Die Wahl zum 2. Deutschen Bundestag am 6. 9. 1953

	Schleswig-Holstein	Hamburg	Niedersachsen	Bremen	Nordrhein-Westfalen	Hessen	Rheinland-Pfalz[1]	Baden-Württemberg[1]	Bayern	Bundesgebiet	Sitze im Bundestag
Wahlberechtigte (in Tausend)	1573,5	1241,9	4388,8	421,0	9599,1	3081,8	2143,3	4536,8	6134,8	33120,9	
Wahlbeteiligung (prozentual)	88,5	87,5	88,5	87,4	86,0	86,7	86,0	81,8	85,8	86,0	
Christlich-Demokratische Union/Christlich-Soziale Union	47,1	36,7	35,2	24,8	48,9	33,2	52,1	52,4	47,8	45,2	243
Sozialdemokratische Partei Deutschlands	26,5	38,1	30,1	39,0	31,9	33,7	27,2	23,0	23,3	28,8	151
Freie Demokratische Partei/Demokratische Volkspartei/Bremer Demokratische Volkspartei	4,5	10,3	6,9	7,5	8,5	19,7	12,1	12,7	6,2	9,5	48
Gesamtdeutscher Block – BHE	11,6	2,5	10,8	3,3	2,7	6,4	1,5	5,4	8,2	5,9	27
Deutsche Partei	4,0	5,9	11,9	17,0	1,0	2,8	1,1	1,6	0,9	3,3	15
Kommunistische Partei Deutschlands	1,2	3,8	1,1	3,9	2,9	2,5	2,3	2,3	1,6	2,2	–
Gesamtdeutsche Volkspartei	0,4	1,2	0,6	1,6	1,5	1,7	1,2	1,5	0,6	1,2	–
Deutsche Reichspartei	0,9	1,6	3,5	3,0	–	–	2,5	–	1,5	1,1	–
Deutsche Konservative Partei/Deutsche Rechtspartei	–	–	–	–	–	–	–	–	–	–	–
Die Nationale Sammlung	0,4	–	–	–	–	–	–	–	0,6	0,3	–
Bayernpartei	–	–	–	–	–	–	–	1,1	9,2	1,7	–
Südschleswigscher Wählerverband	3,3	–	–	–	–	–	–	–	–	0,2	–
Zentrumspartei	–	–	–	–	2,7	–	–	–	–	0,8	3[2]

[1] Bei der Bundestagswahl 1953 hatte jeder Wähler zwei Stimmen. Mit der 1. Stimme wurde ein Wahlkreisbewerber gewählt, die 2. Stimme für eine Landesliste abgegeben. Die Gesamtzahl der Sitze für einen Wahlvorschlag wurde unter Anrechnung der mit den Erststimmen errungenen Sitze auf Grund der Zweitstimmen errechnet. Vergleichbar mit den Ergebnissen der Wahl von 1949 sind daher nur die Zweitstimmen.
Gesamtzahl der Sitze 1953: 487

[2] Darunter ein Mitglied der CDU, das über die Landesliste der Deutschen Zentrumspartei gewählt worden ist.

Nach: Statistisches Jahrbuch der Bundesrepublik Deutschland 1954. Stuttgart – Köln 1954.

Deutschland unter den Besatzungsmächten
1945–1949

- - - - - Grenzen der Besatzungszonen
·—·—·— deutsche Grenzen
············· Grenzen der Länder

Abkürzungen

AVBRD Akten zur Vorgeschichte der Bundesrepublik Deutschland
BICO   Bipartite Control Office
Bizone Amerikanische und britische Besatzungszone
FRUS   Foreign Relations of the United States
IfZ   Institut für Zeitgeschichte
JEIA   Joint Export-Import Agency
OMGUS Office of Military Government for Germany U.S.
VfZ   Vierteljahrshefte für Zeitgeschichte

Deutsche Geschichte der neuesten Zeit
vom 19. Jahrhundert bis zur Gegenwart
Herausgegeben von Martin Broszat, Wolfgang Benz, Hermann
Graml in Verbindung mit dem Institut für Zeitgeschichte

Die »neueste« Geschichte setzt ein mit den nachnapoleonischen Evolu-
tionen und Umbrüchen auf dem Wege zur Entstehung des modernen
deutschen National-, Verfassungs- und Industriestaates. Sie reicht bis
zum Ende der sozial-liberalen Koalition (1982). Die großen Themen
der deutschen Geschichte des 19. und 20. Jahrhunderts werden, auf die
Gegenwart hin gestaffelt, in dreißig konzentriert geschriebenen Bänden
abgehandelt. Ihre Gestaltung folgt einer einheitlichen Konzeption, die
die verschiedenen Elemente der Geschichtsvermittlung zur Geltung
bringen soll: die erzählerische Vertiefung einzelner Ereignisse, Konflikte, Konstellationen; Gesamtdarstellung und Deutung; Dokumentation mit ausgewählten Quellentexten, Statistiken, Zeittafeln; Work-
shop-Information über die Quellenproblematik, leitende Fragestellun-
gen und Kontroversen der historischen Literatur. Erstklassige Autoren
machen die wichtigsten Kapitel dieser deutschen Geschichte auf me-
thodisch neue Weise lebendig.

Personenregister

Wo Deutschland liegt

Bundesrepublik Deutschland – Deutsche Demokratische Republik

 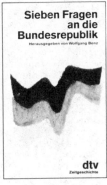 

Deutsche Geschichte der neuesten Zeit